Unive

Sous

CHATEAUBRIAND

ATALA

avec une biographie de l'auteur, une présentation
de l'œuvre, les préfaces de 1801 et 1805,
une analyse méthodique, des notes, des questions

par

Raymond BERNEX

Agrégé de l'Université

Cl. Lauros-Giraudon

Chateaubriand à dix-huit ans
Peinture anonyme du XVIIIe siècle
Musée de Saint-Malo

© Bordas, Paris 1968 – 1re édition
© Bordas, Paris 1985 pour la présente édition
I.S.B.N. 2-04-016012-4 – I.S.S.N. 0249-7220

LA VIE DE CHATEAUBRIAND (1768-1848)

Une naissance prédestinée

Le 4 septembre 1768, par une nuit de tempête, naît à Saint-Malo, rue des Juifs, FRANÇOIS-RENÉ DE CHATEAUBRIAND, fils de RENÉ-AUGUSTE DE CHATEAUBRIAND, armateur, et d'APOLLINE DE BÉDÉE. François-René est le dernier-né d'une famille de dix enfants, dont quatre moururent en bas âge. Son père, descendant d'une vieille famille bretonne sans fortune, s'était enrichi par le commerce maritime et la pêche ; en 1761, il avait acquis la terre et le château de Combourg, auquel était attaché le titre de comte. François-René sera lui-même chevalier, puis vicomte de Chateaubriand.

L'enfance bretonne (1768-1777)

Jusqu'à l'âge de trois ans, François-René est mis en nourrice à Plancoët. Puis il revient à Saint-Malo, où il passe son enfance dans une liberté à peu près totale : il court la grève et « polissonne » avec les gamins de son âge. De cette enfance libre et « sauvage » et de l'atavisme que lui ont légué ses aïeux marins, Chateaubriand gardera toute sa vie, avec la passion de la mer, une orgueilleuse et farouche indépendance.

Les années d'étude (1777-1786)

En 1777, le jeune François-René, alors âgé de neuf ans, entre chez les Eudistes de Dol : il ne semble pas avoir été un écolier modèle : aussi, en 1781, ses parents le retirent pour le mettre au collège de Rennes, où la discipline passe pour plus stricte. Mais l'application de ce collégien rêveur et bohème ne s'améliore guère. Il prépare sans enthousiasme l'examen des gardes de la marine, auquel il échoue, après un séjour de six mois à Brest (janvier-juin 1783).

La vie à Combourg

Pendant la même période, il passe toutes ses vacances à
Combourg, où ses parents s'étaient installés définitivement
depuis mai 1777. Il y séjourne complètement de 1783 à
1785 : là, dans un cadre austère et médiéval, en compagnie
d'un père taciturne, d'une mère pieuse et d'une sœur romanesque — LUCILE, qu'il aime d'une tendresse passionnée —,
le jeune chevalier mène une vie oisive, où son penchant
naturel à la rêverie solitaire peut se donner libre cours.

L'apprentissage des armes (1786-1787)

Cependant, ses parents cherchent à l'établir : son frère lui
fait obtenir un office de sous-lieutenant au régiment de
Navarre (janvier 1786). Il séjourne quelque temps à Paris
chez sa sœur, Mme de Farcy, puis rejoint sa garnison à
Cambrai. Mais la mort de son père (4 septembre) le rappelle
en Bretagne.

Les années de dissipation (1787-1791)

Introduit à la Cour, grâce à son frère aîné, le comte Jean-
Baptiste, François-René poursuit sans goût sa carrière, peu
lucrative, d'officier subalterne. Il réside tantôt à Paris,
tantôt à Fougères, chez sa sœur, Mme de Marigny. A Paris,
chez son autre sœur, Mme de Farcy, il fréquente les
beaux esprits du temps et prend goût au libertinage.
Attiré par la littérature — vocation à laquelle sa sœur
Lucile n'est pas étrangère — il publie en 1790, dans l'*Alma-
nach des Muses*, une idylle intitulée *l'Amour à la campagne*,
œuvre médiocre mais où apparaît déjà le sentiment romantique de la nature.

Le voyage en Amérique (1791)

Cependant, inquiète de le voir mener une vie dissipée et
oisive en compagnie de jeunes débauchés et de « révolutionnaires », sa famille le presse de quitter Paris où trop de

Chateaubriand à vingt - trois ans
par Girodet

tentations le guettent. C'était la mode, à l'époque, de faire voyager les fils de famille indociles, pour les rendre plus souples. Cinquante ans plus tard, Baudelaire sera de même « embarqué » pour les Indes par M. et Mme Aupick. Chateaubriand, lui, fut envoyé par les siens en Amérique : ce voyage ne lui déplaisant pas, d'ailleurs, car ce fils de marin rêvait aussi d'aventures. Il s'embarque donc sur le *Saint-Pierre*, le 3 avril 1791. Arrivé en Amérique le 10 juillet, il y séjourne jusqu'au 10 décembre 1791. C'est là qu'il commença la rédaction de son *Voyage en Amérique*, première ébauche qu'il devait reprendre et compléter plus tard d'après des récits de voyageurs.

L'émigré : l'« Essai sur les révolutions » (1792-1800)

Pendant ce temps, à Paris, les événements se précipitent. Apprenant l'arrestation de Louis XVI, le jeune vicomte revient en France pour se mettre au service de la monarchie menacée. Ses sœurs en profitent pour le marier à une jeune Bretonne de dix-huit ans, Céleste Buisson de la Vigne, qu'il connaît à peine (19 mars 1792). Ce mariage « de raison » ne pouvait guère retenir au bercail l'enfant prodigue, qui rêvait d'autres aventures. Dès le mois de juillet 1792, il émigre et rejoint l'armée des princes sur le Rhin. Blessé, malade, il s'embarque à Ostende pour les îles anglo-normandes, puis gagne l'Angleterre, où il arrive le 17 mai 1793. Alors commence pour l'exilé une vie misérable : à Londres, il ressent les premières atteintes de la phtisie ; sans ressources, il vit chichement de traductions et finit par trouver un poste de professeur en Suffolk (début de 1794-juin 1796). Il ébauche une idylle romanesque avec une de ses élèves, Charlotte Ives. Mais bientôt il revient à Londres : il y publie son premier ouvrage, l'*Essai sur les révolutions anciennes et modernes* (18 mars 1797), œuvre hardie que l'Église lui reprochera plus tard, quand il se sera posé en défenseur du christianisme. Il fréquente les « monarchiens » émigrés et se lie avec Mme de Belloy. Mais les événements vont bientôt ranimer la foi de son enfance. Victimes de la Terreur, son frère et sa belle-sœur sont guillotinés. Sa mère et sa sœur, Mme de Farcy, meurent des souffrances physiques et morales qu'elles ont endurées. Ce dernier coup du destin achève la « conversion » du chrétien égaré : « Je pleurai et je crus », écrit-il dans ses *Mémoires*. Ainsi, comme Pascal Chateaubriand eut « sa nuit ». Comme Pascal encore, il décide de consacrer sa vie à la défense de la religion catholique : il commence à écrire une *Apologie du christianisme*, tout en travaillant sur les « sauvages » d'Amérique.

L'apôtre du christianisme (1800-1803)

Le 6 mai 1800, il débarque incognito à Calais. De là, il gagne Paris où il fréquente les « beaux esprits » du temps : Fontane, Chênedollé, Joubert, Benjamin Constant, Mme de Staël. Il est présenté à Juliette Récamier, et s'éprend de Pauline de Beaumont, qui répond à sa flamme. Mais il n'oublie pas pour cela son dessein d'écrire une *Apologie du christianisme*. Justement, le Premier Consul, qui cherche à s'appuyer sur les catholiques, favorise son entreprise. Chateaubriand ne laisse pas échapper l'occasion, sans qu'on puisse pour autant mettre sa sincérité en doute. Au printemps 1801, il détache de son manuscrit un épisode, qu'il publie à part sous le titre d'*Atala* (2 avril 1801). Cette touchante histoire, où l'amour se mêle à la religion, et le romanesque à la vertu, enthousiasme le public : on s'arrache la première édition. Quatre autres devaient suivre dans la même année. Désormais célèbre, Chateaubriand peut publier en toute quiétude, l'année suivante, son grand ouvrage, *le Génie du christianisme*, qui comportait l'épisode le plus « romantique » et certainement le plus personnel de toute son œuvre : *René* (4 avril 1802). Le livre arrivait à propos, juste quelques jours avant la signature du Concordat. Le succès retentissant de l'ouvrage vaut à l'auteur un poste de secrétaire de légation à Rome (mai 1803).

Le séjour en Italie ou les désillusions du diplomate (1803-1804)

Chateaubriand arrive dans la Ville éternelle le 27 juin 1903. Une brillante carrière diplomatique semble s'ouvrir devant lui. Mais, deux siècles et demi après du Bellay, l'auteur d'*Atala* va bientôt connaître les mêmes désillusions. Tout d'abord sa fidèle amie, Mme de Beaumont, qui l'avait suivi à Rome et lui avait fait promettre de reprendre avec Mme de Chateaubriand une vie conjugale régulière, tombe malade et meurt le 4 novembre. En outre, l'orgueilleux secrétaire se brouille avec son ambassadeur, le cardinal Fesch, oncle de Bonaparte. Il rentre en France ; là, une nouvelle chance s'offre à son ambition : le 29 novembre, il est désigné comme ministre plénipotentiaire auprès de la république du Valais. Mais l'exécution du duc d'Enghien (21 mars 1804) remet tout en question. Indigné, Chateaubriand, déjà prévenu contre le nouveau régime et toujours « légitimiste » de cœur, passe définitivement à l'opposition. Il démissionne, rompant ainsi publiquement avec le pouvoir établi. La mort (10 novembre) de sa sœur préférée, Lucile, vient ajouter un deuil cruel à ses rancœurs politiques.

Voyages (1805-1807)

Pour oublier, Chateaubriand entreprend d'abord de brefs voyages en Auvergne et au mont Blanc (été 1805) ; il médite d'écrire un roman sur les origines du christianisme. La même année 1805, paraît l'édition définitive d'*Atala*, jointe à *René*. Afin de « chercher des images » pour l'œuvre nouvelle dont il a formé le dessein, et aussi avec l'intention de rejoindre en Espagne Mme de Noailles, qu'il avait rencontrée à Paris au cours de l'été 1804, Chateaubriand accomplit, au cours des années 1806-1807, un long périple méditerranéen : il visite tour à tour la Grèce (10 août-2 septembre 1806) ; Constantinople ; la Terre sainte (1er-16 octobre 1806) ; puis l'Égypte et la Tunisie ; il gagne Cadix (6 avril 1807), et rejoint Natalie de Laborde, duchesse de Noailles ; en sa compagnie, il visite l'Andalousie, Madrid, l'Escurial (avril-juin 1807). Enfin, le 5 juin, il rentre à Paris.

La retraite studieuse (1807-1813)

Un article violent, paru dans *le Mercure de France* en juillet 1807, le range définitivement dans le camp des ennemis du régime. Mais l'écrivain se tient désormais à l'écart de la politique active : il se retire dans sa propriété de la Vallée aux loups. Le 27 mars 1809, il publie *les Martyrs* et commence à rédiger *les Aventures du dernier Abencérage*. Élu à l'Académie française le 20 février 1811, au fauteuil de Marie-Joseph Chénier, il refuse d'apporter à son discours les corrections exigées par la censure : ainsi ne sera-t-il installé qu'après la chute de l'Empire. En février 1811 paraît l'*Itinéraire de Paris à Jérusalem*, qui devait, dans la pensée de l'auteur, couronner son œuvre littéraire. Les deux années suivantes (1812-1813) sont consacrées à des études historiques et à la rédaction des Mémoires de sa vie, qui ne devaient être publiés qu'après la mort de l'écrivain, sous le titre *Mémoires d'outre-tombe*.

Les tribulations de l'homme politique (1814-1826)

Mais les événements politiques vont faire sortir l'homme d'action de sa studieuse retraite. Le 5 avril 1814, Chateaubriand publie une brochure qui est un véritable manifeste en faveur des Bourbons : *De Buonaparte, des Bourbons, et de la nécessité de se rallier à nos princes légitimes pour le bonheur de la France.* Bien que déçu par l'accueil que lui réserve le gouvernement de la première Restauration, l'ancien émigré continue la lutte pour le rétablissement de la monarchie. Pendant les Cent-Jours, il suit Louis XVIII à Gand ; il est nommé membre de la Chambre des pairs (17 août 1815) ; mais le nouveau régime le déçoit encore et ne reconnaît pas assez, à son gré, les services rendus. En septembre 1816, il publie une brochure intitulée *la Monarchie selon la Charte*, où il se rallie à la monarchie constitutionnelle mais blâme la dissolution de la « Chambre introuvable ». Bientôt, il passe à l'opposition ultra-royaliste : avec Lamennais et Bonald, il fonde *le Conservateur*, où il se révèle brillant journaliste, et mène la lutte contre Richelieu et Decazes. Cependant, après l'assassinat du duc de Berry (13 février 1820) et la naissance du duc de Bordeaux (29 septembre), ses *Mémoires sur la vie et la mort du duc de Berry* le font rentrer en grâce. Pendant la même période, l'écrivain connaît des difficultés financières : il doit vendre la Vallée aux loups. Mais il trouve une consolation sentimentale dans l'« amitié amoureuse » de Mme RÉCAMIER, à partir d'octobre 1818 : la mort seule devait mettre fin à cette tendre liaison. Alors commence, pour l'homme politique, une période faste. Nommé ambassadeur à Berlin (janvier-avril 1821), puis à Londres (avril-septembre 1822), ministre plénipotentiaire au congrès de Vérone, où il joue un rôle important (20 octobre-14 décembre 1822), il devient ministre des Affaires étrangères le 28 décembre de la même année. C'est lui qui, à ce titre, fait décider l'expédition d'Espagne et rétablir la monarchie dans ce pays. Mais, en butte à la jalousie de Villèle, il est disgracié le 20 juin 1824 et rentre dans l'opposition, cette fois aux côtés des libéraux. Il collabore activement au *Journal des débats*.

La moisson littéraire (1826-1831)

Après un bref séjour en Suisse (mai-juillet 1826), commencent à paraître ses Œuvres complètes dont la publication s'étale sur une période de cinq ans (1826-1831) et qui comportent des textes inédits : *les Aventures du dernier Abencérage* ; *les Natchez* ; *les Mélanges politiques* ; *les Voyages en Amérique et en Italie* (1827) ; *Mélanges et Poésie* (1828) ; *Études ou Discours historiques* ; *Moïse*, tragédie biblique (1831).

Dernières lettres politiques (1828-1833)

Après la chute de Villèle, Chateaubriand est nommé par Martignac ambassadeur à Rome (octobre-mai 1829), mais il démissionne en août, lors de la constitution du ministère Polignac. La révolution de juillet le rejette définitivement dans l'opposition. Le 7 août 1830, il démissionne de la pairie et se retire de l'arène politique. Cependant il soutient en secret la duchesse de Berry qui, en 1832, suscite dans l'Ouest un mouvement légitimiste ; en son nom, il accomplit une mission auprès de Charles X, réfugié à Prague ; la duchesse de Berry ayant été emprisonnée, il écrit, en décembre, son *Mémoire sur la captivité de la duchesse de Berry*, où il proclame hardiment son loyalisme à l'égard du jeune prince, le duc de Bordeaux : « Madame, votre fils est mon roi ! » Arrêté à son tour, il est acquitté (février-mars 1833), ce qui lui vaut une grande popularité auprès des adversaires de la monarchie de Juillet.

Le déclin (1833-1848)

De retour à Paris, Chateaubriand se consacre désormais à ses travaux littéraires, avec le soutien actif de Mme Récamier. Il publie un *Essai sur la littérature anglaise* (1836), une relation sur *le Congrès de Vérone* (1838), une *Vie de Rancé* (1844). Perclus de rhumatismes et presque impotent, l'écrivain mène une vie retirée dans son appartement de la rue du Bac et ne sort de sa retraite que pour suivre des cures à Néris-les-Bains (août 1841-1842) ou à Bourbonne (juillet 1843). Il accomplit un dernier voyage à Londres (novembre 1843), mais tombe gravement malade à l'automne de 1844. Après une dernière visite à la duchesse de Berry, qui séjourne à Venise (mai 1845), il rentre à Paris où il retouche ses *Mémoires*. Mme de Chateaubriand meurt le 8 février 1847. Le 4 juillet 1848, l'illustre écrivain s'éteint à son tour, rue du Bac. Selon l'autorisation qu'il avait obtenue de la ville de Saint-Malo, le 17 mai 1839, il est inhumé solennellement sur l'îlot du Grand-Bé. Ainsi s'achevait, face à l'immensité de la mer, cette vie ardente, commencée sous le signe de la tempête.

LE VOYAGE DE CHATEAUBRIAND EN AMÉRIQUE

La question du voyage de Chateaubriand et de son séjour en Amérique a soulevé de nombreuses controverses et n'est pas encore définitivement éclaircie. Ce qu'il y a de sûr, c'est que ce voyage n'est pas imaginaire. Chateaubriand en fait mention dans ses *Mémoires* [1] et dans le *Voyage en Amérique* [2].

Depuis longtemps, d'ailleurs, il rêvait de visiter le Nouveau-Monde. Bien des raisons le poussaient à entreprendre ce voyage : le goût de l'aventure, le prestige légendaire de ces terres inconnues, de ce pays neuf aux mœurs patriarcales et aux institutions libérales, bien fait pour séduire les disciples attardés de Jean-Jacques. Joignant l'esprit scientifique aux caprices de son imagination, Chateaubriand, encouragé par Malesherbes, avait même conçu un ambitieux projet : il s'agissait de rechercher, au nord de l'Amérique, un passage par où le Pacifique rejoignait l'Atlantique : l'idée était « en l'air » depuis les voyages de Cook et des navigateurs anglais. Mais, pour réaliser son dessein, Chateaubriand avait besoin des secours financiers et de l'appui du gouvernement. Là-dessus, le régiment des cadets-gentilshommes, auquel appartenait le jeune officier, fut dissous. Il fallait désormais choisir : se soumettre, en prêtant serment au nouveau régime, ou se démettre. Chateaubriand préféra la seconde solution, et revint tout naturellement à ses projets de voyage. Au printemps 1791, il s'embarqua sur le *Saint-Pierre*. Après une escale à Santa-Cruz des Açores, il arrivait en Amérique à la mi-juillet. A la mi-décembre il en était reparti : à l'en croire, ce retour précipité aurait été provoqué par la nouvelle des événements qui venaient de se produire en France : la fuite à Varennes et l'émigration des officiers nobles. Chateaubriand n'hésita pas et rejoignit le camp des émigrés.

Il séjourna donc en Amérique pendant cinq mois de l'année 1791. Mais quel fut son emploi du temps ? Quelles régions visita-t-il ? C'est là que les difficultés commencent. Des recherches ont été entreprises par J. Bédier, G. Chinard, P. Martino, et, plus récemment, par MM. Morris Bishop et Richard Switzer, notamment [1]. Les opinions sont partagées : pour les uns (les plus nombreux), Chateaubriand aurait

---

1. Voir, p. 167, *la Documentation.* — 2. Voir *Mémoires d'outre-tombe*, éd. Biré, 1re partie, livre V, p. 239-242 ; livre IV, p. 276-338.

inventé de pures pièces la majeure partie de son « voyage »
et puisé toute sa documentation dans les récits antérieurs de
voyageurs ou de missionnaires. Selon d'autres, le récit de
l'auteur comporterait un large fond de vérité : telle est,
notamment, l'opinion de l'abbé Bertin et du D^r Le Savoureux. D'autres, enfin, comme MM. Bishop et Switzer,
adoptent une position intermédiaire, et, tout en faisant la
part de l'imagination, admettent, à la suite d'une enquête
objective et scientifique, un « point de départ » authentique.
Quoi qu'il en soit, et sans entrer dans le détail d'un problème
qui n'intéresse pas directement *Atala*, voici les points qui
peuvent être considérés comme acquis, dans l'état actuel des
recherches : Chateaubriand, parti de Baltimore, s'est rendu
à Philadelphie ; il y a séjourné au moins une semaine ; de là,
il gagne New York, d'où il accomplit un voyage à Boston ;
de New York il passe à Albany, en empruntant l'Hudson ;
d'Albany, il va visiter les chutes du Niagara, où il se brise un
bras. Enfin, il regagne Philadelphie, et s'embarque, vraisem-
blablement sur le *Molley*, pour le Havre, le 28 novembre [1].
« Chateaubriand n'a donc pas pu se rendre au pays des Natchez, ni en Floride, ni en Louisiane ; il n'a pas descendu
l'Ohio et le Mississipi [2] ». On peut en conclure que les souvenirs personnels ne tiennent dans *Atala* qu'une place minime.
Mais pourquoi chercher dans un roman la rigueur scientifique ? A défaut d'une documentation directe, Chateaubriand a pu recueillir, au cours de son voyage, et surtout
pendant la dernière partie de son séjour en Amérique, une
foule d'impressions qui se sont amalgamées avec les souvenirs de ses lectures. Il a découvert un monde nouveau, encore
à demi vierge, et en tout cas fort éloigné de la civilisation
européenne. Il a été en contact avec des populations qui,
sans doute, n'avaient qu'un lointain rapport avec les « bons
sauvages » mis à la mode par les philosophes du XVIIIe siècle,
mais dont la mentalité semi-enfantine et les problèmes
ethniques vis-à-vis des Européens correspondent bien à la
vérité historique. Comme l'a écrit M. Victor-L. Tapié [3] :
« Paysages et hommes ont exercé sur l'imagination de Chateaubriand des impressions diverses et toutes d'une force
étonnante. Qu'il les ait aussitôt consignées dans ses notes ou
retenues dans sa mémoire, on oserait dire ici : peu importe,
l'essentiel est leur incantation. »

---

1. V.-L. Tapié, *Chateaubriand par lui-même*, p. 34. — 2. *Ibid.* — 3. *Ibid.*

PRÉSENTATION D' « ATALA »

1. Historique de l'œuvre

Si l'on en croit l'auteur, il aurait commencé à écrire *Atala* pendant son séjour en Amérique : « *Atala* a été écrite dans le désert, et sous les huttes des Sauvages[1]. » Mais cette déclaration ne doit être accueillie qu'avec prudence. Les conditions matérielles, en effet, ne se prêtaient guère à la rédaction d'un roman ; et l'abondante documentation d'*Atala* suppose une importante bibliothèque, assez difficile à transporter « sous les huttes des Sauvages ». Il est plus vraisemblable que certaines parties du roman furent écrites peu avant ou immédiatement après le retour de Chateaubriand, c'est-à-dire vers janvier 1792. Peut-être, cependant, le voyageur avait-il rapporté de son séjour en Amérique quelques notes ou une ébauche générale de son roman : car il est tout de même difficile d'imaginer qu'il ait inventé de toutes pièces les circonstances dans lesquelles il commença d'écrire *Atala*, et l'on ne voit pas bien les raisons d'une telle supercherie, peu conforme aux habitudes de l'auteur. Peut-être même avait-il rédigé entièrement certains épisodes, entre la date de son embarquement pour la France (décembre 1791) et son arrivée (janvier 1792). Ce qui est sûr, c'est que, de retour à Paris, Chateaubriand lut à M. de Malesherbes les premiers fragments de son ouvrage. Quand ? on ne sait au juste : mais certainement entre janvier et juillet 1792. En 1793, le manuscrit était sans doute achevé, puisque l'auteur le corrigeait déjà pendant son séjour auprès de « l'armée des Princes » (juillet 1792-mai 1793), comme il nous le dit lui-même dans ses *Mémoires* : le passage, il est vrai, date de 1822, mais, à en juger par la précision des détails, le souvenir

---

1. Voir *Préface* de la 1ʳᵉ édition (1801), p. 26, l. 48.

de l'auteur semble fidèle : « Je m'asseyais, dit-il, avec mon fusil, au milieu des ruines ; je tirais de mon havresac le manuscrit de mon *Voyage en Amérique* [...]. Je relisais et corrigeais une description de forêt, un passage d'*Atala*, dans les décombres d'un amphithéâtre romain. J'essayais de fourrer *Atala* avec les inutiles cartouches dans ma giberne ; mes camarades se moquaient de moi[1]. »

Toujours d'après les *Mémoires*, ce manuscrit d'*Atala* aurait même sauvé la vie de l'auteur, lors de l'attaque des royalistes contre Thionville. « A l'affaire de la Plaine, deux balles avaient frappé mon havresac pendant un mouvement de conversion. Atala, en fille dévouée, se plaça entre son père et le plomb ennemi[2]. »
Après la déroute de l'armée de Condé, Chateaubriand, malade et blessé, emporte encore avec lui le précieux manuscrit : « Vers la fin du jour, je m'étendis le dos à terre, la tête soutenue par le sac d'Atala[3]. »
En Angleterre, où il arrive le 17 mai 1793, l'auteur travaille encore à son roman, qu'il corrige et complète. Pendant son séjour dans le Suffolk (début 1794-juin 1796), il s'entretient de l'Amérique avec son hôte, le révérend John Ives, ancien missionnaire chez les Sauvages. De retour à Londres (toujours d'après les *Mémoires*), il rédige l'épisode des amours de Chactas et d'Atala : « C'est dans le parc de Kensington que, relisant le journal de mes courses d'outre-mer, j'en ai tiré les amours d'Atala ; c'est aussi dans ce parc que je traçai les premières ébauches de *René* [...]. Les deux manuscrits marchaient de front, bien que souvent je manquasse d'argent pour en acheter le papier[4]. » A Londres encore, dans les salons et les cercles de « monarchiens » émigrés qu'il fréquente alors, l'écrivain lit ses œuvres en cours, et notamment le manuscrit d'*Atala*, dans la forme où il se trouvait à cette date (1797-1799). Le souvenir d'une de ces lectures publiques a été conservé par Mallet du Pan, fils du publiciste contre-révolutionnaire : « Chateaubriand, dit-il, donna un soir une séance de lecture chez Malouët : il y lut *Atala* et quelques croquis de son œuvre ultérieure, *le Génie du christianisme*. » Un autre jour, l'auteur lit son œuvre (*Atala*) à un groupe d'amis, dans sa chambre du 11th Upper Seymour street, et cette lecture suscite dans l'assistance

---

1. *Mémoires*, éd. du centenaire par M. Levaillant, Paris, Flammarion, 1948, t. I, p. 397-398. Chateaubriand se trouvait alors près de Trèves. Voir nos *Documents*, p. 188. — 2. *Mémoires, ibid.* p. 414. Cet épisode se place en septembre 1792. — 3. *Ibid.*, p. 423-424. — 4. *Ibid.* I, p. 253.

des «mouvements divers[1]». C'est à la fin de son séjour en Angleterre, entre janvier et mai 1800, que Chateaubriand, qui avait déjà entrepris l'impression du *Génie du christianisme*, détache des *Natchez* les esquisses d'*Atala* et de *René*[2]. De retour en France, le 6 mai 1800, l'écrivain se cloître «au fond de son entresol», rue de Lille, à Paris, pour «se livrer tout entier au travail», c'est-à-dire à la rédaction du *Génie*, dont *Atala* et *René* ne devaient plus constituer désormais que des épisodes. Il se lie avec M. de Fontanes, qui le fait entrer au *Mercure de France* ; un jour, Chateaubriand montre à son protecteur un épisode d'*Atala* : le discours du Père Aubry au chevet d'Atala mourante. Fontanes critique : «Ce n'est pas cela... C'est mauvais ! Refaites cela !» Chateaubriand se retire «désolé», dit-il, et un peu humilié sans doute. Il veut d'abord jeter son manuscrit au feu ; puis il se ravise et, «vers minuit», reprend d'un seul trait le discours du missionnaire, «sans un seul interligne, sans en rayer un seul mot, tel qu'il est resté». Au matin, le «cœur palpitant», il apporte son manuscrit à Fontanes. Cette fois, son censeur se montre satisfait : «C'est cela ! s'écrie-t-il, je vous l'avais bien dit, que vous feriez mieux[3] !» Dans le *Mercure* du 16 Germinal an IX (6 avril 1801), Fontanes écrit un article où il annonce en termes élogieux la récente publication d'*Atala*. L'ouvrage venait en effet de paraître «chez Migneret, et à l'ancienne librairie de Dupont», le 12 Germinal an IX (2 avril 1801), sous le titre suivant : *Atala ou les amours de deux Sauvages dans le désert*.

Ainsi pouvons-nous suivre, presque pas à pas, à travers les *Mémoires d'outre-tombe* et quelques témoignages contemporains, la genèse d'*Atala*. De ce rapide historique, on peut tirer plusieurs conclusions :

1º L'auteur mène de front la rédaction des *Natchez*, d'*Atala* et de *René*.

2º Ces trois ouvrages comportent des souvenirs du *Voyage en Amérique*.

3º La rédaction d'*Atala* s'étend sur plusieurs années, de la fin de 1791, ou du début de 1792, à 1801.

4º Primitivement conçue comme un simple épisode des *Natchez*, *Atala* fut détachée de ce roman, en même temps que *René*, dans les premiers mois de l'année 1800.

---

1. Voir Gavoty, « Le Secret d'Atala », *Revue des Deux Mondes*, mars-juin 1948, et *Mémoires* de Montlosier. — 2. *Mémoires*, I, p. 529-531. — 3. *Mémoires*, éd. Biré-Moreau, 2e partie, p. 177. Voir nos *Documents*, p. 187.

Il ne s'agit donc pas d'une œuvre écrite d'une haleine, selon un plan établi à l'avance, mais du remaniement d'un simple épisode des *Natchez*, né des souvenirs du voyage en Amérique, et qui, longuement mûri, repris et développé à la faveur des circonstances plus ou moins fortuites, en tout cas sans intention préconçue, finit par prendre des proportions suffisantes pour permettre une publication séparée. Nous avons là un exemple intéressant de création littéraire « prolongée », à partir d'un thème initial sur lequel sont venues ultérieurement se greffer des idées ou des impressions nouvelles.

2. L'accueil du public

Le résultat de cette longue gestation fut un triomphe, et Chateaubriand pouvait écrire, sans se flatter, dans ses *Mémoires* [1] : « C'est de la publication d'*Atala* que date le bruit que j'ai fait dans le monde : je cessai de vivre de moi-même, et ma carrière publique commença. » Cependant le roman surprit d'abord les lecteurs, avant de les conquérir : « L'étrangeté de l'ouvrage, dit l'auteur, ajoutait à la surprise de la foule. *Atala*, tombant au milieu de la littérature de l'Empire, de cette école classique, vieille rajeunie, dont la seule vue inspirait l'ennui, était une sorte de production de genre inconnu. On ne savait si l'on devait le classer parmi les monstruosités ou parmi les beautés : était-elle Gorgone ou Vénus ? Les académiciens assemblés dissertèrent doctement sur son sexe et sa nature, de même qu'ils firent des rapports sur le *Génie* [....]. Le vieux siècle la repoussa, le nouveau l'accueillit [2]. » Atala ne tarda pas à devenir si populaire que — nous dit encore l'auteur — « elle alla grossir avec la Brinvilliers la collection de Curtius [3] ». Chateaubriand nous donne encore, dans ses *Mémoires*, bien d'autres exemples de cette popularité d'*Atala* : « Les auberges de rouliers, dit-il notamment, étaient ornées de gravures rouges, vertes et bleues, représentant Chactas, le Père Aubry, et la fille de Simaghan [personnages du roman]. Dans des boîtes de bois, sur les quais, on montrait mes personnages en cire, comme on montre des images de la Vierge et des Saints à la foire. Je vis sur un théâtre du Boulevard ma Sauvagesse, coiffée de plumes de coq, qui parlait de *l'âme de la solitude* à un Sauvage de son espèce... etc. » D'un seul coup, Chateaubriand était devenu ce que nous appelons

---

1. *Ibid.* — 2. *Mémoires*, II, p. 20 (écrit en 1837). — 3. L'Allemand nommé Curtius avait installé à Paris, vers 1770, un « cabinet » de figures en cire coloriée, représentant les personnages célèbres du temps, comme on peut en voir de nos jours au musée Grévin.

aujourd'hui un «auteur à succès». Comment expliquer une telle réussite ? De nos jours, *Atala* nous paraît inférieure au *Génie du christianisme* et aux *Martyrs*. L'œuvre a un peu vieilli, avec l'intérêt qui lui avait valu son succès ; car *Atala* est d'abord une œuvre « d'actualité » : ce roman «américain» arrivait fort à propos, au début de 1801, alors que la France venait de recouvrer sa souveraineté sur la Louisiane par le traité de San Ildefonso, conclu avec l'Espagne en octobre 1800. En outre, le thème du « bon sauvage», hérité du siècle précédent, connaissait au début du XIXᵉ siècle une vogue nouvelle, avec les récits de missionnaires et de voyageurs [1]. Les aventures romanesques de ces Sauvages civilisés ajoutaient encore à l'ouvrage un intérêt de curiosité propre à séduire le «grand public». Enfin *Atala* joignait à une inspiration religieuse, en accord avec le renouveau du catholicisme au début du XIXᵉ siècle, une intrigue amoureuse et sentimentale, gage, à toute époque, du succès populaire, mais plus que jamais sans doute à l'aube du Romantisme. Tout cela, joint aux beautés du style et à l'art de l'écrivain, suffit à expliquer le prodigieux succès d'*Atala*. Avant *le Génie du christianisme*, dont il est en quelque sorte la préface « expérimentale», ce petit roman, qui pâlit par la suite du voisinage des grandes œuvres, marque une grande date dans l'histoire de la littérature.

3. Les éditions

Cinq éditions se succédèrent dans la seule année 1801. Le 14 avril 1802, *Atala* est publiée, en même temps que *René*, dans *le Génie du christianisme*. En 1805, détachée à nouveau et réunie à *René*, *Atala* reçoit sa forme définitive dans sa douzième édition. Ces douze éditions présentent de nombreuses variantes, dont nous indiquons les principales dans les notes du texte, et qui montrent, chez Chateaubriand, un opportunisme politique adroitement concilié avec la sincérité du sentiment religieux, une soumission intelligente à la critique, et l'évolution naturelle d'une pensée qui cherche encore sa voie. La publication séparée d'*Atala* pose un petit problème d'histoire littéraire : pourquoi Chateaubriand fut-il amené à publier sous cette forme un récit primitive-

---

[1]. Voir notre étude finale, p. 168.

ment conçu comme un simple épisode des *Natchez* ? Selon l'auteur, cette décision serait due à la perte de quelques pages de manuscrit : « Je m'occupais à revoir les épreuves d'*Atala* lorsque je m'aperçus que quelques feuilles me manquaient. La peur me prit : je crus qu'on m'avait dérobé mon roman, ce qui, assurément, était une crainte bien peu fondée, car personne ne pensait que je valusse la peine d'être volé [...]. Quoi qu'il en soit, je me déterminai à publier *Atala* à part, et j'annonçai ma résolution dans une lettre adressée au *Journal des débats* et au *Publiciste*[1]. »

Mais la crainte d'un plagiat suffit-elle à expliquer la décision de l'auteur ? Sainte-Beuve nous semble plus près de la vérité lorsqu'il suppose que Chateaubriand, désireux de « sonder » son public, « se décida à lancer à l'avance *Atala*, comme ces petits ballons d'essai qu'on fait partir avant le grand pour pressentir l'état de l'atmosphère[2] ». Car enfin, si Chateaubriand craignait réellement un plagiat, il avait à sa disposition d'autres moyens de dénoncer celui-ci, que d'éditer séparément son récit, au risque de le voir paraître après la « copie » d'un plagiaire éventuel, compte tenu du temps qu'il fallut à l'auteur pour récrire les feuillets manquants et faire imprimer son ouvrage. Cette histoire — incontrôlable — de feuillets perdus pourrait bien n'être qu'une supercherie littéraire, ou, comme nous dirions de nos jours, une habile manœuvre « publicitaire » pour attirer l'attention du public et le préparer aux œuvres futures, déjà presque achevées. Quoi qu'il en soit, s'il y eut un tel calcul de la part de Chateaubriand, celui-ci fit preuve, en l'occurrence, d'une singulière perspicacité, et le résultat, de son propre aveu, dépassa ses espérances.

4. Le nom d'Atala

On ne peut savoir avec certitude d'où Chateaubriand a tiré le nom de son héroïne : Atala. S'agit-il d'une création, d'un emprunt, ou de la déformation d'un nom authentique ? Léon Séché a retrouvé ce nom, désignant un homme, muletier et interprète, dans la *Relation de voyages faits* [...] *en*

---

1. *Mémoires*, éd. Levaillant, t. II, p. 14-20. Sur cette déclaration à la presse, voir une lettre de Chateaubriand à Fontanes, en date du 31 mars 1801 (*Bulletin de Chateaubriand*, 1963, p. 37). Sur la lettre elle-même, voir plus loin, p. 23. — 2. *Chateaubriand et son groupe littéraire sous l'Empire*, éd. Allem, Garnier, I, p. 159.

Terre sainte par M. de Brièves (Paris 1630) [1], mais Chateaubriand connaissait-il cette *Relation* ? Et quel rapport peut-on établir entre un muletier oriental et une jeune chrétienne de la Louisiane ? Il faudrait supposer une réminiscence confuse, de toute façon invérifiable. Avec plus de vraisemblance, semble-t-il, Jean Pommier signale que, dans *les Incas* de Marmontel, le roi de Quito s'appelle *Atalabila*, nom qui, par abréviation, aurait pu donner « Atala » [2]. De son côté, M. J.-M. Gautier a relevé dans Bartram des noms indiens qui, abrégés ou déformés, auraient pu aboutir à « Atala ». Le même érudit suggère un rapprochement avec le féminin dorien du grec *atalos*, qui se rencontre chez Homère et Pindare avec le sens de « jeune, naïf » [3]. Mais ne pourrait-on songer aussi (ou même : plutôt) au nom d'*Atalaïa*, ville du Brésil ? Celui de Chactas est également tiré d'un nom de lieu. Chateaubriand aurait pu trouver ce nom d'*Atalaïa* dans quelque récit de voyageur ou de missionnaire : les sauvages du Brésil étaient fort à la mode vers 1800. Mais il resterait à déterminer la date à laquelle la ville d'Atalaïa reçut ce nom : est-il ancien ou moderne ? Nous soumettons ce petit problème aux spécialistes de toponymie, car il dépasse le cadre de cette étude. Ce qu'il y a de sûr, c'est que Chateaubriand avait une prédilection marquée pour les noms de femmes à finale en *a* : Mila, Velléda, Blanca, etc. Il faut voir sans doute dans cette tendance le souvenir du latin, ou du grec. Le succès du roman popularisa ce nom d'Atala, qui devint un prénom féminin, porté notamment par une filleule de l'auteur : Atala Kergall [4].

5. Plan de l'ouvrage

La structure du roman est d'une simplicité toute classique. Mais la rigueur de la composition n'exclut pas une certaine originalité. Ce récit est en effet composé à la manière d'une tragédie antique, avec un prologue (Chactas raconte ses aventures à René), un récit (un « drame » en quatre épisodes : les chasseurs, les laboureurs, la mort d'Atala, les funérailles), et un épilogue (mort du Père Aubry, mort de Chactas, la fin des Natchez).

---

1. Voir *Revue bleue*, 27 avril 1901, p. 529. — 2. *Revue d'histoire littéraire*, 1937, p. 260. — 3. *L'Exotisme américain dans l'œuvre de Chateaubriand*, Manchester, 1951. — 4. Voir : « Atala Stamaty, filleule de Chateaubriand » (*Bulletin de Chateaubriand*, 1957, p. 27-28).

Atala portée au tombe

...leau de Girodet (1808)

BIBLIOGRAPHIE

1. Éditions

Chateaubriand, *Œuvres complètes* (t. XVI), Ladvocat, 1826. *Atala*, éd. Critique, par Armand Weil, Corti, 1950.

Atala - René - le Dernier des Abencérages, par F. Letessier, Garnier, 1962, (édition comprenant les variantes complètes d'*Atala*), nouvelle éd. 1976.

Œuvres romanesques et voyages, 1 (*Atala, René, Les Natchez, Voyage en Amérique, Vie de Rancé*), éd. Critique par M. Regard, Gallimard (Pléiade), 1969.

Atala - René - Les Derniers des Abencérages, éd. Critique par Pierre Moreau, Gallimard (Folio 1017), 1978.

2. Principales études sur « Atala »

Sainte-Beuve, *Chateaubriand et son groupe littéraire sous l'Empire*, 1861.

Sainte-Beuve, « Chateaubriand » (études tirées des *Lundis* et des *Portraits*, et groupées par M. Allem, 1932).

A. Le Breton, *le Roman français au XIXe siècle*, Lecène, 1901.

Henri Chatelain, « les Critiques d'*Atala*... », *Revue d'histoire littéraire de la France*, 1902.

Joseph Bédier, *Chateaubriand en Amérique*, Colin, 1903.

Louis Hogu, « Notes sur les sources d'*Atala* », *Mémoires de la Société d'agriculture, sciences et arts*, Angers, 1913.

Louis Hogu, « La Publication d'*Atala* », *Revue des Facultés cathol. de l'Ouest*, 1913.

Gilbert Chinard, *l'Exotisme américain dans l'œuvre de Chateaubriand*, Paris, 1918.

Maurice Levaillant, *Splendeurs et Misères de Chateaubriand*, Paris, 1922.

Pius Servien, *Lyrisme et Structures sonores dans « Atala »*, Boivin, 1930.

Louis Martin-Chauffier, *Chateaubriand ou l'obsession de la pureté*, Paris, 1942.

André Gavoty, « Le Secret d'*Atala* », *Revue des Deux Mondes*, mai-juin 1948.

Le Livre du centenaire (Recueil d'articles sur Chateaubriand), Paris, 1949.

Pierre Martino, « le Voyage de Chateaubriand en Amérique », *R.H.L.*, 1952.

P. Sage (l'abbé), *le Bon Prêtre dans la littérature française*, Droz, 1951.

M. Levaillant, *Chateaubriand, prince des songes*, Paris, 1960.

André Vial, *Chateaubriand et le Temps perdu*, Paris, 1963.

Victor-L. Tapié, *Chateaubriand par lui-même* (Écrivains de toujours), éd. du Seuil, 1963.

J.M. Gautier, *L'Exotisme américain dans l'œuvre de Châteaubriand*, Manchester University Press, 1951.

Michel Butor, « Châteaubriand et l'Ancienne Amérique », in *Répertoire II*, éd. de Minuit, 1964.

J. Pommier, « Le cycle de Chactas », in *Dialogues avec le passé*, Paris, Nizet, 1970.

J.-P. Richard, *Paysage de Châteaubriand*, éd. du Seuil, 1967.

Pierre Barbéris, Châteaubriand, *Une réaction au monde moderne*, Larousse (Thèmes et Textes), 1976.

LETTRE

PUBLIÉE DANS LE « JOURNAL DES DÉBATS » ET DANS « LE PUBLICISTE »

Citoyen[1], *dans mon ouvrage sur le* Génie du christianisme, *ou les* Beautés poétiques et morales de la Religion chrétienne, *il se trouve une section entière consacrée à la* poétique du christianisme. *Cette section se divise en trois parties : poésie, beaux-arts, littérature. Ces trois parties sont terminées par une quatrième, sous le titre d'*Harmonies de la religion, *avec les scènes de la nature et les passions du cœur humain. Dans cette partie j'examine plusieurs sujets qui n'ont pu entrer dans les précédentes, tels que les effets des ruines gothiques, comparées aux autres sortes de ruines, les sites des monastères dans les solitudes, le côté poétique de cette religion populaire, qui plaçait des croix aux carrefours des chemins dans les forêts, qui mettait des images de vierges et de saints à la garde des fontaines et des vieux ormeaux ; qui croyait aux pressentiments et aux fantômes, etc., etc. Cette partie est terminée par une anecdote extraite de mes voyages en Amérique et écrite sous les huttes mêmes des Sauvages. Elle est intitulée* Atala, etc. *Quelques épreuves de cette petite histoire s'étant trouvées égarées, pour prévenir un accident qui me causerait un tort infini, je me vois obligé de la publier à part, avant mon grand ouvrage*[2].

Si vous vouliez, citoyen, me faire le plaisir de publier ma lettre, vous me rendriez un important service.

J'ai l'honneur d'être, etc.

---

1. Voir p. 18 Lettre parue le 10 germinal an IX (31 mars 1801) dans le *Journal des débats*, et le lendemain dans *le Publiciste*. Sous sa forme originale, elle était un peu plus longue et signée : « l'auteur du *Génie du christianisme* », bien que ce dernier ouvrage n'ait paru que le 14 avril 1802. — 2. *Le Génie du christianisme*, voir p. 14-15.

PRÉFACES.

PRÉFACE DE LA PREMIÈRE ÉDITION D'ATALA.

On voit par la lettre précédente[1] ce qui a donné lieu à la publicatic d'*Atala* avant mon ouvrage sur le *Génie du Christianisme*, dont elle fa partie. Il ne me reste plus qu'à rendre compte de la manière dont cette histoi a été composée.

J'étais encore très-jeune lorsque je conçus l'idée de faire l'*épopée*

1. La lettre dont il s'agit ici avait été publiée dans le *Journal des Débats* et dans le *Pul ciste* (1800); la voici :

« Citoyen, dans mon ouvrage sur le *Génie du Christianisme*, ou *les Beautés de la relig chrétienne*, il se trouve une partie entière consacrée à la *poétique du Christianisme*. Cette partie divise en quatre livres : poésie, beaux-arts, littérature, harmonies de la religion avec les scènes de

Gravure sur bois de Gustave Doré
pour l'édition de 1863

PRÉFACES

Préface de la première édition (1801)

On voit par la lettre précédente ce qui a donné lieu à la publication d'*Atala* avant mon ouvrage sur *le Génie du christianisme* ou *les Beautés poétiques et morales de la religion chrétienne*, dont elle fait partie. Il ne me reste plus qu'à
5 rendre compte de la manière dont cette petite histoire a été composée.

J'étais encore très jeune, lorsque je conçus l'idée de faire l'épopée de l'homme de la nature [1], ou de peindre les mœurs des Sauvages, en les liant à quelque événement connu. Après
10 la découverte de l'Amérique, je ne vis pas de sujet plus intéressant, surtout pour des Français, que le massacre de la colonie des Natchez à la Louisiane, en 1727 [2]. Toutes les tribus indiennes [3] conspirant, après deux siècles d'oppression [4], pour rendre la liberté au Nouveau-Monde, me paru-
15 rent offrir au pinceau un sujet presque aussi heureux que la conquête du Mexique [5]. Je jetai quelques fragments de cet ouvrage sur le papier ; mais je m'aperçus bientôt que je manquais des vraies couleurs, et que, si je voulais faire une image semblable, il fallait, à l'exemple d'Homère [6], visiter
20 les peuples que je voulais peindre.

En 1789, je fis part à M. de Malesherbes [7] du dessein que j'avais de passer en Amérique. Mais, désirant en même temps donner un but utile à mon voyage, je formai le dessein de découvrir par terre le *passage* tant recherché, et sur lequel
25 Cook [8] même avait laissé des doutes. Je partis, je vis les solitudes américaines [9], et je revins avec des plans pour un autre voyage, qui devait durer neuf ans. Je me proposais de traverser tout le continent de l'Amérique septentrionale, de remonter ensuite le long des côtes, au nord de la Cali-
30 fornie, et de revenir par la baie d'Hudson, en tournant sous le pôle [10]. Si je n'eusse pas péri dans ce second voyage,

1. On retrouve ici le goût de l'époque et l'influence de Rousseau. — 2. En réalité en 1729. Après avoir massacré les colons et les soldats français de Fort-Rosalie, les *Natchez* furent exterminés par Bienville, gouverneur de la Louisiane. — 3. Plus exactement : toutes les « nations » de la tribu des Natchez. — 4. Pour les Natchez, cette *oppression* ne datait que de 1699 (débarquement des Français en Louisiane). — 5. Chateaubriand songe peut-être ici aux *Incas*, de Marmontel (1778). — 6. *Homère* et Virgile inspirent la partie poétique des *Natchez*. — 7. Le futur défenseur de Louis XVI ; sa petite-fille avait épousé le frère aîné de Chateaubriand. — 8. Célèbre navigateur anglais (1728-1779). — 9. Il les connut surtout par les récits des voyageurs. — 10. « M. Mackensie a, depuis, exécuté une partie de ce plan » (note de Chateaubriand). Voir P. Martino, *R. H. L.*, p. 160-164.

j'aurais pu faire des découvertes importantes pour les sciences et utiles à mon pays. M. de Malesherbes se chargea de présenter mes plans au Gouvernement ; et ce fut alors
35 qu'il entendit les premiers fragments du petit ouvrage que je donne aujourd'hui au public.

On sait ce qu'est devenue la France, jusqu'au moment où la Providence a fait paraître un de ces hommes qu'elle envoie en signe de réconciliation, lorsqu'elle est lassée de
40 punir [1]. Couvert du sang de mon frère unique, de ma belle-sœur, de celui de l'illustre vieillard leur père ; ayant vu ma mère et une autre sœur pleine de talents mourir des suites du traitement qu'elles avaient éprouvé dans les cachots [2], j'ai erré sur les terres étrangères, où le seul ami que j'eusse
45 conservé s'est poignardé dans mes bras [3].

De tous mes manuscrits sur l'Amérique, je n'ai sauvé que quelques fragments, en particulier *Atala*, qui n'était qu'un épisode des *Natchez* [4]. *Atala* a été écrite dans le désert, et sous les huttes des Sauvages [5]. Je ne sais si le public goûtera
50 cette histoire qui sort de toutes les routes connues et qui présente une nature et des mœurs tout à fait étrangères à l'Europe [6]. Il n'y a point d'aventures dans *Atala*. C'est une sorte de poème [7], moitié descriptif, moitié dramatique :

---

1. Bonaparte. On notera, dans toute cette préface, l'opportunisme politique de Chateaubriand, sans qu'on puisse pour cela suspecter sa sincérité. — 2. Le frère aîné de l'écrivain, Jean-Baptiste Auguste de Chateaubriand, périt sur l'échafaud avec sa femme, la petite-fille de Malesherbes, et leur illustre grand-père, le 22 avril 1794, Mme de Chateaubriand mère et sa fille Julie de Farcy furent incarcérées en 1793-1794 ; la première mourut le 31 juillet 1798, la seconde, qui avait un certain talent poétique, le 25 juillet 1799. A propos de ces événements, Chateaubriand raconte, dans une note, l'anecdote suivante, qui n'est rapportée nulle part ailleurs, mais dont l'authenticité n'est pas douteuse (voir G. Collas, *La Vieillesse douloureuse de Mme de Chateaubriand*, t. I, p. 295-296, Paris, Minard, 1961) : « Tandis que toute ma famille était ainsi massacrée, emprisonnée et bannie, une de mes sœurs, qui devait sa liberté à la mort de son mari, se trouvait à Fougères, petite ville de Bretagne. L'armée royaliste arrive : huit cents hommes de l'armée républicaine sont pris et condamnés à être fusillés. Ma sœur se jette aux pieds de La Roche-Jacquelein et obtient la grâce des prisonniers. Aussitôt elle vole à Rennes ; elle se présente au tribunal révolutionnaire avec les certificats qui prouvent qu'elle a sauvé la vie à huit cents hommes. Elle demande pour seule récompense qu'on mette ses sœurs en liberté. Le président du tribunal lui répond : « Il faut que tu sois une coquine de royaliste que je ferai guillotiner, puisque les brigands ont tant de déférence à tes prières. D'ailleurs, la république n'a que faire aucun gré de ce que tu fais : elle n'a que trop de défenseurs et elle manque de pain. » Chateaubriand conclut : « Et voilà les hommes dont Bonaparte a délivré la France. » La sœur dont il est question ici était la comtesse de Marigny, née Marie-Anne-Françoise de Chateaubriand, sœur aînée de l'auteur d'*Atala* ; mariée en 1780, veuve en 1787, elle vivait à Fougères, quand l'armée vendéenne occupa cette ville (octobre-novembre 1793). — 3. Il s'agit du Breton François Hingant de la Tremblais. Émigré à Londres avec Chateaubriand, dont il partagea la misère, il tenta de se suicider. (Voir *Mémoires*, éd. Levaillant, I, p. 443-445.) — 4. Voir p. 18. — 5. Voir p. 13. — 6. Les *Sauvages* américains ont inspiré, à la fin du XVIIIe siècle, beaucoup de contes et de romans. Cet attrait de l'Amérique subsistait encore au début du XIXe siècle, et le thème du « bon sauvage » avait retrouvé, en 1801, un regain d'actualité, avec les récits des voyageurs et des missionnaires (voir notice p. 167 et suiv.). — 7. « Dans un temps où tout est perverti en littérature, je suis obligé d'avertir que, si je me sers ici du mot de poème, c'est faute de savoir comment me faire entendre autrement. Je ne suis point un de ces barbares

tout consiste dans la peinture de deux amants qui marchent
55 et causent dans la solitude [1] ; tout gît [2] dans le tableau des
troubles de l'amour, au milieu du calme des déserts et du
calme de la religion. J'ai donné à ce petit ouvrage les formes
les plus antiques ; il est divisé en *prologue, récit* et *épilogue.*
Les principales parties du récit prennent une dénomination,
60 comme les *chasseurs,* les *laboureurs* [3], etc. ; et c'était ainsi
que, dans les premiers siècles de la Grèce, les Rhapsodes [4]
chantaient, sous divers titres, les fragments de l'*Iliade* et de
l'*Odyssée.* Je ne dissimule point que j'ai cherché l'extrême
simplicité de fonds et de style, la partie descriptive excep-
65 tée ; encore est-il vrai que, dans la description même, il
est une manière d'être à la fois pompeux [5] et simple. Dire
ce que j'ai tenté n'est pas dire ce que j'ai fait. Depuis longtemps, je ne lis plus qu'Homère et la Bible [6] ; heureux si
l'on s'en aperçoit, et si j'ai fondu dans les teintes du désert
70 et dans les sentiments particuliers à mon cœur les couleurs
de ces deux grands et éternels modèles du beau et du vrai.

Je dirai encore que mon but n'a pas été d'arracher beaucoup de larmes ; il me semble que c'est une dangereuse
erreur, avancée, comme tant d'autres, par M. de Voltaire
75 que « les bons ouvrages sont ceux qui font le plus pleurer ».
Il y a tel drame dont personne ne voudrait être l'auteur et
qui déchire le cœur bien autrement que l'*Énéide.* On n'est
point un grand écrivain parce qu'on met l'âme à la torture.
Les vraies larmes sont celles que fait couler une belle poésie ;
80 il faut qu'il s'y mêle autant d'admiration que de douleur [7].

C'est Priam disant à Achille [8] : Ἀνδρός παιδοφόνοιο ποτὶ
στόμα χεῖρ'ὀρέγεσθαι.

Juge de l'excès de mon malheur, puisque je baise la main qui a
tué mon fils.

C'est Joseph s'écriant [9] :

Ego sum Joseph, frater vester, quem vendidistis in Ægyptum.
Je suis Joseph, votre frère, que vous avez vendu pour l'Égypte.

---

qui confondent la prose et les vers. Le poète, quoi qu'on en dise, est toujours l'homme par
excellence ; et des volumes entiers de prose descriptive ne valent pas cinquante beaux
vers d'Homère, de Virgile ou de Racine » (note de Chateaubriand). — 1. Le désert. —
2. Consiste (emploi classique). — 3. Voir Lamartine, *Jocelyn* (les Laboureurs). — 4. Dans
la Grèce ancienne, aèdes qui allaient de ville en ville en récitant des poèmes. — 5. Majes-
tueux (sans nuance péjorative) ; sens classique : voir Boileau, *Art poétique,* III, v. 10. —
6. Voir dans *le Génie du christianisme* (III, livre v) un parallèle entre la Bible et les poèmes
homériques, « ces deux monuments qui, comme deux colonnes solitaires, sont placés à la porte
du temple du *Génie* et en forment le simple péristyle ». — 7. Dans un article sur Shakespeare
(*Œuvres complètes,* VI, p. 396, et XI, p. 589-590), Chateaubriand écrit : « Le plus méchant
drame peut faire pleurer mille fois davantage que la plus sublime tragédie. Les vraies larmes
sont celles que fait couler une belle poésie [...] ; il faut qu'il s'y mêle autant d'admiration
que de douleur. » Selon Sainte-Beuve, il disait, à ses heures de franchise : « Je n'ai jamais
pleuré que d'admiration. » — 8. *Iliade,* XXIV, 506. — 9. *Genèse,* chap. XLV, verset 4.

Voilà les seules larmes qui doivent mouiller les cordes de la
lyre, et en attendrir les sons. Les muses sont des femmes
85 célestes qui ne défigurent point leurs traits par des grimaces ;
quand elles pleurent, c'est avec un secret dessein de
s'embellir.

Au reste, je ne suis point, comme M. Rousseau, un enthou-
siaste des Sauvages ; et quoique j'aie peut-être autant à me
90 plaindre de la société que ce philosophe avait à s'en louer,
je ne crois point que la *pure nature* soit la plus belle chose du
monde [1]. Je l'ai toujours trouvée fort laide, partout où j'ai
eu l'occasion de la voir. Bien loin d'être d'opinion que l'homme qui pense soit *un animal dépravé*, je crois que c'est la
95 pensée qui fait l'homme. Avec ce mot de *nature*, on a tout
perdu. De là les détails fastidieux de mille romans où l'on
décrit jusqu'aux bonnets de nuit et à la robe de chambre ;
de là ces drames infâmes [2] qui ont succédé aux chefs-d'œuvre
des Racine. Peignons la nature, mais la belle nature : l'art
100 ne doit pas s'occuper de l'imitation des monstres [3].

Les moralités que j'ai voulu faire dans *Atala* étant faciles
à découvrir, et se trouvant résumées dans l'épilogue, je
n'en parlerai point ici ; je dirai seulement un mot de mes
personnages. *Atala*, comme le *Philoctète* [4], n'a que trois
105 personnages. On trouvera peut-être dans la femme que j'ai
cherché à peindre un caractère assez nouveau ; c'est une
chose qu'on n'a pas assez développée, que les contrariétés
du cœur humain [5] ; elles mériteraient d'autant plus de l'être
qu'elles tiennent à l'antique tradition d'une dégradation
110 originelle, et que conséquemment elles ouvrent des vues
profondes sur tout ce qu'il y a de grand et de mystérieux
dans l'homme et son histoire. Chactas, l'amant d'Atala, est
un Sauvage, qu'on suppose né avec du génie et qui est plus
qu'à moitié civilisé, puisque non seulement il sait les langues
115 vivantes, mais encore les langues mortes de l'Europe. Il doit
donc s'exprimer dans un style mêlé, convenable à la ligne
sur laquelle il marche, entre la société et la nature. Cela m'a
donné de grands avantages, en le faisant parler en Sauvage

---

1. Cette idée semble s'opposer au dessein exprimé par Chateaubriand au début de cette
préface, d'écrire « l'épopée de l'homme de la nature ». Selon M. F. Letessier (*op. cit.*, Introd.
p. XXIII et suiv.), cette apparente contradiction s'expliquerait par le fait qu'*Atala* fut
conçue par Chateaubriand à une époque où il était encore fidèle disciple de Rousseau,
mais ne fut écrite qu'après le retour de l'auteur à la foi chrétienne. — 2. Sans doute
allusion aux « drames bourgeois » mis à la mode par Diderot, et plus spécialement à cet
écrivain (voir *Regrets sur ma vieille robe de chambre*). — 3. Cette opinion contredit celle que
Boileau exprime au chant II de l'*Art poétique* (v. 1-2) : « Il n'est pas de serpent ni de
monstre odieux Qui par l'art imité ne puisse plaire aux yeux. » — 4. Drame de Sophocle,
dont les trois personnages principaux sont Philoctète, Ulysse et Néoptolème (409 av. J.-C.).
— 5. Selon M. André Gavoty, « le Secret d'*Atala* » (*Revue des Deux Mondes*, mai-juin 1948),
Chateaubriand songe ici à Mme de Belloy, dont Molé fait l'éloge dans ses *Mémoires*.

dans la peinture des mœurs, et en Européen dans le drame
120 et la narration[1], Sans cela, il eût fallu renoncer à l'ouvrage ;
si je m'étais toujours servi du style indien, *Atala* eût été
de l'hébreu pour le lecteur. Quant au missionnaire, j'ai cru
remarquer que ceux qui jusqu'à présent ont mis le prêtre
en action en ont fait ou un scélérat fanatique, ou une espèce
125 de philosophe. Le Père Aubry n'est rien de tout cela. C'est
un simple chrétien qui parle sans rougir *de la croix, du sang
de son divin maître, de la chair corrompue*, etc. ; en un mot,
c'est le prêtre tel qu'il est[2]. Je sais qu'il est difficile de peindre
un pareil caractère aux yeux de certaines gens, sans toucher
130 au ridicule. Si je n'attendris pas, je ferai rire : on en jugera.
Après tout, si l'on examine ce que j'ai fait entrer dans un si
petit cadre, si l'on considère qu'il n'y a pas une circonstance
intéressante des mœurs des Sauvages que je n'aie touchée,
pas un bel effet de la nature, pas un beau site de la Nouvelle-
135 France[3] que je n'aie décrit ; si l'on observe que j'ai placé
auprès du peuple chasseur un tableau complet du peuple
agricole, pour montrer les avantages de la vie sociale sur
la vie sauvage ; si l'on fait attention aux difficultés que j'ai
dû trouver à soutenir l'intérêt dramatique entre deux seuls
140 personnages pendant toute une longue peinture de mœurs,
et de nombreuses descriptions de paysages ; si l'on remarque
enfin que dans la catastrophe[4] même, je me suis privé de
tout secours[5] et n'ai tâché de me soutenir, comme les
anciens, que par la force du dialogue : ces considérations me
145 mériteront peut-être quelque indulgence de la part du lecteur. Encore une fois, je ne me flatte point d'avoir réussi ;
mais on doit toujours savoir gré à un écrivain qui s'efforce
de rappeler la littérature à ce goût antique, trop oublié de
nos jours.
150 Il me reste une chose à dire : je ne sais par quel hasard
une lettre de moi, adressée au citoyen Fontanes[6], a excité
l'attention du public beaucoup plus que je ne m'y attendais.
Je croyais que quelques lignes d'un auteur inconnu passe-
raient sans être aperçues ; je me suis trompé. Les papiers
155 publics ont bien voulu parler de cette lettre, et on m'a
fait l'honneur de m'écrire, à moi personnellement, et à mes
amis, des pages de compliments et d'injures. Quoique j'aie

---

1. Chateaubriand justifie l'expérience européenne de Chactas en imaginant dans *les Natchez* (livres V, VI, VII) que ce Sauvage a voyagé en France et séjourné à la Cour de Louis XIV, vers 1687. — 2. Sur cette affirmation, voir p. 174, et cf. l'ouvrage de l'abbé P. Sage, *Le Bon Prêtre dans la littérature française*. — 3. Nom du Canada jusqu'en 1763. — 4. Au sens classique : dénouement. — 5. De tout artifice extérieur. — 6. Allusion à la *Lettre au citoyen Fontanes sur la seconde édition de l'ouvrage de Mme de Staël (De la littérature)*, lettre publiée dans *le Mercure de France* (22 décembre 1800) et signée « l'auteur du *Génie du christianisme* ».

été moins étonné des dernières que des premiers, je pensais
n'avoir mérité ni les unes ni les autres. En réfléchissant
160 sur ce caprice du public, qui a fait attention à une chose
de si peu de valeur, j'ai pensé que cela pouvait venir du
titre de mon ouvrage : *Génie du christianisme*, etc. On
s'est peut-être figuré qu'il s'agissait d'une affaire de parti [1],
et que je dirais dans ce livre beaucoup de mal à la révolution
165 et aux philosophes [2]. Il est sans doute permis à présent,
sous un gouvernement qui ne proscrit aucune opinion
paisible, de prendre la défense du christianisme, comme
sujet de morale et de littérature. Il a été un temps où les
adversaires de cette religion avaient seuls le droit de parler.
170 Maintenant la lice est ouverte, et ceux qui pensent que le
christianisme est poétique et moral peuvent le dire tout
haut, comme les philosophes peuvent soutenir le contraire.
J'ose croire que si le grand ouvrage que j'ai entrepris, et
qui ne tardera pas à paraître [3], était traité par une main
175 plus habile que la mienne, la question serait décidée sans
retour.

Quoi qu'il en soit, je suis obligé de déclarer qu'il n'est pas
question de la révolution dans le *Génie du christianisme* ; et
que je n'y parle le plus souvent que d'auteurs morts ; quant
180 aux auteurs vivants qui s'y trouvent nommés, ils n'auront
pas lieu d'être mécontents : en général, j'ai gardé une mesure,
que, selon toutes les apparences, on ne gardera pas envers
moi.

On m'a dit que la femme célèbre, dont l'ouvrage formait
185 le sujet de ma lettre, s'est plaint [4] d'un passage de cette
lettre. Je prendrai la liberté d'observer que ce n'est pas moi
qui ai employé le premier l'arme que l'on me reproche, et
qui m'est odieuse. Je n'ai fait que repousser le coup qu'on
portait à un homme dont je fais profession d'admirer les
190 talents, et d'aimer tendrement la personne [5]. Mais dès lors
que j'ai offensé, j'ai été trop loin ; qu'il soit donc tenu pour
effacé, ce passage. Au reste, quand on a l'existence brillante,
et les beaux talents de Mme de Staël, on doit oublier facilement les petites blessures que peut nous faire un solitaire,
195 et un homme aussi ignoré que je le suis. Pour dire un dernier
mot sur *Atala* : si, par un dessein de la plus haute politique,
le gouvernement français songeait un jour à redemander
le Canada à l'Angleterre [6], ma description de la Nouvelle-

---

1. *Une affaire* politique. — 2. *Philosophes* au sens du XVIIIe siècle : Voltaire, Diderot,
Rousseau, etc. — 3. *Le Génie du christianisme* fut publié le 14 avril 1802, douze jours après
Atala. — 4. *Sic,* dans le texte : lapsus probable. — 5. Le poète Fontanes, directeur du
Mercure de France. — 6. Le Consulat semblait décidé, à cette époque, à revendiquer la
Louisiane, que l'Espagne s'était engagée à lui rendre, au traité de San Ildefonso (octobre
1800).

France prendrait un nouvel intérêt. Enfin, le sujet d'*Atala*
200 n'est pas tout de mon invention ; il est certain qu'il y a eu
un Sauvage aux galères [1], et à la cour de Louis XIV [2] ; il est
certain qu'un missionnaire français a fait les choses que j'ai
rapportées [3] ; il est certain que j'ai trouvé des Sauvages
emportant les os de leurs aïeux, et une jeune mère exposant
205 le corps de son enfant sur les branches d'un arbre ; quelques
autres circonstances aussi sont véritables ; mais comme elles
ne sont pas d'un intérêt général, je suis dispensé d'en parler.

Préface de 1805

L'indulgence avec laquelle on a bien voulu accueillir mes
ouvrages m'a imposé la loi d'obéir au goût du public et de
céder au conseil de la critique.

Quant au premier, j'ai mis tous mes soins à le satisfaire.
5 Des personnes, chargées de l'instruction de la jeunesse, ont
désiré avoir une édition du *Génie du christianisme* qui fût
dépouillée de cette partie de l'Apologie uniquement destinée aux gens du monde ; malgré la répugnance naturelle

---

1. En 1867, des chefs iroquois, traîtreusement attirés par le gouverneur Denouville,
furent faits prisonniers et envoyés *aux galères*. — 2. Les *Lettres édifiantes* (VII, 55) signalent
le voyage en France d'un Indien nommé Chikagou, que Louis XIV reçut en grande pompe.
D'autre part, en 1766, d'autres Indiens amenés à Paris « n'y admirèrent rien », sauf la
rue de la Huchette, à cause de ses boutiques de rôtisseurs (Charlevoix, cité par Chinard, éd.
des *Natchez*). — 3. Voir le chapitre consacré aux missions (*Génie du christianisme*, 4ᵉ partie,
livre IV, chap. V et VIII).

● **Préface de 1801**

① Étudiez dans cette préface l'art de la « publicité » discrète : le souci
d'information, le sens de l'actualité politique, la modération ou l'ironie
du ton.

② Dégagez de cette préface l'esthétique de Chateaubriand en 1801 ;
définissez sa position à l'égard des classiques et des « philosophes » du
XVIIIᵉ siècle.

③ Précisez le dessein de l'auteur dans *Atala* : en quoi l'idée de *nature*
diffère-t-elle chez Voltaire, Rousseau et Chateaubriand ?

④ Montrez l'évolution de Chateaubriand depuis l'*Essai sur les révolutions*.

que j'avais à mutiler mon ouvrage, et ne considérant que
10 l'utilité publique, j'ai publié l'abrégé que l'on attendait de
moi [1].

Une autre classe de lecteurs demandait une édition
séparée des deux épisodes de l'ouvrage : je donne aujour-
d'hui cette édition [2].

15 Je dirai maintenant ce que j'ai fait relativement à la critique. Je me suis arrêté pour le *Génie du christianisme* à
des idées différentes de celles que j'ai adoptées pour ses
épisodes. Il m'a semblé d'abord que, par égard pour les personnes qui ont acheté les premières éditions, je ne devais
20 faire, du moins à présent, aucun changement notable à un
livre qui se vend aussi cher que le *Génie du christianisme*.
L'amour-propre et l'intérêt ne m'ont pas paru des raisons
assez bonnes, même dans ce siècle, pour manquer à la délicatesse.

25 En second lieu, il ne s'est pas écoulé assez de temps depuis
la publication du *Génie du christianisme* pour que je sois
parfaitement éclairé sur les défauts d'un ouvrage de cette
étendue. Où trouverais-je la vérité parmi une foule d'opinions contradictoires ? L'un vante mon sujet aux dépens
30 de mon style ; l'autre approuve mon style et désapprouve
mon sujet. Si l'on m'assure, d'une part, que le *Génie du
christianisme* est un monument à jamais mémorable pour
la main qui l'éleva, et pour le commencement du dix-neu-
vième siècle [3], de l'autre, on a pris soin de m'avertir, un mois
35 ou deux après la publication de l'ouvrage, que les critiques
venaient trop tard, puisque cet ouvrage était déjà oublié [4].

Je sais qu'un amour-propre plus affermi que le mien
trouverait peut-être quelque motif d'espérance pour se
rassurer contre cette dernière assertion. Les éditions du
40 *Génie du christianisme* se multiplient, malgré les circonstances qui ont ôté à la cause que j'ai défendue le puissant
intérêt du malheur. L'ouvrage, si je ne m'abuse, paraît même
augmenter d'estime à mesure qu'il vieillit, et il semble que
l'on commence à y voir autre chose qu'un ouvrage de *pure
45 imagination*. Mais à Dieu ne plaise que je prétende persuader

---

1. Sur cet *Abrégé du Génie du christianisme à l'usage de la jeunesse*, paru en 1804 et 1805, amputé d'*Atala*, de *René*, et de la majeure partie de la *Poétique du christianisme*, voir V. Giraud, *Chateaubriand, études littéraires* (Hachette, 1904, p. 199-205). — 2. Cette édition abrégée, en un volume, parut à Paris, chez Le Normant. Elle fut annoncée par le *Mercure de France* du 20 juillet 1805 : c'est la plus connue des éditions anciennes d'*Atala*, celle que Chateaubriand considéra comme définitive. — 3. *On m'assure* : « M. de Fontanes » (note de Chateaubriand). Après la publication du *Génie* (14 avril 1802), Fontanes avait consacré à cet ouvrage un article élogieux, publié dans le *Mercure*, le 15 avril, et repris par le *Moniteur* du 28. — 4. « M. de Ginguené » (note de Chateaubriand) : il avait publié, dans *la Décade philosophique*, trois articles malveillants (19 et 29 juin ; 10 juillet 1802), articles repris dans une brochure intitulée *Coup d'œil rapide sur « le Génie du christianisme »*.

de mon faible mérite ceux qui ont sans doute de bonnes raisons pour ne pas y croire. Hors la religion et l'honneur, j'estime trop peu de choses dans le monde pour ne pas
50 souscrire aux arrêts de la critique la plus rigoureuse. Je suis si peu aveuglé par quelques succès, et si loin de regarder quelques éloges comme un jugement définitif en ma faveur, que je n'ai pas cru devoir mettre la dernière main à mon ouvrage. J'attendrai encore, afin de laisser le temps aux préjugés de se calmer, à l'esprit de parti de s'éteindre ; alors
55 l'opinion qui se sera formée sur mon livre sera sans doute la véritable opinion ; je saurai ce qu'il faudra changer au *Génie du christianisme* pour le rendre tel que je désire le laisser après moi, s'il me survit.

Mais si j'ai résisté à la censure dirigée contre l'ouvrage
60 entier par les raisons que je viens de déduire [1], j'ai suivi pour *Atala*, prise séparément, un système absolument opposé. Je n'ai pu être arrêté dans les corrections, ni par la considération du prix du livre, ni par celle de la longueur de l'ouvrage. Quelques années ont été plus que suffisantes
65 pour me faire connaître les endroits faibles ou vicieux de cet épisode. Docile sur ce point à la critique, jusqu'à me faire reprocher mon trop de facilité, j'ai prouvé à ceux qui m'attaquaient que je ne suis jamais volontairement dans l'erreur, et que dans tous les temps et sur tous les sujets je
70 suis prêt à céder à des lumières supérieures aux miennes [2]. *Atala* a été réimprimée onze fois ; cinq fois séparément, et six fois dans le *Génie du christianisme* ; si l'on confrontait ces onze éditions, à peine en trouverait-on deux tout à fait semblables [3].

75 La douzième que je publie aujourd'hui a été revue avec le plus grand soin. J'ai consulté des amis *prompts à me censurer* [4] ; j'ai pesé chaque phrase, examiné chaque mot. Le style, dégagé des épithètes qui l'embarrassaient, marche peut-être avec plus de naturel et de simplicité. J'ai mis plus
80 d'ordre et de suite dans quelques idées ; j'ai fait disparaître jusqu'aux moindres incorrections de langage. M. de la Harpe [5] me disait au sujet d'*Atala* : « Si vous voulez vous

---

1. Exposer (emploi classique). — 2. Chateaubriand affecta toujours de se soumettre à la critique. Dans la *Vie de Rancé*, sa dernière œuvre, parue en 1844, il professe la même soumission à l'égard de ses censeurs : « On ne peut me faire plus de plaisir que de m'avertir quand je me suis trompé : on a toujours plus de lumière et plus de savoir que moi » (avertissement de la seconde édition ; édit. F. Letessier, 1955, p. 5-6 et note). — 3. On trouve ces variantes dans l'édition de M. F. Letessier (Garnier éd.). Le texte adopté ici est celui de la 12ᵉ édition, seule reconnue par l'auteur, comme on le verra plus loin, et qui a servi de base aux éditions critiques définitives de MM. A. Weill et F. Letessier, pour *Atala*. — 4. Notamment Fontanes, le futur grand maître de l'Université (1757-1821), et Joubert, moraliste, auteur de *Pensées* (1754-1824). — 5. Critique littéraire (1739-1803), auteur du *Cours de littérature*. Chateaubriand entretenait avec lui des relations cordiales ; il l'avait connu avant la Révolution et le rencontrait notamment chez Migneret, leur éditeur commun.

enfermer avec moi seulement quelques heures, ce temps nous suffira pour effacer les taches qui font crier si haut vos cen-
85 seurs. » J'ai passé quatre ans à revoir cet épisode, mais aussi il est tel qu'il doit rester. C'est la seule *Atala* que je reconnaîtrai à l'avenir.

Cependant, il y a des points sur lesquels je n'ai pas cédé entièrement à la critique. On a prétendu que quelques
90 sentiments exprimés par le Père Aubry renfermaient une doctrine désolante. On a, par exemple, été révolté de ce passage : (nous avons aujourd'hui tant de sensibilité !) « Que dis-je ! ô vanité des vanités ! que parlé-je de la puissance des amitiés de la terre ! Voulez-vous, ma chère fille,
95 en connaître l'étendue ? Si un homme revenait à la lumière quelques années après sa mort, je doute qu'il fût revu [1] avec joie par ceux-là même qui ont donné le plus de larmes à sa mémoire : tant on forme vite d'autres liaisons, tant on prend facilement d'autres habitudes, tant l'inconstance est
100 naturelle à l'homme, tant notre vie est peu de chose, même dans le cœur de nos amis ! »

Il ne s'agit pas de savoir si ce sentiment est pénible à avouer, mais s'il est vrai et fondé sur la commune expérience. Il serait difficile de ne pas en convenir. Ce n'est pas
105 surtout chez les Français que l'on peut avoir la prétention de ne rien oublier. Sans parler des morts dont on ne se souvient guère, que de vivants sont revenus dans leur famille et n'y ont trouvé que l'oubli, l'humeur et le dégoût ! D'ailleurs, quel est ici le but du Père Aubry ? N'est-ce pas d'ôter
110 à Atala tout regret d'une existence qu'elle vient de s'arracher volontairement, et à laquelle elle voudrait en vain revenir ? Dans cette intention, le missionnaire, en exagérant même à cette infortunée les maux de la vie, ne ferait encore qu'un acte d'humanité, Mais il n'est pas nécessaire de recou-
115 rir à cette explication. Le Père Aubry exprime une chose malheureusement trop vraie. S'il ne faut pas calomnier la nature humaine, il est aussi très inutile de la voir meilleure qu'elle ne l'est en effet [2].

Le même critique, M. l'abbé Morellet [3], s'est encore élevé
120 contre cette autre pensée, comme fausse et paradoxale :

« Croyez-moi, mon fils, les douleurs ne sont point éternelles ; il faut tôt ou tard qu'elle finissent, parce que le

---

1. Emploi classique du subjonctif imparfait avec la valeur d'un conditionnel présent. —
2. Réellement (sens classique). — 3. Auteur des *Observations critiques sur le roman intitulé « Atala »* (mai 1801). Tout en reconnaissant à Chateaubriand « une imagination brillante et féconde », de la sensibilité, « une morale douce et bienfaisante » il lui reproche les « contradictions » et « l'incohérence entre les diverses parties de l'œuvre », et un style « où abondent des expressions étranges ». Chateaubriand fut très affecté de ces critiques, mais plus tard il rendit justice à son ancien adversaire (article du 21 janvier 1819).

cœur de l'homme est fini. C'est une de nos grandes misères :
nous ne sommes pas même capables d'être longtemps
125 malheureux. »

Le critique prétend que cette sorte d'incapacité de l'homme pour la douleur est au contraire un des grands biens de
la vie. Je ne lui répondrai pas que si cette réflexion est
vraie, elle détruit l'observation qu'il a faite sur le premier
130 passage du discours du Père Aubry. En effet, ce serait
soutenir, d'un côté, que l'on n'oublie jamais ses amis ; et de
l'autre, qu'on est très heureux de n'y plus penser. Je remar-
querai seulement que l'habile grammairien me semble ici
confondre les mots. Je n'ai pas dit : « C'est l'une de nos
135 grandes *infortunes* » ; ce qui serait faux, sans doute ; mais :
« C'est une de nos grandes *misères* », ce qui est très vrai. Eh !
qui ne sent que cette impuissance où est le cœur de l'homme
de nourrir longtemps un sentiment, même celui de la douleur, est la preuve la plus complète de sa stérilité, de son
140 indigence, de sa *misère* ? M. l'abbé Morellet paraît faire,
avec beaucoup de raison, un cas infini du bon sens, du jugement, du naturel. Mais suit-il toujours dans la pratique la
théorie qu'il professe ? Il serait assez singulier que ses idées
riantes [1] sur l'homme et sur la vie me donnassent le droit
145 de le soupçonner, à mon tour, de porter dans ses sentiments
l'exaltation et les illusions de la jeunesse [2].

La nouvelle nature et les mœurs nouvelles que j'ai peintes
m'ont attiré encore un autre reproche peu réfléchi [3]. On m'a
cru l'inventeur de quelques détails extraordinaires, lorsque
150 je rappelais seulement des choses connues de tous les voyageurs. Des notes ajoutées à cette édition d'*Atala* m'auraient
aisément justifié ; mais s'il en avait fallu mettre dans tous
les endroits où chaque lecteur pouvait en avoir besoin,
elles auraient bientôt surpassé la longueur de l'ouvrage.
155 J'ai donc renoncé à faire des notes. Je me contenterai
de transcrire ici un passage de la *Défense du Génie du christianisme* [4]. Il s'agit des ours enivrés de raisin, que les doctes
censeurs avaient pris pour une gaieté de mon imagination.
Après avoir cité des autorités respectables et le témoignage
160 de Carver, Bartram, Imley, Charlevoix [5], j'ajoute : « Quand
on trouve dans un auteur une circonstance qui ne peint pas
beauté en elle-même, et qui ne sert qu'à donner de la res-
semblance [6] au tableau ; si cet auteur a d'ailleurs montré
quelque sens commun, il serait assez naturel de supposer
165 qu'il n'a pas inventé cette circonstance, et qu'il n'a fait que

---

1. Optimistes. — 2. Ironie cruelle : Morellet avait 74 ans en 1801. Il mourut en 1819. —
3. Inconsidéré. — 4. Cet ouvrage parut en avril 1803 (Paris, Migneret). — 5. Voyageurs
du XVIIIe siècle : voir *les Sources d'Atala*, p. 167. — 6. Vraisemblance.

rapporter une chose réelle, bien qu'elle ne soit pas très connue. Rien n'empêche qu'on ne trouve *Atala* une méchante production ; mais j'ose dire que la nature américaine y est peinte avec la plus scrupuleuse exactitude. C'est une justice
170 que lui rendent tous les voyageurs qui ont visité la Louisiane et les Florides. Les deux traductions anglaises d'*Atala* sont parvenues en Amérique ; les papiers publics ont annoncé, en outre, une troisième traduction publiée à Philadelphie avec succès [1] ; si les tableaux de cette histoire eussent
175 manqué de vérité, auraient-ils réussi chez un peuple qui pouvait dire à chaque pas : « Ce n'est pas là nos fleuves, nos montagnes, nos forêts » ? « Atala est retournée au désert, et il semble que sa patrie l'ait reconnue pour véritable enfant de la solitude [2]. »

---

1. La première de ces traductions fut imprimée à Londres en 1801 ; la seconde, dans la même ville, en 1802 ; la troisième, à Philadelphie, la même année, sous le titre : *Atala or the love and constancy by two Savages in the desert.* — 2. « *Défense du Génie du christianisme* » (note de l'auteur) ; *solitude* = désert. La fin de la préface concerne *René*.

● **La préface de 1805 : Chateaubriand critique et polémiste**

① Montrez la différence de ton des préfaces de 1801 et de 1805.

② Appréciez les qualités de Chateaubriand critique et polémiste dans sa réfutation des reproches de Morellet : valeur et présentation des arguments ; logique et ironie du style.

③ La justification proposée par Chateaubriand, au sujet du pessimisme que Morellet reproche au Père Aubry, vous semble-t-elle entièrement satisfaisante ? (Voir, sur cette question, *la « Philosophie » du Père Aubry*, p. 133, et p. 135, note 1).

ATALA

PROLOGUE

La France possédait autrefois, dans l'Amérique septentrionale, un vaste empire qui s'étendait depuis le Labrador
jusqu'aux Florides [1], et depuis les rivages de l'Atlantique
jusqu'aux lacs les plus reculés du haut Canada [2].

5   Quatre grands fleuves, ayant leurs sources dans les mêmes
montagnes, divisaient ces régions immenses : le fleuve Saint-
Laurent qui se perd à l'est dans le golfe de son nom, la
rivière de l'Ouest qui porte ses eaux à des mers inconnues,
le fleuve Bourbon qui se précipite du midi au nord dans la
10 baie d'Hudson, et le Meschacebé [3] qui tombe du nord au
midi, dans le golfe du Mexique [4].

Ce dernier fleuve, dans un cours de plus de mille lieues,
arrose une délicieuse contrée que les habitants des États-
Unis appellent le nouvel Éden, et à laquelle les Français
15 ont laissé le doux nom de Louisiane [5]. Mille autres fleuves,
tributaires du Meschacebé, le Missouri, l'Illinois, l'Akanza,

---

1. La Louisiane ou Floride occidentale, dont une partie revint à l'Espagne (1764). —
2. Cet empire fut perdu au traité de Paris (1763). — 3. *Meschacebé* : « vrai nom du Mississipi
ou Meschassipi » (Note de Chateaubriand) ; encore appelé par les voyageurs : Meschasipi,
Meschassepi, Metchasibou, Mesipi, Micissipi, etc. La forme Meschacebé ne paraît avoir été
employée que par Coxe, auteur anglais d'une *Description of the English province of Canada.*
D'après *le Génie du christianisme*, ce nom (repris par les contemporains de Chateaubriand
et plus tard par Verlaine et Heredia) signifierait « père barbu des fleuves », et, selon d'autres,
« toutes les rivières » ou le « grand fleuve ». — 4. Voir, dans le *Voyage en Amérique* (O. C.*,
VI, p. 74), les principaux éléments de ce paragraphe. Selon M. G. Chinard (*L'Exotisme
américain...*, p. 248), Chateaubriand combine ici deux passages de Carver. — 5. Nom donné,
en l'honneur de *Louis XIV*, par Cavelier de La Salle, qui l'explora (1682).

* L'abréviation *O. C.* dans les notes désigne l'édition des *Œuvres complètes*
de 1826 (voir Bibliographie page 22).

l'Ohio, le Wabache, le Tenase [1], l'engraissent de leur limon
et la fertilisent de leurs eaux. Quand tous ces fleuves se sont
gonflés des déluges de l'hiver, quand les tempêtes ont
20 abattu des pans entiers de forêts, les arbres déracinés s'as-
semblent sur les sources. Bientôt les vases les cimentent,
les lianes les enchaînent et des plantes, y prenant racine de
toutes parts, achèvent de consolider ces débris. Charriés
par les vagues écumantes, ils descendent au Meschacebé.
25 Le fleuve s'en empare, les pousse au golfe Mexicain, les
échoue sur des bancs de sable et accroît ainsi le nombre de
ses embouchures. Par intervalle, il élève sa voix, en passant
sous les monts, et répand ses eaux débordées autour des
colonnades des forêts et des pyramides des tombeaux
30 indiens [2] ; c'est le Nil des déserts [3]. Mais la grâce est toujours
unie à la magnificence dans les scènes de la nature : tandis
que le courant du milieu entraîne vers la mer les cadavres
des pins et des chênes, on voit sur les deux courants latéraux
remonter le long des rivages des îles flottantes de pistia [4] et
35 de nénuphar, dont les roses jaunes s'élèvent comme de petits
pavillons. Des serpents verts, des hérons bleus, des flammants [5] roses, de jeunes crocodiles s'embarquent, passagers
sur ces vaisseaux de fleurs, et la colonie, déployant au vent
ses voiles d'or, va aborder endormie dans quelque anse
40 retirée du fleuve [6].

Les deux rives du Meschacebé présentent le tableau le

---

1. *Le Tenase* : sans doute le Tennessee, affluent de l'Ohio. Sur les six fleuves qu'il nomme
ici, Chateaubriand en déforme trois : Akanza = Akansas ; Wabache = Wabash ; Tenase =
Tennessee. De plus, le Tennessee et le Wabash sont des affluents de l'Ohio et non du Mississipi.
— 2. Les *tombeaux* sont décrits dans le *Voyage en Amérique*. — 3. Dans ce passage, Chateaubriand s'inspire surtout d'Imlay. Sur les inondations du Meschacebé, voir le *Voyage en
Amérique* (*O. C.*, VI, p. 89-90). — 4. Le *pistia stratiotes* ou laitue d'eau : plante aquatique, de
la famille des aracées, à feuilles radicales disposées en rosette. — 5. *Flammant* : orthographe
étymologique (= oiseau de flammes). — 6. Dans la fin de cet alinéa, Chateaubriand transpose au Mississipi la description que fait Bartram de la rivière Saint-Jean, en Floride occidentale : « Je vis de grandes quantités de pistia stratiotes, plante aquatique très singulière.
Elle forme des îles flottantes... qui voguent au gré des vents et des eaux ; ... au milieu de
ces plaines en fleurs, on voit... de vieux troncs d'arbres abattus par les vents... Ils sont
même habités et peuplés de crocodiles, de serpents, de grenouilles, de loutres, de corbeaux,
de hérons, de courlis, de choucas. » Les *hérons bleus* sont empruntés à Casteby : les *flammants
roses*, oiseaux méditerranéens et asiatiques, sont plus surprenants ici ; mais on pouvait y
rencontrer des ibis rouges.

plus extraordinaire. Sur le bord occidental, des savanes se
déroulent à perte de vue ; leurs flots de verdure, en s'éloignant, semblent monter dans l'azur du ciel où ils s'éva-
45 nouissent [1]. On voit dans ces prairies sans bornes errer à
l'aventure des troupeaux de trois ou quatre mille buffles
sauvages [2]. Quelquefois un bison chargé d'années, fendant
les flots à la nage, se [3] vient coucher parmi de hautes herbes,
dans une île du Meschacebé. A son front orné de deux
50 croissants, à sa barbe antique et limoneuse, vous le prendriez
pour le dieu du fleuve [4], qui jette un œil satisfait sur la
grandeur de ses ondes, et la sauvage abondance de ses rives.

---

1. Voir le *Voyage en Amérique* (*O. C.*, VI, p. 87) : « D'autres collines parallèles, couronnées
de forêts, s'élèvent derrière la première colline, fuient en montant de plus en plus dans le
ciel, jusqu'à ce que leur sommet frappé de lumière devienne de la couleur du ciel et s'éva-
nouisse. » Le trait principal de ce paysage (l'élévation progressive des collines) est emprunté
à Imlay. — 2. Ce détail est peut-être emprunté à l'*Histoire de l'Amérique septentrionale* de
La Potherie (1753) : « On voit dans les prairies, à perte de vue, des troupeaux de quatre à
cinq mille bœufs qui y paissent». Voir aussi le *Voyage en Amérique* (*O. C.*, VI, p. 105-106). —
3. Antéposition classique du pronom régime d'un infinitif précédé d'un verbe « semi-
auxiliaire » : venir, aller, devoir, pouvoir, oser, etc. — 4. Les Anciens représentaient souvent
les fleuves sous l'apparence du taureau.

● **Le Meschacebé et ses affluents** (l. 12-40) ; voir p. 181-182.

① Étudier la topographie, la faune et la flore de ce paysage : comment
Chateaubriand utilise-t-il sa documentation ?

② **La poésie** — Par quels traits l'auteur a-t-il « poétisé » sa description ? Étudiez en particulier l'harmonie des couleurs.

③ **Le style** — Appréciez les images (antiques ou modernes) : montrez
comment l'auteur personnifie et anime la nature ; étudiez le rythme
et l'harmonie des phrases, en particulier la dernière phrase du troisième
paragraphe (l. 36-40).

④ Comparez la description de Chateaubriand (l. 12-30) à celle d'Imlay :
« Les barres qui traversent la plupart des étroits canaux couverts
par le courant ont été multipliés par les arbres, charriés par les rivières...
Aucune force humaine ne pourrait les enlever, car le limon entraîné par
le fleuve les lie et les cimente ensemble. En moins de dix ans, les roseaux
et les arbrisseaux y poussent, forment des promontoires, et des îles qui
changent le lit de la rivière. Le limon dont les inondations annuelles du
Mississipi couvrent la surface des rives avoisinantes peut être comparé
à celui du Nil. »

Telle est la scène sur le bord occidental ; mais elle change sur le bord opposé et forme avec la première un admirable 55 contraste [1]. Suspendus sur le cours des eaux, groupés sur les rochers et sur les montagnes, dispersés dans les vallées, des arbres de toutes les formes, de toutes les couleurs, de tous les parfums, se mêlent, croissent ensemble, montent dans les airs à des hauteurs qui fatiguent les regards. Les vignes 60 sauvages, les bignonias [2], les coloquintes [3], s'entrelacent au pied de ces arbres, escaladent leurs rameaux, grimpent à l'extrémité des branches, s'élancent de l'érable au tulipier [4], du tulipier à l'alcée [5], en formant mille grottes, mille voûtes, mille portiques. Souvent égarées d'arbre en arbre, ces lianes 65 traversent des bras de rivières, sur lesquels elles jettent des ponts de fleurs. Du sein de ces massifs, le magnolia [6] élève son cône immobile ; surmonté de ses larges roses blanches, il domine toute la forêt, et n'a d'autre rival que le palmier, qui balance légèrement auprès de lui ses éventails de 70 verdure [7].

Une multitude d'animaux, placés dans ces retraites par la main du Créateur, y répandent l'enchantement et la vie. De l'extrémité des avenues, on aperçoit des ours enivrés de raisins [8], qui chancellent sur les branches des ormeaux ; 75 des caribous [9] se baignent dans un lac ; des écureuils noirs se jouent dans l'épaisseur des feuillages ; des oiseaux moqueurs [10], des colombes de Virginie de la grosseur d'un passereau descendent sur les gazons rougis par les fraises ; des perroquets verts à tête jaune, des piverts [11] empourprés, 80 des cardinaux [12] de feu grimpent en circulant au haut des

---

1. L'idée du *contraste* des deux rives est empruntée à Carver. — 2. Plantes grimpantes dont le nom vient du savant Bignon, bibliothécaire de Louis XV. — 3. Plantes grimpantes de la famille des cucurbitacées, dont le fruit a une pulpe très amère. — 4. Sorte de *magnolia* (voir n. 6) décrite par Bartram. — 5. Sorte de mauve. — 6. Genre d'arbre d'Extrême-Orient et d'Amérique du Nord, souvent cultivé en Europe pour ses grandes fleurs décoratives, blanches ou roses, et dont les branches se raccourcissent de la base au sommet, en forme de cône. — 7. Passage inspiré de Bartram (voir *Les Rives du Meschâcebé*, p. 41). — 8. Voir Préface p. 35, l. 157 et suiv. A l'appui de ce détail, contesté par certains critiques, Chateaubriand cite Carver, Bartram, Charlevoix et Imlay, et il ajoute : «C'est un fait connu de toute l'Amérique.» — 9. Rennes du Canada. — 10. Sorte de merles d'Amérique. — 11. *Piverts* (ou pics. verts) : oiseaux du genre pic, à plumage vert et jaune sur le corps, rouge sur la tête, communs dans les bois et les bosquets. — 12. Oiseaux d'Amérique, passereaux d'un plumage rouge vif ; d'où : *de feu*.

cyprès ; des colibris étincellent sur le jasmin des Florides, et des serpents-oiseleurs [1] sifflent suspendus aux dômes des bois, en s'y balançant comme des lianes [2].

85 Si tout est silence et repos dans les savanes de l'autre côté du fleuve, tout ici, au contraire, est mouvement et murmure : des coups de bec contre le tronc des chênes, des froissements d'animaux qui marchent, broutent ou broient entre leurs dents les noyaux des fruits, des bruissements d'ondes, de faibles gémissements, de sourds meuglements, de doux 90 roucoulements remplissent ces déserts d'une tendre et sauvage harmonie. Mais quand une brise vient à animer ces solitudes, à balancer ces corps flottants, à confondre ces masses de blanc, d'azur, de vert, de rose, à mêler toutes les couleurs, à réunir tous les murmures ; alors il sort de tels 95 bruits du fond des forêts, il se passe de telles choses aux yeux, que j'essaierais en vain de les décrire à ceux qui n'ont point parcouru ces champs primitifs de la nature.

Après la découverte du Meschacebé par le P. Marquette [3]

---

1. Serpents d'Amérique, qui montent sur les arbres, où ils chassent les oiseaux et les écureuils. — 2. La fin de ce paragraphe est inspirée de Bartram. — 3. Jésuite ; il atteint le premier le Mississipi, qu'il descendit jusqu'au 34ᵉ parallèle ; il mourut au bord du lac Michigan en 1675, âgé de trente-huit ans.

● **Les rives du Meschacebé** (l. 41-97) ; voir p. 182.

① **La composition** — Comment le contraste des deux rives se marque-t-il dans le détail ? Relevez les antithèses. Recherchez dans *le Génie du christianisme* d'autres effets de contrastes analogues ; voir en particulier I, v, 12 : « Une nuit dans les déserts du Nouveau-Monde ».

② **La documentation** — Comparez notamment la description de la flore américaine dans *Atala* et chez Carver ; montrez l'originalité de l'imitation dans ce passage : « Il est très agréable de contempler les rives du fleuve ornées de guirlandes suspendues et composées d'une variété de végétaux, arbrisseaux et plantes, formant des murs perpendiculaires, avec des contreforts, des colonnades, des appartements profonds et complètement couverts de glycine frutescens, glyc. apios ; vitis labrusca, hedera arborea... bignonia crucigera, et différentes espèces de convolvulus, et en particulier une plante de cette famille qui grimpe à des hauteurs étonnantes et qui est peut-être une Ipoméa. »

et l'infortuné La Salle [1], les premiers Français qui s'éta-
100 blirent au Biloxi [2] et à la Nouvelle-Orléans, firent alliance
avec les Natchez [3], nation indienne, dont la puissance était
redoutable dans ces contrées. Des querelles et des jalousies
ensanglantèrent dans la suite la terre de l'hospitalité. Il y
avait parmi ces Sauvages un vieillard nommé Chactas [4], qui,
105 par son âge, sa sagesse, et sa science dans les choses de la
vie, était le patriarche et l'amour des déserts. Comme tous
les hommes, il avait acheté la vertu par l'infortune [5]. Non
seulement les forêts du Nouveau-Monde furent remplies de
ses malheurs, mais il les porta jusque sur les rivages de la
110 France. Retenu aux galères à Marseille par une cruelle
injustice, rendu à la liberté, présenté à Louis XIV, il avait
conversé avec les grands hommes de ce siècle et assisté aux
fêtes de Versailles, aux tragédies de Racine, aux oraisons
funèbres de Bossuet : en un mot, le Sauvage avait contemplé
115 la société à son plus haut point de splendeur [6].

Depuis plusieurs années, rentré dans le sein de sa patrie,
Chactas jouissait du repos. Toutefois le ciel lui vendait
encore cher cette faveur ; le vieillard était devenu aveugle [7].
Une jeune fille l'accompagnait sur les coteaux du Meschacebé,
120 comme Antigone guidait les pas d'Œdipe sur le Cythéron [8],

---

1. Robert Cavelier de *La Salle* (1640-1687) s'établit à Montréal et, parti de la région des
Grands Lacs, gagna le Mississipi, qu'il descendit jusqu'au golfe du Mexique (1679-1680) ; en
1682, il partit de France avec quatre navires pour relever le delta du fleuve, qu'il dépassa
sans le voir ; débarqué à l'ouest, il fut tué au cours d'une expédition en Louisiane. — 2. La
baie de *Biloxi*, à l'est du delta du Mississipi. Le Moyne d'Iberville y fonda un établissement
en février 1699 ; les Français ne revinrent en corps aux Natchez qu'en 1714. — 3. Petite
peuplade indienne, sur la rivière Sainte-Catherine (affluent du Mississipi) ; son histoire est
surtout connue par Chateaubriand. Celui-ci a trouvé chez Charlevoix le récit du « banal
incident des guerres coloniales de la France, qu'il a indûment magnifié en transformant
un soulèvement local en une guerre d'indépendance » (G. Chinard, *op. cit.*, p. 162-175, et
éd. des *Natchez*, p. 29-58). Il y eut deux révoltes successives des Natchez, en 1722 et 1729.
En 1731, cette peuplade avait cessé d'exister comme nation indépendante. — 4. *Chactas*
= « la voix harmonieuse » (note de l'auteur). — 5. Thème pessimiste fréquent chez Chateaubriand. — 6. Sur les sources de ce voyage imaginaire de Chactas, voir p. 31, n. 2, et, sur
le voyage lui-même, *les Natchez* (VI, VII, VIII). — 7. C'est Bartram qui a fourni à Chateaubriand le modèle du vieil Indien aveugle (voir ci-contre les *Sources du portrait*). — 8. Au
début de l'*Œdipe à Colonne*, tragédie de Sophocle, on voit le roi, aveugle et banni, guidé
par sa fille Antigone. Le *Cythéron* est en réalité une montagne de Béotie, où Œdipe avait
été exposé à sa naissance.

ou comme Malvina conduisait Ossian sur les rochers de Morven[1].

---

1. *Ossian,* le barde légendaire d'Écosse, devenu aveugle dans sa vieillesse, fut mis à la mode par la supercherie littéraire de l'Anglais James Macpherson (1736-1796). Ossian était prince de *Morven,* en Calédonie, et avait pour fiancée *Malvina.*

LA RENCONTRE DE CHACTAS ET DE RENÉ (l. 116-135)

● **Le portrait de Chactas**

Les sources ① Quels détails Chateaubriand a-t-il empruntés à Bartram dans le texte suivant ? « Je fus accueilli par un vieux Sachem dont les cheveux étaient blancs comme la neige. Il était conduit par trois jeunes hommes, dont deux le soutenaient par les bras, et le troisième par derrière pour assurer sa marche [...]. Le sourire brillait sur ses lèvres, la gaieté de la jeunesse sur tous ses traits. Mais le grand âge l'avait rendu aveugle. C'était de tous les chefs le plus ancien et le plus respecté. » — D'autre part, la cécité de Chactas ne fait-elle pas penser à Homère et à l'*Aveugle* d'André Chénier (*Bucoliques,* éd. Dimoff, p. 65 et suiv.) ? Montrez comment ces diverses sources ont pu s'associer par contamination, et tirez de ces rapprochements une conclusion sur l'art de Chateaubriand « portraitiste » : comparez, à ce point de vue, le portrait de Chactas à celui d'Atala (p. 54) et du Père Aubry (p. 102).

② Le thème du « bon sauvage ». Comment Chateaubriand l'a-t-il renouvelé, en prêtant à son héros une expérience européenne ? Quel intérêt le voyage de Chactas présente-t-il au point de vue psychologique, et pour la vraisemblance du récit (voir p. 28) ?

● **Les aventures de Chactas en Europe**

③ Faire la part des données historiques et celle de l'imagination. Relever certaines invraisemblances ou exagérations.

● **Le pessimisme**

④ Dans quelle mesure le thème de l'infortune source de la vertu représente-t-il les idées personnelles de l'auteur ? Étudiez le développement de ce thème chez les poètes romantiques et opposez-le à la conception du bonheur chez les « philosophes » du XVIIIe siècle.

● **Le mélange des styles**

⑤ Étudiez dans le portrait de Chactas le mélange de réminiscences antiques et de sentiments ou de visions modernes, en particulier dans le choix des comparaisons.

⑥ A propos de ce « style mêlé », commentez ce jugement de Geoffroy (*Année littéraire,* t. III, 1801) : « L'auteur a fait l'usage le plus heureux des formes antiques ; le ton, les figures et les mouvements du chantre d'Achille et d'Ulysse se retrouvent dans l'auteur d'*Atala,* avec une teinte de mélancolie sombre, une certaine rudesse sauvage, qui semblent leur donner un nouveau degré d'énergie : c'est l'Homère des forêts et des déserts. »

Malgré les nombreuses injustices que Chactas avait éprouvées de la part des Français, il les aimait. Il se sou-
125 venait toujours de Fénelon[1], dont il avait été l'hôte, et désirait pouvoir rendre quelque service aux compatriotes de cet homme vertueux. Il s'en présenta une occasion favorable. En 1725, un Français, nommé René, poussé par des passions et des malheurs, arriva à la Louisiane. Il remonta
130 le Meschacebé jusqu'aux Natchez et demanda à être reçu guerrier de cette nation. Chactas l'ayant interrogé, et le trouvant inébranlable dans sa résolution, l'adopta pour fils[2], et lui donna pour épouse une Indienne, appelée Céluta[3]. Peu de temps après ce mariage, les Sauvages se
135 préparèrent à la chasse du castor.

Chactas, quoique aveugle, est désigné par le conseil des Sachems[4] pour commander l'expédition, à cause du respect que les tribus indiennes lui portaient. Les prières et les jeûnes commencent : les Jongleurs[5] interprètent les songes ;
140 on consulte les Manitous[6] ; on fait des sacrifices de petun[7] ; on brûle des filets de langue d'orignal[8] ; on examine s'ils pétillent dans la flamme, afin de découvrir la volonté des Génies ; on part enfin, après avoir mangé le chien sacré[9]. René est de la troupe. A l'aide des contre-courants, les
145 pirogues remontent le Meschacebé et entrent dans le lit de l'Ohio[10]. C'est en automne. Les magnifiques déserts du

---

1. Voir *les Natchez*. — 2. Voir *les Natchez*, livres I à V. Les voyageurs citent des exemples analogues d'Européens adoptés par des sauvages. — 3. Selon Jean Pommier (*R. H. L.*, 1957, p. 261), « Céluta, c'est avant tout Céleste..., la propre femme de Chateaubriand. Dans l'aventure de Céluta et de René, son époux, ce qui se retrouve principalement, c'est le malentendu conjugal de Chateaubriand et de Mlle de la Vigne. » — 4. *Sachems* : « vieillards ou conseillers » (note de Chateaubriand). — 5. Sorciers des Indiens, « prophètes ou augures, interprètes des songes » (*Voyage en Amérique*). — 6. *Manitous* : dieux des sauvages, ordinairement matérialisés par quelque objet sacré, portant le même nom : « Chaque sauvage a son manitou, comme chaque nègre a son fétiche. Le chasseur prend soin de ne tuer ni blesser l'animal qu'il a choisi pour manitou » (*Voyage en Amérique*, VI, p. 160 et 172). — 7. Tabac (du portugais *petum*, lui-même emprunté d'une ancienne langue du Brésil). — 8. Cerf. « Son poil est mêlé de blanc, de gris, de rouge et de noir. Sa course est rapide » (*Voyage en Amérique*, Hist. Nat., *O. C.*, VI, p. 105). — 9. Dans ce tableau des préparatifs de la chasse au castor, Chateaubriand emprunte à Charlevoix de nombreux détails : interprétation des songes et sacrifice du *chien sacré*, chasseur brûlant des langues d'animaux, offrande de pétun, que l'on jette dans le cours d'une rivière, etc. — 10. Inexactitude : il est évident que les Natchez ne remontaient pas jusqu'à l'*Ohio* pour y chasser le castor.

Kentucky [1] se déploient aux yeux étonnés du jeune Français. Une nuit, à la clarté de la lune, tandis que tous les Natchez dorment au fond de leurs pirogues, et que la flotte indienne,
150 élevant ses voiles de peaux de bêtes, fuit devant une légère brise [2], René, demeuré seul avec Chactas, lui demande le récit de ses aventures. Le vieillard consent à le satisfaire, et assis avec lui sur la poupe de la pirogue il commence en ces mots :

---

1. Voir dans le *Voyage en Amérique* (*O. C.*, VI, p. 85-86) une description du *Kentucky*, « ce pays magnifique, appelé du nom de la rivière, qui signifie rivière de sang ». Le Kentucky, État de l'Amérique du Nord, est situé entre l'Ohio, à l'ouest et au nord, et les Appalaches, à l'est. — 2. Au cours de son voyage, Chateaubriand avait eu lui-même l'occasion de naviguer dans des canots indigènes, dont il paraît avoir apprécié la légèreté et la rapidité. Voir *Journal sans date* (*O. C.*, VI, p. 75) : « Le ciel est pur sur ma tête, l'onde limpide sous mon canot, qui *fuit devant une légère brise*. »

● **Les préparatifs de la chasse au castor** (l. 136-153)

① **La peinture des mœurs** — Relevez et classez les traits relatifs à la vie des sauvages, à leurs croyances religieuses et aux rites qui précèdent la chasse au castor. Notez certaines analogies entre les pratiques superstitieuses des Indiens et celles des Anciens (Grecs et Romains). S'agit-il, à votre avis, d'une simple coïncidence ?

② **Les sources** — Montrez, en vous aidant des notes, comment Chateaubriand a utilisé à la fois les récits des voyageurs et ses souvenirs personnels.

③ **Le pittoresque** — Comment l'auteur a-t-il rendu cette scène pittoresque et vivante ?

④ **Le style** — Étudiez la structure et le rythme des phrases : comment s'adaptent-ils à l'impression que l'auteur cherche à produire ? Comparez, à ce point de vue, la peinture des rites religieux et le tableau final de la navigation nocturne.

⑤ **La langue « sauvage »** — L'abbé Morellet reprochait à Chateaubriand la singularité de son vocabulaire « sauvage ». Que pensez-vous de cette critique ? Comparez la recherche des termes « indigènes », aux consonances bizarres ou mystérieuses, chez Chateaubriand et chez Leconte de Lisle (*Poèmes barbares*).

⑥ **L'harmonie** — Recherchez, dans cette description, les éléments musicaux du rythme et des sonorités : étudiez en particulier l'harmonie de l'avant-dernière phrase du prologue (l. 148-152).

● **Le prologue : étude d'ensemble**

⑦ L'intérêt dramatique. Montrez que ce prologue constitue un modèle d'exposition dramatique (le cadre ; la situation ; les personnages).

⑧ La composition : ordonnance des paragraphes ; symétrie ; progression de l'intérêt.

Osceola, célèbre guerrier siminole,
peint par George Catlin en 1837-1838

LE RÉCIT [1]

LES CHASSEURS

« C'est une singulière destinée, mon cher fils, que celle qui nous réunit. Je vois en toi l'homme civilisé qui s'est fait sauvage ; tu vois en moi l'homme sauvage que le grand Esprit [2] (j'ignore pour quel dessein) a voulu civiliser. Entrés
5 l'un et l'autre dans la carrière de la vie par les deux bouts opposés, tu es venu te reposer à ma place, et j'ai été m'asseoir à la tienne : ainsi nous avons dû avoir des objets [3] une vue totalement différente. Qui, de toi ou de moi, a le plus gagné ou le plus perdu à ce changement de position [4] ? C'est ce
10 que savent les Génies [5], dont le moins savant a plus de sagesse que tous les hommes ensemble.

» A la prochaine lune des fleurs [6], il y aura sept fois dix neiges, et trois neiges de plus [7], que ma mère me mit au monde, sur les bords du Meschacebé. Les Espagnols s'étaient
15 depuis peu établis dans la baie de Pensacola [8], mais aucun Blanc n'habitait encore la Louisiane. Je comptais à peine dix-sept chutes de feuilles [9], lorsque je marchai avec mon père, le guerrier Outalissi [10], contre les Muscogulges [11],

---

1. Selon L. Hogu (article cité, p. 159), cet entretien nocturne de Chactas avec René rappelle les conversations de Chateaubriand avec son ami Tulloch, pendant sa traversée (voir *Essai sur les révolutions, O. C.*, I, p. 604). — 2. Dieu suprême des Indiens. — 3. *Objets* : tout ce qui s'offre à la vue ou à l'esprit (sens classique). — 4. « En réalité, il apparaît, au moins dans la première partie du récit,... que si l'on a bien souvent vu des civilisés se faire sauvages, on n'a jamais vu un sauvage s'habituer à la civilisation au point d'oublier ses forêts » (G. Chinard, *op. cit.*, p. 278). Voir *Essai sur les révolutions* (*O. C.*, I, p. 622) : « Je compris pourquoi pas un Sauvage ne s'est fait Européen et pourquoi plusieurs Européens se sont faits Sauvages. » — 5. Divinités qui, chez les Anciens, présidaient à la vie de chacun : croyance antique transposée à l'indienne. — 6. « Mois de mai » (note de l'auteur). — 7. Trois ans *de plus* : « 73 ans » (note de l'auteur). — 8. Ville fondée par les Espagnols en 1636 sur la baie du même nom, à l'est du delta du Mississipi. — 9. Automnes : donc dix-sept ans (nous dirions 17 printemps). — 10. Sans doute déformation de *Oualatissi* = le libéral. — 11. Importante peuplade de Floride, à l'est des Natchez.

nation puissante des Florides. Nous nous joignîmes aux
20 Espagnols nos alliés, et le combat se donna sur une des
branches de la Maubile[1]. Areskoui[2] et les Manitous[3]
ne nous furent pas favorables. Les ennemis triomphèrent ;
mon père perdit la vie ; je fus blessé deux fois en le défen-
dant. Oh ! que ne descendis-je alors dans le pays des âmes[4],
25 j'aurais évité les malheurs qui m'attendaient sur la terre !
Les Esprits en ordonnèrent autrement : je fus entraîné par
les fuyards à Saint-Augustin[5].

» Dans cette ville, nouvellement bâtie par les Espagnols,
je courais le risque d'être enlevé pour les mines de Mexico,
30 lorsqu'un vieux Castillan, nommé Lopez[6], touché de ma
jeunesse et de ma simplicité, m'offrit un asile et me présenta
à une sœur avec laquelle il vivait sans épouse.

» Tous les deux prirent pour moi les sentiments les plus
tendres. On m'éleva avec beaucoup de soin, on me donna
35 toutes sortes de maîtres. Mais après avoir passé trente
lunes[7] à Saint-Augustin, je fus saisi du dégoût de la vie des
cités. Je dépérissais à vue d'œil : tantôt je demeurais immobile pendant des heures, à contempler la cime des lointaines
forêts ; tantôt on me trouvait assis au bord d'un fleuve, que
40 je regardais tristement couler. Je me peignais les bois à
travers lesquels cette onde avait passé, et mon âme était
tout entière à la solitude.

» Ne pouvant plus résister à l'envie de retourner au désert,
un matin je me présentai à Lopez, vêtu de mes habits de
45 Sauvage, tenant d'une main mon arc et mes flèches, et de
l'autre mes vêtements européens. Je les remis à mon généreux protecteur, aux pieds duquel je tombai, en versant des
torrents de larmes. Je me donnai des noms odieux, je m'ac-
cusai d'ingratitude : « Mais enfin, lui dis-je, ô mon père, tu
50 » le vois toi-même : je meurs, si je ne reprends la vie de
» l'Indien[8]. »

---

1. *Maubile* ou Mobile (fém.) : petit fleuve côtier entre le Mississipi et la baie de Pensacola. ——
2. « Dieu de la guerre » (note de l'auteur), dont le nom rappelle celui du dieu grec Arès. ——
3. Voir p. 44, n. 6. — 4. « Les Enfers » (note de l'auteur). — 5. Ville de la Floride orientale.
— 6. Nom très commun en Espagne. Cependant il est question, dans l'*Histoire générale
des voyages* (connue de Chateaubriand), d'un explorateur de ce nom. — 7. Mois. — 8. Ces
paroles de Chactas semblent contredire celles qu'il prononcera plus tard, après avoir

» Lopez, frappé d'étonnement[1], voulut me détourner de mon dessein. Il me représenta les dangers que j'allais courir,

---

visité la Mission du P. Aubry (voir p. 116, l. 290-92) : « ... je sentis la supériorité de cette vie stable, morale et occupée, sur la vie errante, inutile et oisive du Sauvage. » Ces contradictions s'expliquent par les époques diverses de la rédaction d'*Atala* (avant ou après la « conversion » de l'auteur). Mais ici l'évolution de Chactas peut également se justifier par une révélation soudaine des bienfaits de la religion chrétienne, et l'on peut y voir l'action de la grâce, qui éclaire d'une façon subite et irrésistible l'âme de l'idolâtre (cf. la conversion de Pauline et de Félix dans *Polyeucte*, acte IV, sc. 3). — 1. Stupeur (sens classique).

● **Nature et civilisation**

① Comment la suite du récit fournit-elle une réponse à la question de Chactas (l. 8-9) ? et quelle est l'opinion personnelle de l'auteur à ce sujet (voir p. 47, n. 4) ?

② Montrez que les idées de Chateaubriand sur la vie « naturelle » rejoignent celles des philosophes du XVIIIe s., de J.-J. Rousseau en particulier.

③ Comparez le thème de la bonne nature dans *Atala* et dans *la Maison du berger* de Vigny (1re partie) ; rapprochez le dégoût que les cités inspirent à Chactas du conseil que nous donne le poète romantique par la voix de la nature : « Pars courageusement, laisse toutes les villes. »

● **Chactas, sauvage « romantique »**

④ Étudiez ce double aspect du personnage ; dans quelle mesure retrouvons-nous l'auteur dans son héros ?

⑤ Chactas et René. Comparez l'état d'âme de Chactas à celui de René dans le roman du même nom (éd. Garnier, *op. cit.*, p. 211-212) : « L'automne me surprit au milieu de ces incertitudes : j'entrai avec ravissement dans les mois des tempêtes. Tantôt j'aurais voulu être un de ces guerriers errant au milieu des vents, des nuages et des fantômes ; tantôt j'enviais jusqu'au sort du pâtre que je voyais réchauffer ses mains à l'humble feu de broussailles qu'il avait allumé au coin d'un bois. J'écoutais ses chants mélancoliques, qui me rappelaient que dans tout pays le chant naturel de l'homme est triste, lors même qu'il exprime le bonheur. » En quoi la mélancolie de Chactas et celle de René diffèrent-elles ?

⑥ Le pré-romantisme. Recherchez dans ce passage les thèmes pré-romantiques : sentiment de la nature ; mélancolie ; goût de la solitude.

● **Les styles**

⑦ Étudiez le mélange du style « sauvage » et du style « romantique ». Comment l'auteur a-t-il concilié, dans le langage de Chactas, le souci d'exotisme et la variété (voir, en particulier, le choix des périphrases) ?

● **La poésie**

⑧ Montrez-en les divers aspects : exotisme ; lyrisme ; harmonie.

en m'exposant à tomber de nouveau entre les mains des
55 Muscogulges [1]. Mais voyant que j'étais résolu à tout entreprendre, fondant en pleurs, et me serrant dans ses bras :
« Va, s'écria-t-il, enfant de la nature ! reprends cette indé-
» pendance de l'homme, que Lopez ne te veut point ravir.
» Si j'étais plus jeune moi-même, je t'accompagnerais au
60 » désert (où j'ai aussi de doux souvenirs !) [2] et je te remettrais
» dans les bras de ta mère. Quand tu seras dans tes forêts,
» songe quelquefois à ce vieil Espagnol qui te donna l'hos-
» pitalité, et rappelle-toi, pour te porter à l'amour de tes
» semblables, que la première expérience que tu as faite du
65 » cœur humain a été toute en sa faveur. » Lopez finit par
une prière au Dieu des Chrétiens, dont j'avais refusé d'embrasser le culte, et nous nous quittâmes avec des sanglots [3].

» Je ne tardai pas à être puni de mon ingratitude. Mon
inexpérience m'égara dans les bois, et je fus pris par un
70 parti de Muscogulges et de Siminoles [4], comme Lopez me
l'avait prédit. Je fus reconnu pour Natché [5], à mon vêtement
et aux plumes qui ornaient ma tête. On m'enchaîna, mais
légèrement, à cause de ma jeunesse. Simaghan [6], le chef de
la troupe, voulut savoir mon nom, je répondis : « Je m'ap-
75 » pelle Chactas, fils d'Outalissi [7], fils de Miscou [8], qui ont
» enlevé plus de cent chevelures aux héros Muscogulges [9]. »
Simaghan me dit : « Chactas, fils d'Outalissi, fils de Miscou,
» réjouis-toi ; tu seras brûlé au grand village [10].» Je repartis :
« Voilà qui va bien » ; et j'entonnai ma chanson de mort [11].
80 » Tout prisonnier que j'étais, je ne pouvais, durant les

---

1. Voir p. 47, n. 11. — 2. Allusion anticipée aux futures amours de Lopez avec celle qui
deviendra la mère d'Atala. — 3. Plus tard, au cours de son voyage en Europe, Chactas ren-
contrera de nouveau Lopez, vieilli mais toujours généreux (*les Natchez*). — 4. Peuple de la
Géorgie et de la Floride, voisin et allié des Muscogulges (voir le *Voyage en Amérique*). —
5. Singulier de *Natchez*. — 6. Selon La Hontan, ce nom viendrait du mot indien *simagan*
= épée. — 7. Voir p. 47, n. 10. — 8. D'après Charlevoix, nom d'une île dans le golfe du Saint-
Laurent ; selon La Hontan, ce mot signifie : rouge et noir. — 9. Allusion à la pratique
indienne du scalp. — 10. Capitale d'un peuple indien. — 11. Voir le Chant de mort d'Ontéré
dans *Odérahi* : « Vils Hurons, notre nation a jonché la terre des cadavres de vos guerriers... ;
elle a brûlé vos femmes et vos enfants ; nos vieillards ont bu dans leurs crânes.» D'autre part,
Charlevoix rapporte qu'un prisonnier sauvage recevant sa sentence de mort répondit,
impassible comme Chactas : « Voilà qui va bien », et aussitôt, comme celui-ci, entonna
sa *chanson de mort.*

premiers jours, m'empêcher d'admirer mes ennemis. Le Muscogulge, et surtout son allié le Siminole[1], respire la gaieté, l'amour, le contentement. Sa démarche est légère, son abord ouvert et serein. Il parle beaucoup et avec volu-
85 bilité ; son langage est harmonieux et facile. L'âge même ne peut ravir aux Sachems[2] cette simplicité joyeuse : comme les vieux oiseaux de nos bois, ils mêlent encore leurs vieilles chansons aux airs nouveaux de leur jeune postérité[3].

---

1. Voir p. 50, n. 4. — 2. Voir p. 44, n. 4. — 3. Tout ce portrait des Muscogulges et des Siminoles, inspiré de Bartram, se retrouve dans le *Voyage en Amérique* (*O. C.*, VI, p. 187).

● **L'appel du désert** (l. 43 et suiv.)

① Chactas cède à « l'appel de la forêt » : en quoi ce thème littéraire se rattache-t-il aux idées de Rousseau et des Encyclopédistes ? Cherchez-en l'illustration dans des œuvres (en prose ou en vers) du XVIIIe et du XIXe siècle.

② L'attitude de Lopez à l'égard de Chactas n'est-elle pas surprenante, de la part d'un Européen civilisé ? Comment l'auteur justifie-t-il ce libéralisme ? Quel est, par ailleurs, l'intérêt dramatique des « souvenirs » de l'Espagnol ?

● **La capture de Chactas** (l. 68 et suiv.)

③ **La vraisemblance** — Est-il vraisemblable que Chactas soit repris aussi vite par les Muscogulges et qu'un sauvage voie, dans cet événement, la « punition » de l'ingratitude, ce qui suppose chez lui une conscience morale déjà presque chrétienne ? Dans quelle mesure l'influence de Lopez peut-elle expliquer ce sentiment ?

④ **La couleur locale et la peinture des mœurs** — Montrez comment Chateaubriand a su adapter au caractère dramatique de cet épisode les documents dont il s'est inspiré (voir les notes).

⑤ **La couleur antique** — Parmi les traits de mœurs que l'auteur a choisis chez ses modèles, certains n'ont-ils pas une résonance antique et ne font-ils pas penser aux héros d'Homère ou Virgile ? (Voir, en particulier, le défi de Chactas, et l'ironie cruelle de Simaghan : comparez celle-ci à la réponse adressée à Ulysse par le Cyclope, dans l'*Odyssée*, IX).

● **Les caractères**

⑥ **Lopez**, le chrétien « philosophe », est-il une image de l'auteur ?

⑦ **Chactas** : montrez comment les vertus de sa race se réveillent en présence de l'ennemi héréditaire.

● **Le style** — Étudiez les procédés oratoires et le mouvement du dialogue.

» Les femmes qui accompagnaient la troupe témoignaient
90 pour ma jeunesse une pitié tendre et une curiosité aimable.
Elles me questionnaient sur ma mère, sur les premiers jours
de ma vie[1], elles voulaient savoir si l'on suspendait mon
berceau de mousse aux branches fleuries des érables[2], si
les brises m'y balançaient, auprès du nid des petits oiseaux.
95 C'était ensuite mille autres questions sur l'état de mon
cœur : elles me demandaient si j'avais vu une biche blanche
dans mes songes[3], et si les arbres de la vallée secrète m'avaient
conseillé d'aimer[4]. Je répondais avec naïveté[5] aux mères, aux
filles et aux épouses des hommes. Je leur disais : « Vous êtes
100 » les grâces du jour, et la nuit vous aime comme la rosée[6].
» L'homme sort de votre sein pour se suspendre à votre
» mamelle et à votre bouche ; vous savez des paroles
» magiques qui endorment toutes les douleurs[7]. Voilà ce
» que m'a dit celle qui m'a mis au monde, et qui ne me
105 » reverra plus ! Elle m'a dit encore que les vierges étaient
» des fleurs mystérieuses qu'on trouve dans les lieux
» solitaires[8]. »

» Ces louanges faisaient beaucoup de plaisir aux femmes ;
elles me comblaient de toute sorte de dons ; elles m'appor-
110 taient de la crème de noix, du sucre d'érable, de la sagamité[9],

---

1. Selon A. Le Braz (*Au pays d'exil de Chateaubriand*, p. 159), ces entretiens de Chactas et des femmes siminoles seraient la transposition « indienne » des conversations de Chateaubriand, exilé à Bungay, avec Mrs. Ives et sa fille Charlotte (voir *Mémoires*, I, p. 469). — 2. Carver signale l'habitude des femmes indiennes de suspendre aux arbres les berceaux de leurs enfants : on retrouve cette coutume dans *les Aventures du sieur Le Beau* (II, 66), dans le *Voyage en Amérique*, et dans *les Natchez*. — 3. Voir le *Voyage en Amérique* : « Il faut que les songes, pour être favorables... aient montré des berceaux, des oiseaux, et des biches blanches. » — 4. La source de cette légende est mal connue, mais les Anciens attri- buaient déjà aux arbres (notamment aux chênes) le pouvoir de rendre des oracles, par le bruit du vent dans le feuillage (cf. les chênes de Dodone). — 5. Naturel, simplicité (sens étymo- logique). — 6. L'abbé Morellet juge ces métaphores inadéquates et recherchées : il voit là « le style précieux dont Molière s'est moqué ». — 7. Mr. Chandler B. Beall (*Chateaubriand and le Tasse*, John Hopkins Press, Baltimore, 1934, p. 58-59) voit dans cette phrase la conta- mination de deux passages de la *Jérusalem délivrée*. Mais il n'est pas question ici, comme chez le Tasse, d'une initiation magique, et l'expression *paroles magiques* doit s'entendre au figuré. — 8. Selon M. A. Monglond (*R. H. L.*, 1920, p. 614), cette dernière phrase du para- graphe est inspirée d'Ossian : « Je connais les plantes de la montagne ; j'en ai cueilli sur les bords des torrents solitaires. » Mais la comparaison de la vierge et de la fleur est un thème très ancien (voir Ronsard, etc.) que l'on trouve développé dans une romance de 1832, citée dans les *Mémoires* (IV, p. 88). — 9. « Sorte de pâte de maïs » (note de l'auteur).

des jambons d'ours, des peaux de castors, des coquillages pour me parer, et des mousses pour ma couche. Elles chantaient, elles riaient avec moi, et puis elles se prenaient à verser des larmes, en songeant que je serais brûlé.

● **Les entretiens de Chactas et des femmes siminoles** (l. 89-114)

La peinture des mœurs

① Relevez les traits relatifs aux coutumes et aux légendes indiennes : certaines de ces traditions du « folklore » sauvage ne rappellent-elles pas, ici encore, les croyances et les usages des Anciens ? Quelle conclusion pouvons-nous en tirer quant aux sources de la couleur locale dans *Atala* et à la méthode suivie par l'auteur dans l'utilisation des documents consultés ?

② Quelle impression se dégage de cette scène ? En quoi l'attitude des femmes muscogulges et siminoles contraste-t-elle avec celle de leurs époux ou de leurs fils dans l'épisode précédent (Chactas enchaîné) ? Pensez-vous qu'en ménageant cet effet de contraste Chateaubriand n'ait obéi qu'à un souci de variété ?

La vraisemblance

③ La curiosité des femmes siminoles, dans la situation où se trouve Chactas, ne semble-t-elle pas un peu déplacée ? Comment peut-elle néanmoins se justifier ? L'attendrissement de Chactas et son admiration pour ses ennemis semblent-ils conciliables avec les paroles méprisantes qu'il leur a précédemment adressées ? Cette contradiction s'explique-t-elle par la nature complexe des Muscogulges ou par le caractère mi-sauvage mi-européen de Chactas ?

L'autobiographie déguisée

④ Selon A. Le Braz (voir p. 52, n. 1), Chateaubriand transposerait ici des souvenirs personnels. Dans quelle mesure cette hypothèse vous paraît-elle plausible ?

Le style

⑤ L'abbé Morellet critique le style du passage et les métaphores de Chactas en particulier (voir p. 52, n. 6). « Pourquoi *les grâces du jour*, demande-t-il, et qu'est-ce que *l'amour de la nuit* pour la rosée ? » Que pensez-vous de ces critiques ?

Le thème de la vierge-fleur

⑥ Comment a-t-il été illustré par les poètes, du XVIᵉ au XIXᵉ siècle ? Donnez des exemples en montrant, dans chaque cas, l'emploi particulier que l'auteur a fait de cette métaphore, et les autres thèmes ou intentions morales qui s'y rattachent.

115 » Une nuit que les Muscogulges avaient placé leur camp
sur le bord d'une forêt, j'étais assis auprès du *feu de la
guerre*[1], avec le chasseur commis à ma garde. Tout à coup
j'entendis le murmure d'un vêtement sur l'herbe, et une
femme à demi voilée vint s'asseoir à mes côtés. Des pleurs
120 roulaient sous sa paupière ; à la lueur du feu un petit crucifix d'or brillait sur son sein. Elle était régulièrement
belle ; l'on remarquait sur son visage je ne sais quoi de vertueux et de passionné, dont l'attrait était irrésistible. Elle
joignait à cela des grâces plus tendres ; une extrême sensi-
125 bilité, unie à une mélancolie profonde respirait dans ses
regards ; son sourire était céleste[2].

» Je crus que c'était la *Vierge des dernières amours*[3], cette
vierge qu'on envoie au prisonnier de guerre, pour enchanter
sa tombe. Dans cette persuasion, je lui dis en balbutiant,
130 et avec un trouble qui pourtant ne venait pas de la crainte
du bûcher : « Vierge, vous êtes digne des premières amours,
» et vous n'êtes pas faite pour les dernières. Les mouvements
» d'un cœur qui va bientôt cesser de battre répondraient mal
» aux mouvements du vôtre. Comment mêler la mort et la
135 » vie ? Vous me feriez trop regretter le jour. Qu'un autre
» soit plus heureux que moi, et que de longs embrassements
» unissent la liane et le chêne ! »

» La jeune fille me dit alors : « Je ne suis point la *Vierge
» des dernières amours*. Es-tu chrétien ? » Je répondis que je
140 n'avais point trahi les Génies[4] de ma cabane. A ces mots,
l'Indienne fit un mouvement involontaire. Elle me dit :
« Je te plains de n'être qu'un méchant idolâtre. Ma mère m'a
» fait[5] chrétienne ; je me nomme Atala, fille de Simaghan
» aux bracelets d'or, et chef des guerriers de cette troupe.
145 » Nous nous rendons à Apalachucla[6] où tu seras brûlé.»
En prononçant ces mots, Atala se lève et s'éloigne. »

Ici Chactas fut contraint d'interrompre son récit. Les

---

1. Chez les Sauvages, on allumait un *feu* pour signifier l'état de *guerre*. — 2. L'apparition d'Atala rappelle celle d'une jeune sauvageonne dans *les Aventures du sieur Le Beau*. — 3. Expression inventée par Chateaubriand. La coutume évoquée ici est rapportée par Charlevoix. — 4. Voir p. 47, n. 5. — 5. Lapsus probable pour : faite. — 6. Village des Musco-gulges (Alabama) qu'arrose la rivière Chota Ucha ; capitale de la confédération des Creeks.

souvenirs se pressèrent en foule dans son âme ; ses yeux éteints inondèrent de larmes ses joues flétries : telles deux 150 sources cachées[1] dans la profonde nuit de la terre se décèlent par les eaux qu'elles laissent filtrer entre les rochers.

« O mon fils, reprit-il enfin, tu vois que Chactas est bien peu sage, malgré sa renommée de sagesse. Hélas ! mon cher

---

1. Mr. C.B. Beall (*op. cit.*, p. 59) rapproche cette image d'un vers du Tasse (*Jérusalem...*, VII, 22) ; mais la comparaison est banale en poésie.

●●

● **La naissance de l'amour** (l. 115-146)

Première rencontre de Chactas et d'Atala

① Comparez la première apparition d'Atala à celle de Cymodocée et de Velléda dans *les Martyrs* ; de Céluta et de Mila dans *les Natchez*.

② Comparez le portrait d'Atala et celui de Virginie dans *Paul et Virginie* : « Déjà sa taille était plus qu'à demi formée ; ses yeux bleus et ses lèvres de corail brillaient du plus tendre éclat sur la fraîcheur de son visage ; ils souriaient toujours de concert quand elle parlait ; mais quand elle gardait le silence, leur obliquité naturelle vers le ciel leur donnait une expression d'une sensibilité extrême et même celle d'une légère mélancolie. »

La vraisemblance

③ En offrant à Chactas le moyen de s'enfuir, Atala cède-t-elle à la pitié ou à l'amour ? Et pourquoi a-t-elle attendu si longtemps pour engager le captif à s'évader ?

④ La délicatesse que manifeste Chactas à l'égard de celle qu'il prend pour la *Vierge des dernières amours* vous semble-t-elle naturelle de la part d'un jeune sauvage ? Dans quelle mesure l'auteur prête-t-il ici à son héros sa propre sensibilité ? Et comment justifie-t-il la dualité de son personnage « mi-sauvage, mi-Européen » ? (Voir 1re préface, p. 28.)

Les personnages

⑤ **Atala** : Quels traits possède-t-elle en commun avec les autres héroïnes de Chateaubriand, en particulier Velléda, dans *les Martyrs* ?

⑥ **Chactas** : Quels contrastes présente-t-il dans son caractère et dans son langage ? En quoi la complexité du héros est-elle nécessaire à l'action dramatique ?

Le style sauvage

⑦ Les censeurs d'*Atala* ont reproché à Chateaubriand l'abus de la langue et du style « sauvages » : quels mots, quelles périphrases, quelles métaphores justifient ici cette critique ?

enfant, les hommes ne peuvent déjà plus voir, qu'ils peuvent
155 encore pleurer ! Plusieurs jours s'écoulèrent ; la fille du
Sachem[1] revenait chaque soir me parler. Le sommeil avait
fui de mes yeux, et Atala était dans mon cœur, comme le
souvenir de la couche de mes pères[2].

» Le dix-septième jour de marche, vers le temps où
160 l'éphémère sort des eaux, nous entrâmes sur la grande
savane Alachua. Elle est environnée de coteaux, qui,
fuyant les uns derrière les autres, portent, en s'élevant
jusqu'aux nues, des forêts étagées de copalmes[3], de citron-
niers, de magnolias[4] et de chênes verts[5]. Le chef poussa le
165 cri d'arrivée, et la troupe campa au pied des collines. On
me relégua à quelque distance, au bord d'un de ces *Puits
naturels*[6], si fameux dans les Florides. J'étais attaché au
pied d'un arbre ; un guerrier veillait impatiemment auprès
de moi. J'avais à peine passé quelques instants dans ce
170 lieu qu'Atala parut sous les liquidambars[7] de la fontaine.
« Chasseur, dit-elle au héros Muscogulge, si tu veux pour-
» suivre le chevreuil, je garderai le prisonnier. » Le guerrier
bondit de joie à cette parole de la fille du chef ; il s'élance
du sommet de la colline et allonge ses pas dans la plaine.
175 » Étrange contradiction du cœur de l'homme ! Moi qui
avais tant désiré de[8] dire les choses du mystère à celle que
j'aimais déjà comme le soleil, maintenant, interdit et confus,
je crois que j'eusse préféré d'être jeté aux crocodiles de la
fontaine, à me trouver[9] seul ainsi avec Atala[10]. La fille du

---

1. Voir p. 44, n. 4. — 2. Morellet critique cette comparaison : « Les Sauvages... prodiguent les comparaisons. Mais celle-ci n'est pas naturelle. » — 3. Nom vulgaire d'une variété de *liquidambars* (l. 170). — 4. Voir p. 40, n. 6. — 5. Passage imité de Bartram. — 6. Ces *puits naturels* sont décrits dans le *Voyage en Amérique* (O. C., VI, p. 98) : « De distance en dis-tance, la terre est percée d'une multitude de bassins, qu'on appelle des puits... ils commu-niquent par des routes souterraines aux lacs, aux marais, aux rivières. Tous ces puits sont placés au centre d'un monticule planté des plus beaux arbres et dont les fleurs ressemblent aux parois d'un vase rempli d'eau pure. » — 7. Arbres des régions chaudes, dont la sève **a** des propriétés médicinales. L'étrangeté du terme suscita l'ironie des critiques. — 8. Construction classique, encore usuelle au XIXᵉ siècle. — 9. Chateaubriand avait d'abord écrit : « que de *me trouver* ». Cette incorrection ne fut corrigée qu'à partir de la 2ᵉ éd. du *Génie du christianisme*. — 10. « Étrange exagération dans la bouche du jeune Sauvage ! C'est un parti bien violent qu'on lui fait prendre ! Se donner en pâture aux crocodiles plutôt que d'éprouver l'embarras de dire *Je vous aime* est une hyperbole amoureuse dont on ne se retrou-verait pas le pendant dans tous les romans de La Calprenède et de Scudéry » (Morellet).

180 désert était aussi troublée que son prisonnier ; nous gardions un profond silence ; les Génies de l'amour avaient dérobé nos paroles. Enfin, Atala, faisant un effort, dit ceci : « Guer-
» rier, vous êtes retenu bien faiblement ; vous pouvez aisé-
» ment vous échapper. » A ces mots, la hardiesse revint sur
185 ma langue, je répondis : « Faiblement retenu, ô femme... ! »
Je ne sus comment achever. Atala hésita quelques moments ;

●   **Les « contradictions du cœur humain »** (l. 175-218)

① **Le conflit psychologique** — Quelles raisons différentes empêchent Chactas et Atala de s'enfuir ensemble ? Montrez que l'obstacle est ici tout « intérieur ».

② **L'intérêt dramatique** — Pourquoi Chateaubriand a-t-il imaginé cette première tentative d'Atala pour sauver Chactas ? Quel est l'intérêt de cet épisode qui semble retarder inutilement la marche de l'action ?

La peinture de l'amour

③ La passion soudaine et violente que Chactas et Atala éprouvent l'un pour l'autre vous semble-t-elle avoir la « naïveté » des amours sauvages ? N'y trouvons-nous pas déjà la préfiguration de l'amour romantique tel que Stendhal le définira chez la femme ? (*De l'amour*, I, 21) : « L'amour aime, à la première vue, une physionomie qui indique à la fois chez un homme quelque chose à respecter et à plaindre » : cette définition de l'amour-passion ne peut-elle s'appliquer à Atala aussi bien qu'à Mme de Rénal dans *le Rouge et le Noir* ?

④ Étudiez l'évolution de l'amour chez Chactas et Atala : le « coup de foudre » ; les timidités, la « cristallisation ». Comparez à ce point de vue les amours des deux sauvages à celles d'Amélie et René ; de Julie et Saint-Preux, dans *la Nouvelle Héloïse* ; de Paul et Virginie, dans le roman de Bernardin de Saint-Pierre.

⑤ Comment la violence de la passion est-elle mise en relief, chez Chactas, par les événements antérieurs ? Comparez l'attitude du jeune sauvage à l'égard de Lopez et d'Atala, alors que, dans les deux cas, c'est la liberté du héros qui est en jeu.

Le ton et les styles

⑥ Un drame lyrique : étudiez, dans cet épisode de « l'évasion refusée », l'association du lyrisme et du pathétique ; de la poésie et du drame ; du style « antique » et moderne.

⑦ La préciosité : l'abbé Morellet reproche à Chateaubriand son manque de naturel et son excès de subtilité dans l'analyse psychologique (voir p. 56, n. 10) ; il dénonce en outre la « préciosité » trop moderne de l'expression dans « le duo d'amour » de Chactas et d'Atala. Dans quelle mesure ces critiques vous semblent-elles justifiées ?

puis elle dit : « Sauvez-vous. » Et elle me détacha du tronc
de l'arbre. Je saisis la corde ; je la remis dans la main de la
fille étrangère, en forçant ses beaux doigts à se fermer sur
190 ma chaîne. « Reprenez-la ! reprenez-la ! » m'écriai-je. « Vous
» êtes un insensé, dit Atala d'une voix émue. Malheureux !
» ne sais-tu pas que tu seras brûlé ? Que prétends-tu ?
» Songes-tu bien que je suis la fille d'un redoutable
» Sachem[1] ? » « Il fut un temps, répliquai-je avec des
195 larmes, que[2] j'étais aussi porté dans une peau de castor,
» aux[3] épaules d'une mère[4]. Mon père avait aussi une belle
» hutte, et ses chevreuils buvaient les eaux de mille tor-
» rents[5] ; mais j'erre maintenant sans patrie. Quand je ne
» serai plus, aucun ami ne mettra un peu d'herbe sur mon
200 » corps, pour le garantir des mouches[6]. Le corps d'un
» étranger malheureux n'intéresse personne. »

» Ces mots attendrirent Atala. Ses larmes tombèrent
dans la fontaine. « Ah ! repris-je avec vivacité, si votre
» cœur parlait comme le mien ! Le désert n'est-il pas libre ?
205 » Les forêts n'ont-elles point des replis où nous cacher ?
» Faut-il donc, pour être heureux, tant de choses aux
» enfants des cabanes[7] ! O fille plus belle que le premier
» songe de l'époux[8] ! O ma bien-aimée ! ose suivre mes
» pas. » Telles furent mes paroles. Atala me répondit d'une
210 voix tendre : « Mon jeune ami, vous avez appris le langage
» des Blancs, il est aisé de tromper une Indienne. » « Quoi !
» m'écriai-je, vous m'appelez votre jeune ami ! Ah ! si un

---

1. Voir p. 44, n. 4. — 2. *Que* : emploi classique pour *où*, temporel. — 3. *Aux épaules* : emploi classique et déjà archaïque de la préposition *à*, marquant le lieu, pour : sur. — 4. Cette manière de porter les enfants était usuelle chez les sauvages. Voir *Essai sur les révolutions* (O. C., I, p. 627) : « ... des petits enfants suspendus dans des fourrures aux épaules de leurs mères » ; et *les Natchez* : « Céluta la tenait suspendue à ses épaules dans des peaux blanches d'hermine. » — 5. Phrase traduite presque littéralement du *Fingal* d'Ossian. — 6. On voit de même, dans Charlevoix, un Indien demander à son compagnon de mettre un peu d'herbe sur son corps pour le garantir des mouches. Cette phobie des sauvages pour les mouches revient souvent dans les récits des voyageurs et dans les œuvres « américaines » de Chateaubriand. Sur l'importance des rites funéraires chez les sauvages voir le *Voyage en Amérique* (O. C., VI, p. 119-120). — 7. Périphrase « à l'indienne » pour désigner les Sauvages, habitants *des cabanes*. — 8. « Que veut dire cela ? Est-ce qu'Atala est plus belle que l'objet que le nouvel époux embrasse dans son premier songe ? Mais, si le premier songe de l'époux n'est pas une infidélité, c'est l'image de son épouse qu'il embrasse, et cette image n'est pas plus belle que l'épouse elle-même... » (Morellet).

» pauvre esclave... » « Eh bien, dit-elle en se penchant sur
» moi, un pauvre esclave... » Je repris avec ardeur : « Qu'un
215 » baiser l'assure de ta foi ! » Atala écouta ma prière. Comme
un faon semble pendre aux fleurs de lianes roses, qu'il saisit
de sa langue délicate dans l'escarpement de la montagne [1],
ainsi je restai suspendu aux lèvres de ma bien-aimée.

» Hélas ! mon cher fils, la douleur touche de près au

---

1. Comparaison « à l'antique », qui rappelle Virgile, *Bucoliques* II, 76-77 : « Allez, mes
pauvres chèvres : je ne vous verrai plus désormais... vous accrocher, au loin, à la roche buis-
sonneuse... » (trad. Belles Lettres, 1960).

●●

● **Le conflit de l'amour et de la religion** (l. 219-238)

① « La fable d'*Atala* est au fond absolument la même que celle de
Zaïre de Voltaire [1732]. Atala, comme Zaïre, est une chrétienne amante
d'un infidèle ; qui l'emportera de la religion ou de l'amour ? Voilà le problème. » (*Décade philosophique*, 1er mai 1801.) Commentez et discutez
ce jugement.

② Comment la révélation du secret d'Atala est-elle préparée dans le
Prologue ? — Montrez l'habileté avec laquelle l'auteur a ménagé la
progression de l'intérêt, en piquant la curiosité de l'auteur.

● **La promenade sentimentale** (l. 239-259)

③ Comparez la promenade sentimentale de Chactas et d'Atala dans
le désert à celle d'Amélie et de René, dans *René* (Letessier,
op. cit., p. 187) : « ... Nous aimions à gravir les coteaux ensemble, à
voguer sur le lac, à parcourir les bois à la chute des feuilles : promenades
dont le souvenir remplit encore mon âme de délices. O illusions de l'enfance et de la patrie, ne perdrez-vous jamais vos douceurs ? Tantôt
nous marchions en silence, prêtant l'oreille au sourd mugissement de
l'automne, ou au bruit des feuilles séchées que nous traînions tristement
sous nos pas ; tantôt, dans nos jeux innocents, nous poursuivions l'hi-
rondelle dans la prairie, l'arc-en-ciel sur les collines pluvieuses ; quelquefois aussi nous murmurions des vers que nous inspirait le spectacle
de la nature. »

④ **Pré-romantisme** — Rechercher et analyser les thèmes déjà romantiques : l'amour malheureux, le sentiment de la nature, la mélancolie,
le souvenir.

⑤ **Exotisme et modernité** — Montrer que Chateaubriand prête à ses
sauvages des sentiments tout modernes dans un cadre exotique.

⑥ **Lyrisme** — Étudier la poésie (l. 248-259) : l'accord du paysage et
des sentiments ; la musique des phrases et des mots. Analyser l'harmonie de la phrase dans les lignes 250-256.

●●

220 plaisir. Qui eût pu croire que le moment où Atala me donnait
le premier gage de son amour serait celui-là même où elle
détruirait mes espérances ? Cheveux blanchis du vieux
Chactas, quel fut votre étonnement [1], lorsque la fille du
Sachem [2] prononça ces paroles ! « Beau prisonnier, j'ai
225 » follement cédé à ton désir ; mais où nous conduira cette
» passion ? Ma religion me sépare de toi pour toujours...
» O ma mère ! qu'as-tu fait ?... » Atala se tut tout à coup
et retint je ne sus quel fatal secret près d'échapper à ses
lèvres [3]. Ses paroles me plongèrent dans le désespoir. « Eh
230 » bien, m'écriai-je, je serai aussi cruel que vous ; je ne fuirai
» point. Vous me verrez dans le cadre de feu [4] ; vous enten-
» drez les gémissements de ma chair, et vous serez pleine
» de joie. » Atala saisit mes mains entre les deux siennes.
« Pauvre jeune idolâtre, s'écria-t-elle, tu me fais réellement
235 » pitié ! Tu veux donc que je pleure tout mon cœur ? Quel
» dommage que je ne puisse fuir avec toi ! Malheureux a été
» le ventre de ta mère, ô Atala ! Que ne te jettes-tu au cro-
» codile de la fontaine ! »

» Dans ce moment même, les crocodiles, aux approches
240 du coucher du soleil, commençaient à faire entendre leur
rugissements [5]. Atala me dit : « Quittons ces lieux. » J'entraî-
nai la fille de Simaghan [6] aux pieds des coteaux qui formaient
des golfes de verdure, en avançant leurs promontoires dans
la savane. Tout était calme et superbe au désert. La cigogne
245 criait sur son nid, les bois retentissaient du chant monotone
des cailles, du sifflement des perruches, du mugissement des
bisons et du hennissement des cavales Siminoles [7].

---

1. On peut s'étonner que cette métaphore incohérente ait trouvé grâce auprès de l'impitoyable abbé Morellet, ou lui ait échappé. — 2. Voir p. 44, n. 4. — 3. Cette remarque annonce
et prépare la suite du récit. — 4. Ce supplice du *feu* est longuement décrit dans *les Natchez*,
d'après Charlevoix. — 5. Voir une notation analogue dans le *Voyage en Amérique* (*O. C.*,
VI, p. 94-95) : « Le soleil approchait de son coucher... Le crocodile, tourné vers l'astre du
jour, lançait par sa gueule béante l'eau du lac en gerbes colorées. » — 6. Noter la variété des
périphrases désignant Atala. — 7. Cette fin de paragraphe est la « traduction colorée et
pittoresque d'un passage qui, chez Bartram, n'était qu'une notation jetée en passant »
(G. Chinard, *op. cit.*, p. 260) : «Des troupeaux de daims légers, des escadrons de rapides che-
vaux siminoles, des bandes de dindons, des communautés policées de grues vigilantes au
cri sonore vivent les uns avec les autres, apparemment heureux et satisfaits de la paix dont
ils jouissent. »

» Notre promenade fut presque muette[1]. Je marchais à côté d'Atala ; elle tenait le bout de la corde, que je l'avais 250 forcée de reprendre. Quelquefois nous versions des pleurs ; quelquefois nous essayions de sourire. Un regard, tantôt levé vers le ciel, tantôt attaché à la terre, une oreille attentive au chant de l'oiseau, un geste vers le soleil couchant, une main tendrement serrée, un sein tour à tour palpitant, tour 255 à tour tranquille, les noms de Chactas et d'Atala doucement répétés par intervalle... Oh ! première promenade de l'amour, il faut que votre souvenir soit bien puissant, puisque, après tant d'années d'infortune, vous remuez encore le cœur du vieux Chactas !

260 » Qu'ils sont incompréhensibles les mortels agités par les passions ! Je venais d'abandonner le généreux Lopez, je venais de m'exposer à tous les dangers pour être libre ; dans un instant le regard d'une femme avait changé mes goûts, mes résolutions, mes pensées ! Oubliant mon pays, ma mère, 265 ma cabane et la mort affreuse qui m'attendait, j'étais devenu indifférent à tout ce qui n'était pas Atala[2] ! Sans force pour m'élever à la raison de l'homme, j'étais retombé tout à coup dans une espèce d'enfance ; et loin de pouvoir rien faire pour me soustraire aux maux qui m'attendaient, j'aurais eu 270 presque besoin qu'on s'occupât de mon sommeil et de ma nourriture !

» Ce fut donc vainement qu'après nos courses dans la savane, Atala, se jetant à mes genoux, m'invita de nouveau à la quitter. Je lui protestai que je retournerais seul au 275 camp, si elle refusait de me rattacher au pied de mon arbre. Elle fut obligée de me satisfaire, espérant me convaincre une autre fois.

» Le lendemain de cette journée, qui décida du destin

---

1. F. Letessier (*op. cit.*, p. 16, n. 4) rapproche cette promenade sentimentale de celles que René faisait avec Amélie aux environs de Combourg. A. Le Braz (*op. cit.*, p. 177) y voit une transposition des promenades de l'auteur avec Charlotte Ives, à Bungay. On peut évoquer également la promenade au bord du lac, de Julie et Saint-Preux, dans *la Nouvelle Héloïse*, de J.-J. Rousseau. — 2. Comparer à Lamartine (*l'Isolement*, v. 28) : « Un seul être vous manque, et tout est dépeuplé. »

de ma vie, on s'arrêta dans une vallée, non loin de Cusco-
280 willa[1], capitale des Siminoles. Ces Indiens unis aux Muscogulges forment avec eux la confédération des Creeks[2].
La fille du pays des palmiers[3] vint me trouver au milieu de
la nuit. Elle me conduisit dans une grande forêt de pins et
renouvela ses prières pour m'engager à la fuite. Sans lui
285 répondre, je pris sa main dans ma main[4], et je forçai cette
biche altérée d'errer avec moi dans la forêt. La nuit était
délicieuse. Le Génie des airs secouait sa chevelure bleue,
embaumée de la senteur des pins, et l'on respirait la faible
odeur d'ambre, qu'exhalaient les crocodiles couchés sous
290 les tamarins[5] des fleuves. La lune brillait au milieu d'un
azur sans tache, et sa lumière gris de perle descendait sur la
cime indéterminée des forêts. Aucun bruit ne se faisait
entendre, hors je ne sais quelle harmonie lointaine qui
régnait dans la profondeur des bois : on eût dit que l'âme
295 de la solitude soupirait dans toute l'étendue du désert[6].

» Nous aperçûmes à travers les arbres un jeune homme,
qui, tenant à la main un flambeau, ressemblait au Génie du
printemps, parcourant les forêts pour ranimer la nature.
C'était un amant qui allait s'instruire de son sort à la cabane
300 de sa maîtresse[7].

---

1. Ville située au nord-ouest de la péninsule de Floride, non loin de la côte du golfe du
Mexique. — 2. Voir le *Voyage en Amérique* : « Les deux nations réunies furent appelées par
les Européens la nation des *Creeks*, et divisées en Creeks supérieurs, les Muscogulges, et en
Creeks inférieurs, les Siminoles » (d'après Bartram). — 3. Morellet critique l'abus des périphrases pour désigner Atala ; voir plus loin (l. 286) : *biche altérée*. — 4. Voir une notation
analogue dans *la Nouvelle Héloïse* (IV, 17) : « Je lui donnai la main pour entrer dans le bateau,
et, en m'asseyant à côté d'elle, je ne songeai plus à quitter sa main. » Ce « langage muet »
de l'amour est un trait romantique. — 5. Nom vulgaire du tamaris, genre d'arbrisseau à
petites feuilles écailleuses et à fleurs roses, adapté à la vie désertique ; assez répandu en
France, dans le Midi et sur les côtes méditerranéennes. — 6. « On perçoit là quelque chose de
vu et de senti, et il est difficile de ne pas y reconnaître des souvenirs d'une belle nuit calme
passée par Chateaubriand dans une forêt américaine » (G. Chinard, *op. cit.*, p. 261). Cependant, selon J. Bédier, ce paysage serait inspiré de Bartram. Mais cette description fait surtout penser, comme le remarque L. Hogu (article cité, p. 148-149), à celle de Bernardin de
Saint-Pierre dans *Paul et Virginie*. — 7. Cette coutume indienne est signalée par Carver :
« L'amant allume au feu recouvert de la cabane où il pénètre une brindille de bois. Il
approche et éveille sa maîtresse... Si elle se lève alors et éteint la lumière, il n'en faut pas
davantage pour annoncer à son amant que sa venue ne lui déplaît pas ; mais, si elle se recouvre
la tête, c'est que l'heure du berger n'est pas encore sonnée. » Même scène dans *les Natchez* et
dans *Odérahi*.

» Si la vierge éteint le flambeau, elle accepte les vœux offerts ; si elle se voile sans l'éteindre, elle rejette un époux.

» Le guerrier, en se glissant dans les ombres, chantait à demi-voix ces paroles :

305 « Je devancerai les pas du jour sur le sommet des mon-
» tagnes, pour chercher **ma** colombe solitaire parmi les
» chênes de la forêt.

» J'ai attaché à son cou un collier de porcelaines[1] ; on y

---

1. « Sorte de coquillage » (note de Chateaubriand).

● **Une nuit dans la savane américaine (l. 282-295)**

Le pittoresque

① Relevez les détails qui peignent des couleurs ou des formes ; des bruits ; des odeurs ; quelle impression générale se dégage de cette description ?

② La couleur locale. Notez les traits qui donnent à ce paysage un caractère d'authenticité.

③ Comparez la description de cette nuit américaine au passage suivant de *Paul et Virginie* (éd. Souriau, p. 131-132) : « Il faisait une de ces *nuits délicieuses*, si communes entre les tropiques, et dont le plus habile pinceau ne rendrait pas la beauté. *La lune* paraissait au milieu du firmament, entourée d'un rideau de nuages que ses rayons dissipaient par degrés. *La lumière se répandait insensiblement sur les montagnes* de l'île et sur leurs pitons, qui brillaient d'un vert argenté. *Les vents retenaient leurs haleines.* On entendait dans les bois, au fond des vallées, au haut des rochers, de petits cris, de doux murmures d'oiseaux [...] réjouis par la clarté de la nuit et la tranquillité de l'air. Tous, jusqu'aux insectes, bruissaient sous l'herbe. Les étoiles étincelaient au ciel. »

Le sentiment de la nature

④ Qu'y a-t-il de « romantique » dans ce paysage ? Comment la nature s'accorde-t-elle avec les états d'âme des héros ?

⑤ Étudiez le thème de la nuit et celui de la lune chez Chateaubriand, Lamartine, Musset. V. Hugo.

⑥ Comparez les nuits américaines de Chateaubriand dans l'*Essai sur les révolutions*, le *Voyage en Amérique* (*O. C.*, VI, p. 94 et suiv.), le *Génie du christianisme* (I, V, 12), *les Natchez* et *Atala*.

La poésie

⑦ Par quels moyens Chateaubriand a-t-il donné à sa prose un caractère poétique ? Étudiez en particulier la valeur des épithètes ; les images ; le rythme et l'harmonie de cette « symphonie nocturne ».

» voit trois grains rouges pour mon amour, trois violets
310 » pour mes craintes, trois bleus pour mes espérances.

» Mila[1] a les yeux d'une hermine et la chevelure légère
» d'un champ de riz ; sa bouche est un coquillage rose, garni
» de perles ; ses deux seins sont comme deux petits chevreaux
» sans tache, nés au même jour d'une seule mère.

315 » Puisse Mila éteindre ce flambeau ! Puisse sa bouche
» verser sur lui une ombre voluptueuse ! Je fertiliserai son
» sein. L'espoir de la patrie[2] pendra à sa mamelle féconde,
» et je fumerai mon calumet de paix[3] sur le berceau de mon
» fils !

320 » Ah ! laissez-moi devancer les pas du jour sur le sommet
» des montagnes, pour chercher ma colombe solitaire parmi
» les chênes de la forêt ! »

» Ainsi chantait ce jeune homme, dont les accents por-
tèrent le trouble jusqu'au fond de mon âme et firent changer
325 de visage à Atala. Nos mains unies frémirent l'une dans
l'autre. Mais nous fûmes distraits de cette scène par une
scène non moins dangereuse pour nous.

» Nous passâmes auprès du tombeau d'un enfant, qui
servait de limite à deux nations. On l'avait placé au bord
330 du chemin, selon l'usage, afin que les jeunes femmes, en
allant à la fontaine, pussent attirer dans leur sein l'âme de
l'innocente créature et la rendre à la patrie[4]. On y voyait
dans ce moment des épouses nouvelles qui, désirant les
douceurs de la maternité, cherchaient, en entr'ouvrant leurs
335 lèvres, à recueillir l'âme du petit enfant, qu'elles croyaient
voir errer sur les fleurs. La véritable mère vint ensuite déposer
une gerbe de maïs et des fleurs de lis blancs sur le tombeau.
Elle arrosa la terre de son lait, s'assit sur le gazon humide,
et parla à son enfant d'une voix attendrie[5] :

---

1. Nom d'une héroïne des *Natchez*, qui signifie en indien : je donne. — 2. *L'espoir de la patrie* : le nouveau-né. — 3. Longue pipe qu'on se passe à la ronde en signe de *paix*. — 4. Voir Charlevoix : « Les âmes des enfants, ayant peu joui de la vie, obtiennent d'en recommencer une nouvelle. C'est pour cela qu'ils enterrent les enfants le long des grands chemins, afin que les femmes puissent, en passant, recueillir leurs âmes... On a vu des mères garder des années entières les cadavres de leurs enfants... et d'autres se tirer du lait de la mamelle et le répandre sur la tombe de ces petites créatures... » — 5. On trouve dans l'épilogue (p 154) un tableau assez semblable d'une mère berçant son enfant mort, au chant d'une touchante romance.

340 « Pourquoi te pleuré-je dans ton berceau de terre, ô mon
» nouveau-né ? Quand le petit oiseau devient grand, il faut
» qu'il cherche sa nourriture, et il trouve dans le désert bien
» des graines amères. Du moins tu as ignoré les pleurs ; du
» moins ton cœur n'a point été exposé au souffle dévorant
345 » des hommes. Le bouton qui sèche dans son enveloppe
» passe avec tous ses parfums, comme toi, ô mon fils ! avec
» toute ton innocence. Heureux ceux qui meurent au ber-

● **Le chant d'amour du jeune guerrier** (l. 296-322)

① Comparez le chant du jeune guerrier à celui d'Atala (p. 86-88) :
quelles particularités communes donnent à ces deux « poèmes en prose »
la forme et l'harmonie propres au genre musical de la chanson ?

② Relevez les traits de couleur locale : quelle note poétique originale
ajoutent-ils au thème traditionnel de l'amour ?

③ Comparez le chant du guerrier au *Cantique des cantiques* (II, 8, 11,
14) : « Voici mon bien-aimé qui vient, sautant sur les montagnes, passant
par-dessus les collines... Levez-vous, hâtez-vous, ma bien-aimée, ma
colombe... Vous qui êtes ma colombe, vous qui vous retirez dans le creux
des rochers... » (IV, 1-5) : « Vos yeux sont comme les yeux des colombes...
Vos cheveux sont comme des troupeaux de chèvres... Vos dents sont
toutes par paires... Vos deux seins sont comme les faons jumeaux d'une
gazelle qui paissent parmi les lys. »

● **Les rites funèbres de la maternité chez les sauvages**

④ Comparez les rites funèbres des mères indiennes à ceux des Anciens
(voir Documents, p. 183).

⑤ Qu'y a-t-il d'émouvant et de poétique dans la complainte de la
mère sur le destin de son nouveau-né ? Quel contraste cet épisode
forme-t-il avec le précédent ?

● **La philosophie de la mort**

⑥ *Heureux ceux qui meurent au berceau...* (l. 347) : dans quelle mesure
cette phrase traduit-elle, par-delà le fatalisme indien, le pessimisme de
l'auteur ? Voir *Mémoires*, IV, p. 332, et *Vie de Rancé* : « Heureux
l'homme expiré en ouvrant les yeux ! Il meurt aux bras de ces femmes
du berceau qui ne sont dans le monde qu'un sourire. »

⑦ Le thème de la mort libératrice : recherchez-en le développement
littéraire et les diverses formes chez les Anciens, dans la Bible (*Livre
de Job*, III) et chez les poètes français du XVIᵉ s.

⑧ La poésie. Définir les divers aspects du lyrisme dans ces *images
d'amour et de maternité* (l. 351) : inspiration ; images (sources et valeur
poétique) ; « refrains » ; rythme ; harmonie.

» ceau, ils n'ont connu que les baisers et les sourires d'une
» mère ! »

350 » Déjà subjugués par notre propre cœur, nous fûmes
accablés par ces images d'amour et de maternité, qui semblaient nous poursuivre dans ces solitudes enchantées [1].
J'emportai Atala dans mes bras au fond de la forêt, et je
lui dis des choses qu'aujourd'hui je chercherais en vain sur
355 mes lèvres. Le vent du midi, mon cher fils, perd sa chaleur
en passant sur des montagnes de glace. Les souvenirs de
l'amour dans le cœur d'un vieillard sont comme les feux du
jour réfléchis par l'orbe paisible de la lune, lorsque le soleil
est couché et que le silence plane sur les huttes des Sauvages.

360 » Qui pouvait sauver Atala ? Qui pouvait l'empêcher de
succomber à la nature ? Rien qu'un miracle, sans doute ;
et ce miracle fut fait ! La fille de Simaghan eut recours au
Dieu des Chrétiens ; elle se précipita sur la terre et prononça une fervente oraison, adressée à sa mère et à la Reine
365 des vierges [2]. C'est de ce moment, ô René, que j'ai conçu
une merveilleuse idée de cette religion, qui dans les forêts,
au milieu de toutes les privations de la vie, peut remplir de
mille dons les infortunés ; de cette religion, qui opposant sa
puissance au torrent des passions suffit seule pour les
370 vaincre, lorsque tout les favorise, et le secret des bois et
l'absence des hommes et la fidélité des ombres. Ah ! qu'elle
me parut divine, la simple Sauvage, l'ignorante Atala, qui à
genoux devant un vieux pin tombé, comme au pied d'un
autel, offrait à son Dieu des vœux pour un amant idolâtre !
375 Ses yeux levés vers l'astre de la nuit [3], ses joues brillantes des
pleurs de la religion [4] et de l'amour étaient d'une beauté
immortelle. Plusieurs fois il me sembla qu'elle allait prendre
son vol vers les cieux ; plusieurs fois je crus voir descendre
sur les rayons de la lune et entendre dans les branches des
380 arbres ces Génies [5] que le Dieu des Chrétiens envoie aux

---

1. Au sens étymologique : peuplées de puissances magiques. — 2. La Sainte Vierge. —
3. La lune (périphrase classique). — 4. Foi religieuse. — 5. Anges. Transposition « indienne »
de la notion chrétienne. Même appellation dans *les Martyrs* : « Des génies, dont un nombre
infini fut créé avec l'homme pour soutenir ses vertus, diriger ses passions, et le défendre
contre les attaques de l'enfer. »

ermites des rochers, lorsqu'il se dispose à les rappeler à lui.
J'en fus affligé, car je craignis qu'Atala n'eût que peu de
temps à passer sur la terre[1].

385 » Cependant elle versa tant de larmes, elle se montra si
malheureuse, que j'allais peut-être consentir à m'éloigner,
lorsque le cri de mort retentit dans la forêt. Quatre hommes
armés se précipitent sur moi : nous avions été découverts ;
le chef de guerre avait donné l'ordre de nous poursuivre.

390 » Atala, qui ressemblait à une reine pour l'orgueil de la
démarche[2], dédaigna de parler à ces guerriers. Elle leur
lança un regard superbe[3] et se rendit auprès de Simaghan.

---

1. Chactas a comme la prescience du destin fatal d'Atala : cette remarque prépare et
annonce le dénouement, sans toutefois le laisser deviner. La progression de l'intérêt est
habilement ménagée. — 2. Il y a peut-être ici une réminiscence de Virgile: « *Vera incessu
patuit dea* ; et sa démarche a révélé une déesse » (*Énéide*, I, 404). — 3. Fier, orgueilleux
(sens étymologique, du latin *superbus*).

● **La prière d'Atala** (l. 360-383)

① Quel est l'intérêt psychologique de la prière d'Atala ? Quel effet
produit-elle sur l'idolâtre Chactas ? Et comment cet épisode se rattache-
t-il au dessein apologétique d'*Atala* ?

② Comment cette scène (simple digression, en apparence) prépare-t-elle
en réalité la suite du drame et le dénouement ?

● **La capture de Chactas et les préparatifs du supplice** (l. 384-421)

③ Étudier, dans la composition de ce passage, la progression dramatique
et l'art de piquer la curiosité du lecteur : pourquoi la capture de Chactas,
pourtant prévisible, produit-elle, dans le contexte, l'effet d'un coup de
théâtre ?

● **L'art de l'écrivain**

④ Le « style indien ». Montrer, par des citations, comment Chactas
interprète en sauvage les croyances ou pratiques chrétiennes d'Atala.
Étudiez en particulier l'animisme païen dans l'interprétation religieuse
des phénomènes naturels (la vision des Anges), et la transposition
« indienne » des termes chrétiens.

⑤ La poésie. Essayer d'en définir les sources : étrangeté mystérieuse
du vocabulaire « indien » ; lyrisme ; poésie « plastique » des attitudes ;
rythme ; harmonie.

» Elle ne put rien obtenir. On redoubla mes gardes, on multiplia mes chaînes, on écarta mon amante. Cinq nuits s'écoulent, et nous apercevons Apalachucla [1] située au bord
395 de la rivière Chata-Uche. Aussitôt on me couronne de fleurs ; on me peint le visage d'azur et de vermillon ; on m'attache des perles au nez et aux oreilles et l'on me met à la main un chichikoué [2].

» Ainsi paré pour le sacrifice, j'entre dans Apalachucla,
400 aux cris répétés de la foule. C'en était fait de ma vie, quand tout à coup le bruit d'une conque se fait entendre et le Mico [3], ou chef de la nation, ordonne de s'assembler.

» Tu connais, mon fils, les tourments que les Sauvages font subir aux prisonniers de guerre. Les missionnaires
405 chrétiens, aux périls de leurs jours, et avec une charité infatigable, étaient parvenus, chez plusieurs nations, à faire substituer un esclavage assez doux aux horreurs du bûcher [4]. Les Muscogulges n'avaient point encore adopté cette coutume ; mais un parti nombreux s'était déclaré en sa faveur.
410 C'était pour prononcer sur cette importante affaire que le Mico convoquait les Sachems [5]. On me conduit au lieu des délibérations.

» Non loin d'Apalachucla s'élevait, sur un tertre isolé, le pavillon du conseil. [6] Trois cercles de colonnes formaient

---

1. Voir p. 54, n. 6. — 2. « Instrument de musique des Sauvages » (note de Chateaubriand). Voir une description analogue dans *les Natchez* (éd. Chinard, p. 292). Chateaubriand suit de près Charlevoix : « Les prisonniers sont couronnés de fleurs, le visage et les cheveux peints, tenant un bâton d'une main et le chichikoué de l'autre. » Le *chichikoué* est une sorte de calebasse creuse, remplie de graines séchées, et qu'on agite. Chateaubriand en parle à diverses reprises dans le *Voyage en Amérique*. — 3. Voir Bartram : « A la tête de ce vénérable sénat [des sachems] préside leur *Mico*, ou roi, mot qui signifie magistrat, ou chef gouverneur, ou chef des guerriers. » Voir aussi le *Voyage en Amérique* (O. C., VI, p. 83 et suiv.). — 4. Remarque sans doute inspirée de Carver : « Les Pères ont pris beaucoup de peine à inculquer dans l'âme des Indiens des principes d'humanité qui, peu à peu, ont influé sur leurs mœurs. » Voir aussi *Voyage en Amérique* (O. C., VI, p. 183 et suiv.) — 5. Voir p. 44, n. 4. — 6. Bartram décrit ainsi ce *pavillon* : « La maison du conseil... qui peut contenir plusieurs centaines de personnes, est située au sommet d'une élévation artificielle. La *rotonde* est construite de la façon suivante : ils plantent tout d'abord en terre une rangée circulaire de poteaux ou de troncs d'arbres, de six pieds de haut environ, à des intervalles réguliers. A l'intérieur de ce cercle, ils en forment un autre avec des piliers de plus de douze pieds et entaillés au sommet comme les premiers, et à l'intérieur de ce second cercle, un troisième, formé de poteaux plus élevés, enfin, au centre, un poteau unique très solide qui forme comme le sommet de l'édifice... A l'intérieur se trouvent deux ou trois marches placées

₄₁₅ l'élégante architecture de cette rotonde. Les colonnes étaient de cyprès poli et sculpté ; elles augmentaient en hauteur et en épaisseur, et diminuaient en nombre, à mesure qu'elles se rapprochaient du centre marqué par un pilier unique. Du sommet de ce pilier partaient des bandes

---

les unes au-dessus des autres, comme dans un amphithéâtre, sur lesquelles l'assemblée peut s'asseoir ou s'étendre. » Voir une autre description, assez différente de celle d'*Atala*, dans le *Voyage...* (*O. C.*, VI, p. 186).

● **Le conseil des Sachems** (l. 413-459)

La justice « sauvage »

① En imaginant cette délibération qui doit décider du sort de Chactas, Chateaubriand a-t-il seulement recherché la couleur locale ou un effet dramatique propre à maintenir le lecteur en haleine ? Quel trait de mœurs a-t-il voulu aussi mettre en relief, chez ce peuple de guerriers farouches ? Et comment rend-il ainsi un hommage indirect à la religion chrétienne, propagée par les missionnaires ?

La peinture des mœurs

② **La salle du conseil** — Comparez la description de Chateaubriand dans *Atala*, à celle de Bartram (voir p. 68, n. 6) : quels détails l'auteur a-t-il conservés, supprimés ou modifiés ? et pourquoi ? Étudiez le réalisme et la précision de ce tableau : notez en particulier les détails architecturaux qui peignent des formes géométriques. En vous aidant des indications de l'auteur, et de celles de Bartram, faites un croquis de la salle du conseil.

③ **L'assemblée** — Relevez les traits de couleur locale ou relatifs aux mœurs des Indiens : notamment ceux qui concernent l'organisation sociale des Muscogulges et les rites religieux. Certains détails n'évoquent-ils pas des usages déjà pratiqués chez les Anciens ? Cherchez, dans les pages précédentes, d'autres exemples de cette « contamination » qui amène l'auteur à choisir de préférence, chez ses modèles, les traits communs aux Anciens et aux sauvages d'Amérique.

Le style

④ La composition. Distinguez les principales parties de cette description, en montrant comment elles s'enchaînent naturellement, chaque paragraphe formant un tout, qui s'insère dans l'ensemble sans rompre l'unité générale. Quel caractère particulier la disposition « strophique » des alinéas ajoute-t-elle au récit ?

⑤ Le ton. Comment le choix des termes et le rythme des phrases concourent-ils à produire une impression de solennité ? Étudiez le ton épique de cette scène « sauvage ».

420 d'écorce qui, passant sur le sommet des autres colonnes,
couvraient le pavillon, en forme d'éventail à jour.

» Le conseil s'assemble [1]. Cinquante vieillards, en manteau
de castor, se rangent sur des espèces de gradins faisant face
à la porte du pavillon. Le grand chef est assis au milieu d'eux,
425 tenant à la main le calumet de paix [2] à demi coloré pour la
guerre [3]. A la droite des vieillards, se placent cinquante
femmes couvertes d'une robe de plumes de cygnes. Les
chefs de guerre, le tomahawk [4] à la main, le pennache [5] en
tête, les bras et la poitrine teints de sang, prennent la
430 gauche.

» Au pied de la colonne centrale, brûle le feu du conseil.
Le premier jongleur [6] environné des huit gardiens du
temple, vêtu de longs habits, et portant un hibou empaillé
sur la tête [7], verse du baume de copalme [8] sur la flamme et
435 offre un sacrifice au soleil. Ce triple rang de vieillards, de
matrones [9], de guerriers, ces prêtres, ces nuages d'encens, ce
sacrifice, tout sert à donner à ce conseil un appareil imposant.

» J'étais debout, enchaîné au milieu de l'assemblée. Le
sacrifice achevé, le Mico [10] prend la parole et expose avec
440 simplicité l'affaire qui rassemble le conseil. Il jette un collier
bleu [11] dans la salle, en témoignage de ce qu'il vient de dire.

---

1. Dans cette description de la séance du conseil, Chateaubriand s'inspire à la fois de Charlevoix (voir *Voyage...*, *O. C.*, VI, p. 178) et de Lafitau (*Mœurs des Indiens*) à qui il emprunte certains détails (un vieillard-chef, dit *roktsen goa*, par tribu ; le sénat composé des anciens ; le « feu du conseil », toujours allumé ; l'exposé de l'affaire par l'orateur ; la division des guerriers en tribus désignées par leur *manitou* : aigle, castor, etc.). A Bartram, enfin, Chateaubriand emprunte les détails relatifs aux *jongleurs* et au *mico* (roi). — 2. Voir p. 64, n. 3. — 3. Sur cet usage, voir La Potherie (*Hist. de l'Amérique septentrionale*) : « S'ils peignent un côté de ces plumes en rouge et que l'autre soit au naturel gris ou blanc, ils déclarent par là qu'ils ne veulent avoir aucun ennemi du côté que regarde la couleur grise ou blanche, mais qu'ils veulent la guerre du côté qu'est tourné le rouge. » — 4. « Hache » (note de l'auteur). — 5. Forme archaïque et étymologique de panache (du latin *penna*, plume). — 6. Voir p. 44, n. 5. — 7. Ce détail burlesque, même s'il est authentique, ne détonne-t-il pas dans cette description qui tend à produire une impression de gravité solennelle (voir plus loin *appareil imposant*) ? — 8. Voir p. 56, n. 3. — 9. « Par [ce] mot, qui évoque les mères romaines, [Chateaubriand] désigne couramment les vieilles Indiennes, associées aux *sachems* pour la direction des affaires de la tribu. » Sur le rôle important des femmes chez les sauvages, dont la société était matriarcale, voir le *Voyage en Amérique* (*O. C.*, VI, 180-183) et *les Natchez*, où la femme-chef Akansie tient une place de premier plan » (F. Letessier, *op. cit.*, p. 67, n. 4). — 10. Voir p. 68, n. 3. — 11. Sur cette coutume, voir le *Voyage en Amérique* (*O. C.*, VI, p. 179) : « Les délibérations du conseil sont marquées dans des colliers de diverses

» Alors un Sachem[1] de la tribu de l'Aigle se lève et parle ainsi :

« Mon père le Mico, Sachems, matrones[2], guerriers des
445 » quatre tribus de l'Aigle, du Castor, du Serpent et de la
» Tortue, ne changeons rien aux mœurs de nos aïeux ; brû-
» lons le prisonnier, et n'amollissons point nos courages.
» C'est une coutume des Blancs qu'on vous propose, elle ne
» peut être que pernicieuse. Donnez un collier rouge qui
450 » contienne mes paroles. J'ai dit.[3] »

» Et il jette un collier rouge dans l'assemblée.

» Une matrone se lève et dit :

« Mon père l'Aigle, vous avez l'esprit d'un renard, et la
» prudente lenteur d'une tortue. Je veux polir avec vous la
455 » chaîne d'amitié, et nous planterons ensemble l'arbre de
» paix[4]. Mais changeons les coutumes de nos aïeux en ce

_____

couleurs, archives de l'État qui renferment les traités de paix, de guerre, et d'alliance.
D'autres colliers contiennent les harangues prononcées dans les divers conseils. » Il est
fait également mention de ces colliers dans *les Natchez* ; chez Charlevoix et chez Lafitau. —
1. Voir p. 44, n. 4. — 2. Voir p. 70, n. 9. — 3. « Charlevoix cite le mot *Hiro* ou *Hero*, qui signifie
j'ai dit et par lequel les Sauvages terminent leurs discours. » (L. Hogu, *op. cit.*, p. 129). Mais
on trouve la même formule dans l'*Odyssée* et dans l'*Énéide* à la fin des discours, ou comme
transition pour passer du discours au récit : « *ephato dixit* ; il dit. » — 4. L'expression *planter
l'arbre de paix* figure en tête d'une liste de « mots sauvages » chez La Potherie. Elle signifie : conclure la paix, sceller un pacte d'amitié, en souvenir duquel on plante un arbre : un
symbole analogue se retrouve dans l'arbre de la liberté, sous la Révolution.

●●

● **Les débats de l'assemblée muscogulge** (l. 438-459)

Les sources — Au sujet des « mouvements divers » de l'assemblée muscogulge, G. Chinard observe : « La peinture de la discussion qui suit les
discours est en contradiction formelle avec ce que nous apprend Lafitau
du calme qui règne toujours dans ces séances. Ici, Chateaubriand semble
s'être laissé emporter par ses souvenirs des assemblées révolutionnaires,
et avoir oublié qu'il s'agissait d'une assemblée indienne et non d'une
séance de la Convention » (*op. cit.*, p. 270-271). A ce sujet, F. Letessier
(*op. cit.*, p. 66, n. 1) précise que, si Chateaubriand ne put jamais aller à la
Convention, il assista du moins « à de houleuses réunions de club ».

① Recherchez, en d'autres passages, d'autres exemples de ce mélange
d'usages indiens et européens.

La couleur locale n'en reste pas moins généralement exacte : on relèvera
les traits de mœurs « sauvages », et l'on notera la valeur documentaire
ou pittoresque des détails choisis par l'auteur.

●●

» qu'elles ont de funeste. Ayons des esclaves qui cultivent
» nos champs, et n'entendons plus les cris des prisonniers qui
» troublent le sein des mères. J'ai dit. »

460 » Comme on voit les flots de la mer se briser pendant un
orage, comme en automne les feuilles séchées sont enlevées
par un tourbillon[1], comme les roseaux du Meschacebé plient
et se relèvent dans une inondation subite, comme un grand
troupeau de cerfs brame au fond d'une forêt, ainsi s'agitait
465 et murmurait le conseil. Des Sachems, des guerriers, des
matrones parlent tour à tour ou tous ensemble. Les intérêts
se choquent, les opinions se divisent, le conseil va se dis-
soudre ; mais enfin l'usage antique l'emporte et je suis
condamné au bûcher.

470 » Une circonstance vint retarder mon supplice ; la *Fête
des morts* ou le *Festin des âmes*[2] approchait. Il est d'usage
de ne faire mourir aucun captif pendant les jours consacrés
à cette cérémonie[3]. On me confia à une garde sévère ; et
sans doute les Sachems[4] éloignèrent la fille de Simaghan[5],
475 car je ne la revis plus.

» Cependant les nations de plus de trois cents lieues à la
ronde arrivaient en foule pour célébrer le *Festin des âmes*.

---

1. Ces deux premières comparaisons sont peut-être empruntées à la *Jérusalem délivrée* (III, 6) : « Dans l'air, une rumeur s'éveille, pareille à celle qu'on entend dans les épaisses forêts s'il arrive que parmi les feuillages le vent souffle ou comme dans les rochers, près des rivages, quand la mer battue siffle en cris rauques. » Mais de telles comparaisons, empruntées à la nature, sont fréquentes chez Homère et Virgile. — 2. Dans la description de cette cérémonie, Chateaubriand semble s'inspirer à la fois de Charlevoix et de Lafitau. Charlevoix : « Tous les huit ans, les Indiens célèbrent une fête qu'ils appellent la *Fête des morts* ou le *Festin des âmes*. On fait des présents aux étrangers, parmi lesquels il y en a qui sont venus parfois de cent cinquante lieues... On se rend processionnellement dans une grande salle de conseil dressée exprès, on y suspend contre les parois les ossements et les cadavres... On profite de ces occasions pour traiter les affaires communes ou pour l'élection du chef. » Lafitau : « La fête générale des morts est... la plus éclatante et la plus solennelle ; ils [les Sauvages] lui donnent le nom de *Festin des âmes*. Chaque village est alors en mouvement ; aux premiers beaux jours, tous se transportent au cimetière et tirent, en présence des parents, les mêmes corps qu'ils avaient eu soin autrefois de mettre dans la sépulture... On prépare cependant au milieu d'une grande place une fosse... (on environne cette fosse d'un échafaud ou amphithéâtre...) autour de laquelle règnent quantité d'échelles pour y monter. Là-dessus s'élèvent un grand nombre de perches, dressées d'espace en espace, lesquelles soutiennent de longues traverses destinées à porter tous ces paquets d'ossements qu'on doit mettre en étalage à la vue du public. » — 3. De même, chez les anciens Romains, les exécutions capitales étaient suspendues pendant certaines fêtes religieuses. — 4. Voir p. 44, n. 4. — 5. Atala.

On avait bâti une longue hutte sur un site écarté. Au jour marqué, chaque cabane exhuma les restes de ses pères de
480 leurs tombeaux particuliers, et l'on suspendit les squelettes, par ordre et par famille, aux murs de la *Salle commune des aïeux*. Les vents (une tempête s'était élevée), les forêts, les cataractes mugissaient au dehors, tandis que les vieillards des diverses nations concluaient entre eux des traités de
485 paix et d'alliance sur les os de leurs pères.

» On célèbre les jeux funèbres [1], la course, la balle, les osselets [2]. Deux vierges cherchent à s'arracher une baguette de saule [3]. Les boutons de leurs seins viennent se toucher, leurs mains voltigent sur la baguette qu'elles élèvent au-
490 dessus de leurs têtes. Leurs beaux pieds nus s'entrelacent, leurs bouches se rencontrent, leurs douces haleines se confondent ; elles se penchent et mêlent leur chevelure ; elles regardent leurs mères, rougissent [4] : on applaudit. Le jongleur [5] invoque Michabou, génie des eaux. Il raconte les
495 guerres du grand Lièvre [6] contre Matchimanitou, dieu du mal. Il dit le premier homme et Atahensic la première femme précipités du ciel pour avoir perdu l'innocence [7], la terre rougie du sang fraternel [8], Jouskeka l'impie immolant le juste Tahouistsaron, le déluge descendant à la voix du
500 grand Esprit [9], Massou sauvé seul dans son canot d'écorce [10], et le corbeau envoyé à la découverte de la terre [11] ; il dit encore la belle Endaé, retirée de la contrée des âmes par les douces chansons de son époux [12].

---

1. Cet usage des *jeux funèbres* apparaît dès l'antiquité. Voir Virgile, *Énéide*, V, 106-604. — 2. Sur la passion des Indiens pour les jeux, en particulier celui des osselets, voir *Voyage en Amérique* (O. C., VI, p. 129-133) et Charlevoix. — 3. « Un des chefs qui préside à la cérémonie jette de dessus la tombe... un bâton parmi la troupe de jeunes femmes et de jeunes filles, lesquelles font des efforts pour le ravir ou pour le conserver » (Lafitau). — 4. « La rougeur est sensible chez les jeunes Sauvages » (note de l'auteur). — 5. Voir p. 44, n. 5. Cette invocation du *jongleur* rappelle le chant d'Iopas dans l'*Énéide* (I, 740-747). — 6. Dans la mythologie indienne, le *grand Lièvre* est le créateur de l'univers et de l'homme. — 7. Cette légende rappelle l'histoire d'Adam et d'Ève. — 8. Voir, dans la Bible, l'histoire d'Abel tué par son frère Caïn. — 9. Dieu suprême des Indiens. — 10. Ce *canot d'écorce* rappelle l'arche de Noé. — 11. Ce détail du *corbeau envoyé à la découverte de la terre* se retrouve dans la version babylonienne du déluge. — 12. Cette légende rappelle celle d'Orphée et Eurydice (voir *Géorgiques*, IV, 453-528). Tout ce résumé de la mythologie indienne se trouve épars dans Charlevoix.

» Après ces jeux et ces cantiques, on se prépare à donner
505 aux aïeux une éternelle sépulture.

» Sur les bords de la rivière Chata-Uche[1] se voyait un
figuier sauvage, que le culte des peuples avait consacré.
Les vierges avaient accoutumé de laver leurs robes d'écorce
dans ce lieu et de les exposer au souffle du désert, sur les
510 rameaux de l'arbre antique. C'était là qu'on avait creusé
un immense tombeau. On part de la salle funèbre, en chan-
tant l'hymne à la mort ; chaque famille porte quelque débris
sacré. On arrive à la tombe ; on y descend les reliques ; on
les y étend par couche ; on les sépare avec des peaux d'ours
515 et de castors ; le mont du tombeau s'élève, et l'on y plante
l'*Arbre des pleurs et du sommeil*.

» Plaignons les hommes, mon cher fils ! Ces mêmes
Indiens dont les coutumes sont si touchantes, ces mêmes
femmes qui m'avaient témoigné un intérêt si tendre deman-
520 daient maintenant mon supplice à grands cris[2] ; et des
nations entières retardaient leur départ pour avoir le plaisir
de voir un jeune homme souffrir des tourments épouvantables.

» Dans une vallée au nord, à quelque distance du grand
village[3], s'élevait un bois de cyprès et de sapins, appelé le
525 *Bois du sang*[4]. On y arrivait par les ruines[5] d'un de ces
monuments dont on ignore l'origine, et qui sont l'ouvrage
d'un peuple maintenant inconnu. Au centre de ce bois
s'étendait une arène, où l'on sacrifiait les prisonniers de
guerre. On m'y conduit en triomphe. Tout se prépare pour
530 ma mort : on plante le poteau d'Areskoui[6] ; les pins, les
ormes, les cyprès tombent sous la cognée ; le bûcher s'élève ;

---

1. Voir p. 54, n. 6. — 2. Voir le *Voyage en Amérique* (*O. C.*, VI, p. 170) : « Les femmes se
montrent ordinairement cruelles dans ces vengeances : elles déchirent les prisonniers avec
leurs ongles, les percent avec des instruments de travaux domestiques, etc. » — 3. Voir
p. 50, n. 10. — 4. Dans le *Voyage en Amérique*, Apalachucla est appelée, d'après Bartram,
« la ville de la paix », et, au contraire, Coweta, située à douze milles, la ville *du sang*.
Charlevoix signale que les supplices avaient lieu dans une cabane, dite « cabane du sang »
ou « des têtes coupées ». — 5. Sur ces *ruines* indiennes et leurs origines mystérieuses, voir
le *Génie du christianisme*, IV, 2, et le *Voyage en Amérique* (*O. C.*, VI, p. 80-82 ; 92-93). —
6. Voir le *Génie du christianisme*, note VIII ; Chateaubriand, rapprochant les noms d'Arès et
d'Areskoui, dieu de la guerre chez les Indiens, observe : « N'est-il pas étrange qu'Areskoui
ait été le dieu de la guerre dans la citadelle d'Athènes et dans le fort d'un Iroquois ? » Mais
l'idée de ce rapprochement, sans doute téméraire, revient à Charlevoix.

les spectateurs bâtissent des amphithéâtres avec des branches et des troncs d'arbres. Chacun invente un supplice : l'un se propose de m'arracher la peau du crâne, l'autre de 535 me brûler les yeux avec des haches ardentes [1]. Je commence ma chanson de mort.

---

1. Chez Charlevoix, des femmes crient : « Le guerrier sera brûlé ; on lui appliquera des *haches ardentes* ; on lui enlèvera la chevelure. »

● **La fête des morts** (l. 470-516)

La couleur locale

① Chateaubriand l'a puisée à diverses sources. Récits ou romans : Lafitau (voir p. 73, n. 3), *Odérahi* (voir p. 169-170) ; œuvres d'art (une gravure qui accompagne le texte de ce roman représente deux jeunes filles luttant poitrine contre poitrine). De ces divers documents, quelle sorte de détails a-t-il retenus et quelle impression d'ensemble cherche-t-il à produire ?

② Certaines réminiscences antiques ne s'ajoutent-elles pas ici à la couleur locale ? Comparez en particulier la description de Chateaubriand à celle de Virgile dans l'*Énéide* (v. 106-604 : les jeux funèbres), et, pour la grâce de l'évocation, rapprochez la scène du jeu de la *baguette* (l. 487) du passage de l'*Odyssée* où Homère dépeint les jeux de Nausicaa et de ses compagnes (VI, 86-109).

Les funérailles (voir Documents, p. 183)

③ Montrez comment Chateaubriand a utilisé sa documentation (voir p. 72, n. 2) d'une façon originale et pittoresque.

④ Selon A. Le Braz (*les Légendes de la mort chez les Bretons*, II, p. 101, 115), l'auteur d'*Atala* aurait pu avoir aussi en tête certaines légendes de sa Bretagne natale, comme le défilé des morts, la veille de Noël, et la procession au cimetière, le jour de la Toussaint. — Cherchez, dans l'œuvre de Chateaubriand, d'autres exemples de cette influence bretonne associée à l'exotisme ou à l'inspiration « antique ».

La mythologie indienne

⑤ Plusieurs légendes de la mythologie indienne présentent des analogies frappantes avec la tradition biblique (voir p. 73, n. 7, 8, 10, 11) : comment ces rencontres peuvent-elles s'expliquer historiquement, et en quoi rejoignent-elles le dessein général d'*Atala* ?

Le style « néo-classique »

⑥ Comparez le style de Chateaubriand dans ce passage à celui de Fénelon dans *Télémaque* (V, les Jeux). Étudiez le réalisme pittoresque et la grâce des attitudes dans le jeu de la baguette (l. 486-493), le vocabulaire, la structure et le rythme des phrases.

« Je ne crains point les tourments[1] : je suis brave, ô
» Muscogulges, je vous défie ! je vous méprise plus que des
» femmes. Mon père Outalissi, fils de Miscou[2], a bu dans le
540 » crâne de vos plus fameux guerriers ; vous n'arracherez
» pas un soupir de mon cœur[3]. »

» Provoqué par ma chanson, un guerrier me perça le bras
d'une flèche ; je dis : « Frère, je te remercie. »

» Malgré l'activité des bourreaux, les préparatifs du
545 supplice ne purent être achevés avant le coucher du soleil.
On consulta le jongleur[4] qui défendit de troubler les Génies
des ombres, et ma mort fut encore suspendue jusqu'au
lendemain. Mais dans l'impatience de jouir du spectacle, et
pour être plus tôt prêts au lever de l'aurore, les Indiens ne
550 quittèrent point le *Bois du sang* ; ils allumèrent de grands
feux, et commencèrent des festins et des danses.

» Cependant on m'avait étendu sur le dos. Des cordes
partant de mon cou, de mes pieds, de mes bras, allaient s'at-
tacher à des piquets enfoncés en terre. Des guerriers étaient
555 couchés sur ces cordes, et je ne pouvais faire un mouvement
sans qu'ils fussent avertis[5]. La nuit s'avance : les chants et
les danses cessent par degré ; les feux ne jettent plus que des
lueurs rougeâtres, devant lesquelles on voit encore passer
les ombres de quelques Sauvages ; tout s'endort ; à mesure
560 que le bruit des hommes s'affaiblit, celui du désert augmente,
et au tumulte des voix succèdent les plaintes du vent dans
la forêt.

» C'était l'heure où une jeune Indienne qui vient d'être
mère se réveille en sursaut au milieu de la nuit, car elle a
565 cru entendre les cris de son premier-né, qui lui demande la
douce nourriture. Les yeux attachés au ciel, où le croissant
de la lune errait dans les nuages, je réfléchissais sur ma destinée. Atala me semblait un monstre d'ingratitude. M'abandonner au moment du supplice, moi qui m'étais dévoué aux
570 flammes plutôt que de la quitter ! Et pourtant je sentais que

---

1. Tortures (sens classique). — 2. Voir p. 50, n. 8. — 3. Voir Charlevoix : « Je suis intrépide,
je ne crains pas la mort, ni aucun genre de torture. » Ailleurs, un prisonnier à qui l'on annonce son supplice répond : « Je te remercie. » — 4. Voir p. 44, n. 5. — 5. Cette description
de Chactas enchaîné est inspirée de Charlevoix et Lafitau.

je l'aimais toujours, et que je mourrais avec joie pour elle.
» Il est dans les extrêmes plaisirs un aiguillon qui nous
éveille, comme pour nous avertir de profiter de ce moment
rapide ; dans les grandes douleurs, au contraire, je ne sais
575 quoi de pesant nous endort ; des yeux fatigués par les larmes
cherchent naturellement à se fermer, et la bonté de la
Providence se fait ainsi remarquer, jusque dans nos infortunes. Je cédai, malgré moi, à ce lourd sommeil que goûtent
quelquefois les misérables. Je rêvais qu'on m'ôtait mes
580 chaînes ; je croyais sentir ce soulagement qu'on éprouve,

● **Les préparatifs du supplice** (l. 523-562)

① **La peinture des mœurs** — Relevez les traits qui peignent la cruauté
des femmes indiennes. Cette férocité vous paraît-elle conciliable avec
les mœurs patriarcales que l'auteur a précédemment décrites ? Ne
fait-elle pas ressortir, par contraste, l'humanité d'Atala ? Quelle idée
l'auteur cherche-t-il à suggérer par cette opposition ?

② **Le drame** — Quel effet ces coups de théâtre successifs produisent-ils
sur l'esprit du lecteur ? Quelles circonstances rendent cette scène particulièrement pathétique ? Comment le style traduit-il la hâte des préparatifs et la joie des sauvages (structure des phrases, rythme, sonorités) ?

③ **L'épopée** — Relevez les éléments épiques de ce récit : la situation ;
les personnages ; le sublime (chant de la mort ; menaces et défis). Par-
delà les sources directes et modernes (voir les notes), ne retrouvons-nous
pas ici des souvenirs antiques (de Virgile, en particulier) ? Cf. notamment l'*Énéide* (VI, v. 336-644 : les défis de Drancis et de Turnus).

● **La veillée du captif**

④ Quel contraste la description du captif enchaîné (l. 552-562) produit-
elle avec le paragraphe précédent ?

⑤ Étudiez la poésie de ce paysage nocturne : en particulier, les jeux
de lumière et les effets de clair-obscur.

⑥ Comparez cette description à celle de l'*Énéide* (IV, 520-528) :
« Il faisait nuit, et par toute la terre les corps fatigués goûtaient la
paix du sommeil ; les forêts et les plaines farouches de la mer avaient
trouvé le repos ; c'était l'heure où les astres qui roulent au ciel sont
au milieu de leur course, où toute la campagne se tait, les bêtes et les
oiseaux à l'éclatant plumage, et ceux qui hantent au loin les eaux des
lacs et ceux qui hantent les buissons des âpres landes, tous immobiles
de sommeil sous la nuit silencieuse » (trad. Bellessort, éd. des Belles
Lettres, p. 119).

lorsque, après avoir été fortement pressé, une main secourable relâche nos fers.

» Cette sensation devint si vive, qu'elle me fit soulever les paupières. A la clarté de la lune, dont un rayon s'échappait entre deux nuages, j'entrevois une grande figure blanche penchée sur moi et occupée à dénouer silencieusement mes liens. J'allais pousser un cri, lorsqu'une main, que je reconnus à l'instant, me ferma la bouche. Une seule corde restait, mais il paraissait impossible de la couper sans toucher un guerrier qui la couvrait tout entière de son corps. Atala y porte la main, le guerrier s'éveille à demi et se dresse sur son séant. Atala reste immobile et le regarde. L'Indien croit voir l'Esprit des ruines ; il se recouche en fermant les yeux et en invoquant son Manitou [1]. Le lien est brisé. Je me lève ; je suis ma libératrice, qui me tend le bout d'un arc dont elle tient l'autre extrémité. Mais que de dangers nous environnent ! Tantôt nous sommes près de heurter des Sauvages endormis ; tantôt une garde nous interroge, et Atala répond en changeant sa voix. Des enfants poussent des cris, des dogues aboient. A peine sommes-nous sortis de l'enceinte funeste, que des hurlements ébranlent la forêt. Le camp se réveille, mille feux s'allument ; on voit courir de tous côtés des Sauvages avec des flambeaux ; nous précipitons notre course [2].

» Quand l'aurore se leva sur les Apalaches [3], nous étions déjà loin. Quelle fut ma félicité, lorsque je me trouvai encore une fois dans la solitude [4] avec Atala, avec Atala ma libératrice, avec Atala qui se donnait à moi pour toujours ! Les paroles manquèrent à ma langue, je tombai à genoux, et je dis à la fille de Simaghan : « Les hommes sont bien peu de » chose ; mais quand les Génies les visitent, alors ils ne sont » rien du tout. Vous êtes un génie, vous m'avez visité, et je » ne puis parler devant vous. » Atala me tendit la main avec un sourire : « Il faut bien, dit-elle, que je vous suive, puisque

---

1. Voir p. 44, n. 6. — 2. Chateaubriand avait pu lire chez Charlevoix l'évasion et la fuite d'une prisonnière : « Le village fut bientôt éveillé. On la poursuivit ; elle gagna la forêt sans être aperçue » (L. Hogu, art. cité, p. 129). — 3. Voir p. 45, n. 1. — 4. Le désert.

615 » vous ne voulez pas fuir sans moi. Cette nuit, j'ai séduit le
» jongleur [1] par des présents, j'ai enivré vos bourreaux avec
» de l'essence de feu [2], et j'ai dû hasarder ma vie pour vous,
» puisque vous aviez donné la vôtre pour moi. Oui, jeune
» idolâtre, ajouta-t-elle avec un accent qui m'effraya, le
620 » sacrifice sera réciproque. »

   » Atala me remit les armes qu'elle avait eu soin d'apporter ; ensuite elle pansa ma blessure [3]. En l'essuyant avec une

---

   1. Voir p. 44, n. 5. — 2. « Eau-de-vie » (note de Chateaubriand). — 3. Chactas avait eu le
bras transpercé par la flèche d'un de ses bourreaux (voir p. 76, l. 542).

● **L'évasion** (l. 572-604)

Le songe de Chactas

① Comment Chateaubriand suggère-t-il, par les sensations de son héros,
le passage progressif du rêve à la réalité ?

② Les réflexions philosophiques et chrétiennes de Chactas sur le plaisir,
la douleur et la Providence ne vous semblent-elles pas invraisemblables
dans la bouche d'un jeune sauvage, même *plus qu'à moitié civilisé*,
selon l'expression de Chateaubriand, (voir 1re préface, p. 28, l. 113-114) ?

③ Dans ce songe de Chactas, relevez les détails qui évoquent des visions
plastiques : formes ou attitudes. Quelle impression le lieu et le sommet de
la scène ajoutent-ils à ces apparitions ?

La fuite

④ Cette évasion romanesque ne comporte-t-elle pas certaines invraisemblances ? Lesquelles ? Montrez comment l'imagination de l'auteur
a élargi et transformé la mince indication fournie par Charlevoix (voir
p. 78, n. 2).

⑤ Comment la gradation de l'intérêt est-elle observée ? Notez la
gravité croissante des dangers courus par les fugitifs.

Le « style mêlé »

⑥ Ce passage présente un mélange de tons et de styles divers : essayez
de définir chacun d'eux. Que pensez-vous de ce « style mêlé » ? Voir la
1re préface (p. 28, l. 116-122) et l'article du *Publiciste* du 17 avril 1801 :
« Ce mélange des styles que l'auteur paraît regarder comme un avantage
ne sert souvent qu'à refroidir l'illusion, parce qu'il est contraire à la
vérité [...]. Le même homme ne peut tour à tour raisonner comme un
Européen et sentir comme un Sauvage. »

feuille de papaya [1], elle la mouillait de ses larmes. « C'est un
» baume, lui dis-je, que tu répands sur la plaie. » « Je crains
625 » plutôt que ce ne soit un poison », répondit-elle. Elle déchira
un des voiles de son sein, dont elle fit une première compresse,
qu'elle attacha avec une boucle de ses cheveux [2].

» L'ivresse qui dure longtemps chez les Sauvages, et qui
est pour eux une espèce de maladie [3], les empêcha sans
630 doute de nous poursuivre durant les premières journées.
S'ils nous cherchèrent ensuite, il est probable que ce fut du
côté du couchant, persuadés que nous aurions essayé de
nous rendre au Meschacebé ; mais nous avions pris notre
route vers l'étoile immobile [4], en nous dirigeant sur la
635 mousse du tronc des arbres.

» Nous ne tardâmes pas à nous apercevoir que nous avions
peu gagné à ma délivrance. Le désert déroulait maintenant
devant nous ses solitudes [5] démesurées. Sans expérience de
la vie des forêts, détournés de notre vrai chemin, et marchant
640 à l'aventure, qu'allions-nous devenir ? Souvent en regardant
Atala, je me rappelais cette antique histoire d'Agar [6], que
Lopez m'avait fait lire, et qui est arrivée dans le désert de
Bersabée [7], il y a bien longtemps, alors que les hommes
vivaient trois âges de chêne [8].

---

1. Il s'agit en réalité de la baie du papayer, espèce d'arbres de l'Amérique tropicale, que
Chateaubriand décrit ainsi dans le *Voyage en Amérique* : « Leur tronc, droit, grisâtre et
guilloché, de la hauteur de vingt à vingt-cinq pieds, soutient une touffe de longues feuilles
à côtes, qui se dessinent comme l'S gracieuse d'un vase antique... L'arbre entier ressemble
à une colonne d'argent ciselé, surmontée d'une urne corinthienne. » — 2. Erminie soigne
ainsi Tancrède dans la *Jérusalem délivrée* du Tasse (XIX, 112) : « Mais elle n'a rien, sinon
un voile dont elle panse ses blessures... Elle les essuya de ses cheveux et les referma de ses
cheveux encore, qu'il fallut couper, car son voile, court et léger, ne pouvait suffire à des
plaies si nombreuses. » Odérahi soigne aussi et panse le blessé qu'elle a sauvé du supplice
« en l'adoptant pour son frère ». — 3. Charlevoix signale à diverses reprises la passion des
sauvages pour l'eau-de-vie. — 4. « Le Nord » (note de Chateaubriand). — 5. Solitude : lieu
éloigné de toute fréquentation humaine. A propos de cette phrase, Miss H. Miller (*op. cit.*,
p. 103-104) remarque : « C'est l'âpreté et la sauvagerie de la nature primitive, l'étendue
déserte de la terre ou de la mer que Chateaubriand a prise à Ossian. » — 6. Servante égyp-
tienne d'Abraham, dont elle eut un fils, Ismaël ; chassée par la jalousie de Sara, elle s'enfuit
dans la solitude de Bersabée, et y fut secourue par un ange au moment où son enfant allait
mourir de soif (*Genèse*, XVI-XXI). — 7. *Bersabée* (aujourd'hui Birsheba) : localité du
Néguev, appartenant à la tribu de Siméon : elle marquait la limite sud de la Terre promise,
dont la limite nord était Dan : d'où l'expression « de Dan à Bersabée », employée fréquemment dans la Bible pour désigner tout Israël. — 8. Dans la *Genèse*, les patriarches vivent en
moyenne trois cents ans. L'*âge de chêne* serait donc d'un siècle. Mais en réalité certains
chênes vivent jusqu'à cinq cents ans.

645 » Atala me fit un manteau avec la seconde écorce du frêne, car j'étais presque nu. Elle me broda des mocassines [1] de peau de rat musqué, avec du poil de porc-épic. Je prenais soin à mon tour de sa parure. Tantôt je lui mettais sur la tête une couronne de ces mauves bleues, que nous trouvions
650 sur notre route, dans des cimetières indiens abandonnés [2] ; tantôt je lui faisais des colliers avec des graines rouges d'azaléa [3] ; et puis je me prenais à sourire, en contemplant sa merveilleuse beauté.

---

1. « Chaussure indienne » (note de Chateaubriand) ; on dit plutôt : mocassins, mot emprunté à un dialecte indien de l'Amérique du Nord, et apparu en 1615 dans notre langue sous la forme *makezin*. Le *Voyage en Amérique* (*O. C.*, VI, p. 83) rappelle que les Indiens font des étoffes avec l'écorce des arbres. — 2. Dans un article du *Mercure de France*, Chateaubriand décrit ces « cimetières indiens, répandus dans les forêts américaines... espèces de clairières ou de petits enclos dépouillés de leurs bois. » — 3. Azalée : arbrisseau de la même famille que le rhododendron, aux belles fleurs rouges et roses.

- **La marche dans le désert** (l. 605-657)

  ① Notez les divers aspects de la couleur locale : paysage ; traits de mœurs.

- **L'idylle de Chactas et d'Atala**

  ② Relevez les traits qui relèvent l'amour réciproque de Chactas et d'Atala. A quoi tient la grâce mélancolique de ce tableau ? Comparez cette idylle sauvage aux promenades de Paul et Virginie dans le roman de Bernardin de Saint-Pierre.

- **Les caractères**

  ③ **Atala** — Montrez qu'elle est, à certains égards, plus « civilisée » que Chactas, qui a pourtant reçu chez Lopez une éducation européenne. Observez en particulier la pudeur qui la pousse à vêtir la nudité de son compagnon : comment ce sentiment, ignoré des sauvages, peut-il s'expliquer chez la jeune Indienne ? Quels traits de caractère Atala montre-t-elle successivement, au cours de l'évasion, puis pendant la marche dans le désert ?

  ④ **Chactas** n'est-il pas plus timide dans les manifestations naïves de son amour ? Et comment cette timidité peut-elle s'expliquer de la part de ce jeune homme fier et intrépide devant ses ennemis, et devant la mort ?

- **Le style**

  ⑤ Étudiez les images et les périphrases qui appartiennent au style sauvage ; les divers aspects de la poésie : harmonie des couleurs ; lyrisme ; « musique » de la phrase et des sons.

» Quand nous rencontrions un fleuve, nous le passions
655 sur un radeau ou à la nage[1]. Atala appuyait une de ses
mains sur mon épaule ; et, comme deux cygnes voyageurs,
nous traversions ces ondes solitaires.

» Souvent, dans les grandes chaleurs du jour, nous cher-
chions un abri sous les mousses des cèdres[2]. Presque tous les
660 arbres de la Floride, en particulier le cèdre et le chêne vert,
sont couverts d'une mousse blanche qui descend de leurs
rameaux jusqu'à terre. Quand la nuit, au clair de la lune,
vous apercevez sur la nudité d'une savane une yeuse[3]
isolée revêtue de cette draperie, vous croiriez voir un fan-
665 tôme, traînant après lui ses longs voiles. La scène n'est pas
moins pittoresque au grand jour ; car une foule de papillons,
de mouches brillantes, de colibris, de perruches vertes, de
geais d'azur, vient s'accrocher à ces mousses, qui produisent
alors l'effet d'une tapisserie en laine blanche, où l'ouvrier
670 Européen aurait brodé des insectes et des oiseaux éclatants.

» C'était dans ces riantes hôtelleries, préparées par le
grand Esprit[4], que nous nous reposions à l'ombre. Lorsque
les vents descendaient du ciel pour balancer ce grand cèdre,
que le château aérien bâti sur ses branches allait flottant[5]
675 avec les oiseaux et les voyageurs endormis sous ses abris, que
mille soupirs sortaient des corridors et des voûtes du mobile
édifice, jamais les merveilles de l'ancien monde n'ont appro-
ché de ce monument du désert.

» Chaque soir nous allumions un grand feu, et nous bâtis-
680 sions la hutte du voyage[6], avec une écorce élevée sur quatre
piquets. Si j'avais tué une dinde sauvage, un ramier, un
faisan des bois, nous le suspendions devant le chêne embrasé,

---

1. « Les Indiennes mêmes, quoique chargées d'enfants, passent les grandes rivières à la nage » (Charlevoix). Voir aussi *Mémoires* (I, 333-334), et *les Natchez* (éd. Chinard, p. 329-330). — 2. Ces *mousses des cèdres*, que l'on trouve sous les Tropiques, sont décrites par Bartram : « Il est fréquent de voir presque tous les intervalles entre les branches d'un grand arbre entièrement remplis par cette plante : le vent agite de longues traînes de quinze ou vingt pieds suspendues aux branches inférieures, d'une masse et d'un poids tels que plusieurs hommes ne pourraient les soulever. » — 3. Chêne vert. — 4. Voir p. 47, n. 2. — 5. Emploi classique du verbe aller, suivi d'un participe présent, pour indiquer une action qui se prolonge. — 6. Cette *hutte du voyage* rappelle l'ajoupa que Chateaubriand construisit au bord du lac des Onondagas, en se rendant au Niagara. D'autres détails (feu du soir, cuisine, etc.) sont aussi des souvenirs de scènes vécues.

au bout d'une gaule plantée en terre, et nous abandonnions au vent le soin de tourner la proie du chasseur. Nous man-
685 gions des mousses appelées tripes de roches[1], des écorces

---

1. « Espèce de mousse qui croît sur certains rochers » (Charlevoix). En fait, ne se trouve qu'au Canada.

- **Une nuit dans les déserts du Nouveau-Monde** (voir Documents, p. 184-185)

  ① Montrez le contraste que présente le paysage, durant le jour, et au crépuscule ; étudiez en particulier les notations de lumière, de couleurs et de bruits.

  ② Comparez cette description à celle d'une autre « nuit américaine » dans *le Génie du christianisme* (I, V, 12) :

  « La scène sur terre n'était pas moins ravissante : le jour bleuâtre et velouté de la lune descendait dans les intervalles des arbres et poussait des gerbes de lumière jusque dans l'épaisseur des plus profondes ténèbres. La rivière qui coulait à mes pieds tour à tour se perdait dans les bois, tour à tour reparaissait brillante des constellations de la nuit, qu'elle répétait dans son sein. Dans une savane, de l'autre côté de la rivière, la clarté de la lune dormait sans mouvement sur les gazons ; des bouleaux agités par les brises et dispersés çà et là formaient des îles d'ombres flottantes sur cette mer immobile de lumière. Auprès, tout aurait été silence et repos, sans la chute de quelques feuilles, le passage d'un vent subit, le gémissement de la hulotte... La grandeur, l'étonnante mélancolie de ce tableau ne sauraient s'exprimer dans les langues humaines ; les plus belles nuits en Europe ne peuvent en donner une idée. »

- **La couleur locale**

  ③ Relevez les détails relatifs à la flore et à la faune américaines ; les notations de couleurs et les jeux de lumière ; les effets de clair-obscur.

  ④ Quelle part le souvenir des scènes vécues par l'auteur tient-il dans ce tableau ?

- **Les harmonies de la nature**

  ⑤ Comparez la « finalité externe » chez Chateaubriand et chez Bernardin de Saint-Pierre (*Harmonies de la nature*, IX-XI). Comment la description de la nature se rattache-t-elle au dessein religieux d'*Atala* ?

  ⑥ Comparez l'argument apologétique dans ce passage et dans *le Génie du christianisme* (livre V) : par quelles preuves différentes l'existence de Dieu est-elle révélée dans chacun des deux textes ?

- **Le style**

  ⑦ Étudiez la poésie de ce tableau nocturne : la valeur suggestive du vocabulaire technique (botanique en particulier) ; le rythme et l'harmonie des phrases ; le soin particulier que l'auteur apporte à la conclusion de chaque paragraphe.

sucrées de bouleau[1], et des pommes de mai[2], qui ont le goût de la pêche et de la framboise. Le noyer noir, l'érable, le sumach[3] fournissaient le vin à notre table. Quelquefois j'allais chercher, parmi les roseaux, une plante dont la fleur
690 allongée en cornet[4] contenait un verre de la plus pure rosée. Nous bénissions la Providence qui, sur la faible tige d'une fleur, avait placé cette source limpide au milieu des marais corrompus, comme elle a mis l'espérance au fond des cœurs ulcérés par le chagrin, comme elle a fait jaillir la vertu
695 du sein des misères de la vie.

» Hélas ! je découvris bientôt que je m'étais trompé sur le calme apparent d'Atala. A mesure que nous avancions, elle devenait triste. Souvent elle tressaillait sans cause et tournait précipitamment la tête. Je la surprenais attachant sur
700 moi un regard passionné, qu'elle reportait vers le ciel avec une profonde mélancolie. Ce qui m'effrayait surtout était un secret, une pensée cachée, au fond de son âme, que j'entrevoyais dans ses yeux[5]. Toujours m'attirant et me |repoussant, ranimant et détruisant mes espérances, quand je
705 croyais avoir fait un peu de chemin dans son cœur, je me retrouvais au même point. Que de fois elle m'a dit : « O mon
» jeune amant ! je t'aime comme l'ombre des bois au milieu
» du jour ! Tu es beau comme le désert avec toutes ses
» ses fleurs et toutes ses brises. Si je me penche sur toi, je
710 » frémis ; si ma main tombe sur la tienne, il me semble que
» je vais mourir. L'autre jour le vent jeta tes cheveux sur
» mon visage, tandis que tu te délassais sur mon sein, je crus
» sentir le léger toucher des Esprits invisibles. Oui, j'ai vu les
» chevrettes de la montagne d'Occone[6] ; j'ai entendu les
715 » propos des hommes rassasiés de jours ; mais la douceur
» des chevreaux et la sagesse des vieillards sont moins
» plaisantes et moins fortes que tes paroles. Eh ! bien,
» pauvre Chactas, je ne serai jamais ton épouse ! »

---

1. Le *sweet bitch*. — 2. « *Épécacuanha* de l'Amérique » : racine d'un arbrisseau du Brésil. — 3. Arbrisseau dont l'écorce sert en teinturerie, tannerie, pharmacie ; mentionné par Imlay et Carver. — 4. Il s'agit de la *sarracenia flava* ; « ses fleurs ont l'air de cornes d'abondance » (Bartram). — 5. Comment cette réflexion prépare-t-elle la suite du récit ? — 6. Nom d'une rivière de Géorgie et d'une région montagneuse de la Caroline du Sud.

» Les perpétuelles contradictions de l'amour et de la
720 religion d'Atala, l'abandon de sa tendresse et la chasteté de
ses mœurs, la fierté de son caractère et sa profonde sensibilité, l'élévation de son âme dans les grandes choses, sa
susceptibilité dans les petites, tout en faisait pour moi un
être incompréhensible. Atala ne pouvait pas prendre sur un
725 homme un faible empire : pleine de passions, elle était pleine
de puissance ; il fallait ou l'adorer, ou la haïr [1].

» Après quinze nuits d'une marche précipitée, nous
entrâmes dans la chaîne des monts Allégany, et nous attei-
gnîmes une des branches du Tenase [2], fleuve qui se jette
730 dans l'Ohio, Aidé des conseils d'Atala, je bâtis un canot,
que j'enduisis de gomme de prunier [3], après en avoir recousu
les écorces avec des racines de sapin. Ensuite, je m'embarquai
avec Atala, et nous nous abandonnâmes au cours du fleuve.

» Le village indien de Sticoë [4], avec ses tombes pyra-
735 midales et ses huttes en ruine, se montrait à notre gauche,
au détour d'un promontoire ; nous laissions à droite la
vallée de Keow, terminée par la perspective des cabanes de
Jore, suspendues au front de la montagne du même nom. Le
fleuve, qui nous entraînait, coulait entre de hautes falaises,
740 au bout desquelles on apercevait le soleil couchant. Ces profondes solitudes n'étaient point troublées par la présence
de l'homme [5]. Nous ne vîmes qu'un chasseur Indien qui,

---

1. Cette réflexion rappelle le fameux *odi et amo* de Catulle (LXXXV). — 2. Voir p. 38,
n. 1. — 3. Voir *Voyage en Amérique* : « On assemble ces écorces avec des racines de sapin
extrêmement souples et qui sèchent difficilement. La couture est enduite en dedans et en
dehors d'une résine dont les Sauvages gardent le secret. » — 4. Dans la description de ce
village et de ses environs, Chateaubriand mêle des souvenirs personnels à des emprunts
livresques ; il s'inspire en particulier du passage suivant de Bartram : « Sur ces collines
élevées apparaissaient les ruines fameuses de la vieille ville de *Sticoë*. Là se trouvait un grand
tombeau indien ou tumulus... En quittant ces ruines, la vallée et les champs se trouvent
divisés par un éperon de montagnes... Je suivais la droite de la vallée... Je découvris l'ouverture de la vallée étendue et fertile de Cowe... La vallée est fermée... par une chaîne de
hautes collines appelées la montagne de Jore... Arrivés au sommet de cette chaîne, nous
pûmes jouir d'un magnifique paysage : la délicieuse vallée de Kéowe. » Ce paysage rappelle
d'autre part celui que Chateaubriand avait contemplé en remontant l'Hudson et qu'il
décrit dans l'*Essai sur les révolutions* : « Le soleil se couchait ; nous étions entre de hautes
montagnes. On apercevait, çà et là, suspendues sur des abîmes, des cabanes. » — 5. On sent
ici comme un écho de Rousseau : voir *Rêveries du promeneur solitaire*, 7e Promenade,
l'herborisation de la Robaïla ; et *Lettre à M. de Malesherbes* : « J'allais alors... d'un pas
tranquille chercher quelque lieu sauvage dans la forêt, quelque lieu désert où rien, en montrant la main des hommes, n'annonçât la servitude et la domination » (*P. C. B.*, p. 139).

appuyé sur son arc et immobile sur la pointe d'un rocher, ressemblait à une statue élevée dans la montagne au Génie
745 de ces déserts [1].

» Atala et moi nous joignions notre silence au silence de cette scène. Tout à coup la fille de l'exil [2] fit éclater dans les airs une voix pleine d'émotion et de mélancolie ; elle chantait la patrie absente [3] :
750 « Heureux ceux qui n'ont point vu la fumée des fêtes de
» l'étranger, et qui ne se sont assis qu'aux festins de leurs
» pères !

» Si le geai bleu du Meschacebé disait à la nonpareille [4]
» des Florides : « Pourquoi vous plaignez-vous si tristement ?
755 » N'avez-vous pas ici de belles eaux et de beaux ombrages,
» et toutes sortes de pâtures comme dans vos forêts ? » « Oui,
» répondrait la nonpareille fugitive ; mais mon nid est dans
» le jasmin, qui me l'apportera ? Et le soleil de ma savane,
» l'avez-vous ? »
760 » Heureux ceux qui n'ont point vu la fumée des fêtes de
» l'étranger, et qui ne se sont assis qu'aux festins de leurs
» pères !

» Après les heures d'une marche pénible, le voyageur
» s'assied tristement. Il contemple autour de lui les toits
765 » des hommes ; le voyageur n'a pas un lieu où reposer sa
» tête [5]. Le voyageur frappe à la cabane, il met son arc
» derrière la porte, il demande l'hospitalité ; le maître fait un
» geste de la main ; le voyageur reprend son arc et retourne
» au désert !
770 » Heureux ceux qui n'ont point vu la fumée des fêtes de
» l'étranger, et qui ne se sont assis qu'aux festins de leurs
» pères !

» Merveilleuses histoires racontées autour du foyer,

---

1. On trouve une vision « plastique » analogue dans le *Voyage en Amérique* : « Ce sont des troupeaux de chevreuils qui, de la pointe du rocher, vous regardent passer sur les fleuves. » — 2. Cette nouvelle périphrase pour désigner Atala a peut-être été inspirée à l'auteur par sa situation personnelle d'émigré. — 3. Cette chanson est peut-être inspirée d'Ossian. — 4. Le *geai bleu* et la *nonpareille* (genre de passereau dit pape de la Louisiane) sont nommés par Bartram. — 5. Voir saint Matthieu, VIII 20 : « Les renards ont des tanières et les oiseaux du ciel ont des nids ; mais le Fils de l'Homme n'a pas où reposer la tête. »

» tendres épanchements du cœur, longues habitudes d'aimer
775 » si nécessaires à la vie, vous avez rempli les journées de
» ceux qui n'ont point quitté leur pays natal ! Leurs tom-
» beaux sont dans leur patrie, avec le soleil couchant, les

● **Les contradictions d'Atala** (l. 696-726)

① Quel est l'intérêt dramatique du comportement étrange d'Atala ?

② Comparez l'attitude d'Atala envers Chactas et celle d'Amélie à l'égard de René.

③ Selon A. Gavoty, en peignant les « contrariétés » du cœur humain chez Atala, Chateaubriand se serait souvenu de Mme du Bellay. Mais, dans ses *Mémoires*, l'auteur affirme que son héroïne n'eut aucun modèle précis et n'est que la « sœur indienne » de sa « sylphide armoricaine ». Ces deux interprétations, apparemment contradictoires, vous semblent-elles inconciliables ? Entre le portrait « à clé » et la création romanesque n'y a-t-il point place pour le portrait « composite » qui emprunte des traits réels à divers souvenirs, conscients ou subconscients, et transpose, idéalise ces données objectives pour en faire un « type littéraire » ? Discutez cette question, à propos d'Atala.

● **L'imitation originale**

④ Dans cette peinture de la savane américaine, faites la part des emprunts livresques (voir p. 85, n. 4) et celle des souvenirs. En comparant le texte de Bartram à celui de Chateaubriand, montrez comment la description d'*Atala* justifie la définition que l'auteur donne de l'originalité dans *le Génie du christianisme* (2ᵉ partie, I, 3) : « L'écrivain original n'est pas celui qui n'imite personne, mais celui que personne ne peut imiter. »

● **La complainte d'Atala** (l. 750-781)

⑤ Si, par sa forme, la « chanson » d'Atala rappelle certains poèmes ossianiques à refrains (voir Van Tieghem, *Ossian en France*, II, p. 197), ne peut-on voir dans cette complainte, sous un déguisement exotique, l'écho douloureux des sentiments de l'auteur, exilé à Londres, lors de l'émigration ? Quels traits, quelles expressions semblent justifier cette hypothèse ?

⑥ Mais ce thème de l'exil et de la nostalgie du pays est par lui-même un lieu commun qui remonte à la plus haute antiquité (Horace et Ovide, notamment). Étudiez le développement littéraire de ce thème et ses divers aspects chez les poètes français du XVIᵉ au XIXᵉ siècle ; en particulier chez du Bellay, Lamartine et V. Hugo.

● **Le style « artiste »**

⑦ Dans la description du village de Sticoë et de ses environs (l. 734-745), relevez les traits (formes, attitudes) qui donnent à cette scène le caractère d'une vision plastique.

» pleurs de leurs amis et les charmes de la religion.

» Heureux ceux qui n'ont point vu la fumée des fêtes de
780 » l'étranger, et qui ne se sont assis qu'aux festins de leurs
» pères ! »

» Ainsi chantait Atala. Rien n'interrompait ses plaintes,
hors le bruit insensible de notre canot sur les ondes. En deux
ou trois endroits seulement, elles furent recueillies par un
785 faible écho qui les redit à un second plus faible, et celui-ci à
un troisième plus faible encore : on eût cru que les âmes de
deux amants jadis infortunés comme nous, attirées par cette
mélodie touchante, se plaisaient à en soupirer les derniers
sons dans la montagne [1].

790 » Cependant la solitude, la présence continuelle de l'objet
aimé [2], nos malheurs mêmes redoublaient à chaque instant
notre amour. Les forces d'Atala commençaient à l'abandonner, et les passions, en abattant son corps, allaient
triompher de sa vertu. Elle priait continuellement sa mère [3],
795 dont elle avait l'air de vouloir apaiser l'ombre irritée [4].
Quelquefois elle me demandait si je n'entendais pas une
voix plaintive [5], si je ne voyais pas des flammes sortir de la
terre. Pour moi, épuisé de fatigue, mais toujours brûlant de
désir, songeant que j'étais peut-être perdu sans retour au
800 milieu de ces forêts, cent fois je fus prêt à saisir mon épouse
dans mes bras, cent fois je lui proposai de bâtir une hutte sur
ces rivages et de nous y ensevelir ensemble. Mais elle me
résista toujours : « Songe, me disait-elle, mon jeune ami,
» qu'un guerrier se doit à sa patrie. Qu'est-ce qu'une femme
805 » auprès des devoirs que tu as à remplir ? Prends courage,

---

1. Paragraphe transposé de l'*Essai sur les révolutions* : « Rien n'interrompait le chant plaintif de la jeune passagère, hors le bruit insensible que le vaisseau, poussé par une brise légère, faisait en glissant sur l'onde. Quelquefois la voix se renflait un peu davantage lorsque nous rasions de plus près la rive ; dans deux ou trois endroits, elle fut répétée *par un faible écho* : les Anciens se seraient imaginé que l'âme d'André, attirée par cette mélodie touchante, se plaisait à en murmurer *les derniers sons dans la montagne.* » — 2. Dans le style galant classique : femme aimée. — 3. L'héroïne de *Glicère*, idylle du poète suisse Gessner, connue de Chateaubriand, adresse de même une prière aux mânes de sa mère, pour ne pas perdre sa virginité. — 4. Encore une réflexion qui prépare la révélation du vœu d'Atala. — 5. Selon Miss Miller, ces *voix* mystérieuse seraient des sortes de fantômes appartenant au merveilleux ossianique. On les retrouve dans *les Martyrs* (XIII) : « On entend des voix mystérieuses dans la cime des arbres » ; XVII : « Une voix triste s'élevait dans l'air... », etc.

» fils d'Outalissi [1], ne murmure point contre ta destinée. Le
» cœur de l'homme est comme l'éponge du fleuve, qui tantôt
» boit une onde pure dans les temps de sérénité, tantôt
» s'enfle d'une eau bourbeuse, quand le ciel a troublé les
810 » eaux. L'éponge a-t-elle le droit de dire : Je croyais qu'il
» n'y aurait jamais d'orages, que le soleil ne serait jamais
» brûlant ? »

---

1. Voir p. 47, n. 10.

━━

● **Le conflit de la passion et de la vertu** (l. 782-821)

① **Le sentiment de la nature** — Étudiez, dans le paragraphe qui suit la
complainte d'Atala (l. 782-789), le sentiment déjà romantique de la
nature, en montrant comment le paysage est associé aux états d'âme
des héros. Comparez le rôle de l'écho dans le chant d'Atala et dans *le Lac*
de Lamartine : « Tout à coup, des accents inconnus à la terre — Du
rivage charmé frappèrent les échos. »

● **Le pré-romantisme**

② Recherchez les traits qui se rattachent à d'autres thèmes romantiques
(l'amour contrarié ; la solitude ; la mélancolie) et faites, pour chacun
d'eux, les rapprochements nécessaires.

● **Le merveilleux**

③ Dans les hallucinations auditives ou visuelles d'Atala (voir p. 88,
l. 796-798) ne retrouvons-nous pas l'influence d'Ossian ? Donnez des
exemples de ce merveilleux païen teinté de spiritisme, d'une part chez
le « barde » écossais, d'autre part chez certains poètes romantiques :
G. de Nerval et V. Hugo en particulier.

● **Les scrupules d'Atala**

④ Montrez le double intérêt — psychologique et dramatique — des
scrupules d'Atala : comment se rattachent-ils à l'action, en préparant
la révélation du secret de l'héroïne (le vœu qu'elle a fait à sa mère), et
au conflit moral d'où va naître le drame ? Quelle est, à ce point de vue,
la signification de la prière qu'Atala adresse à sa mère ?

● **L'harmonie affective**

⑤ Analysez les notations auditives : comment cette harmonie « en
sourdine », ce silence à peine troublé par quelques légers bruits, s'ac-
cordent-ils avec les sentiments des personnages ? Comparez, à ce point
de vue, la prose de Chateaubriand à la poésie de Lamartine, dans *le Lac*.

⑥ Appréciez le choix et l'originalité des comparaisons.

━━

» O René, si tu crains les troubles du cœur, défie-toi de la solitude : les grandes passions sont solitaires, et les trans-
815 porter au désert, c'est les rendre à leur empire[1]. Accablés de soucis et de craintes, exposés à tomber entre les mains des Indiens ennemis, à être engloutis dans les eaux, piqués des serpents, dévorés des bêtes[2], trouvant difficilement une chétive nourriture, et ne sachant plus de quel côté tourner
820 nos pas, nos maux semblaient ne pouvoir plus s'accroître[3], lorsqu'un accident y vint mettre le comble.

» C'était le vingt-septième soleil[4] depuis notre départ des cabanes : la *lune de feu*[5] avait commencé son cours, et tout annonçait un orage. Vers l'heure où les matrones[6] indiennes
825 suspendent la crosse du labour[7] aux branches du savinier[8], et où les perruches se retirent dans le creux des cyprès, le ciel commença à se couvrir. Les voix de la solitude[9] s'étei-gnirent, le désert fit silence, et les forêts demeurèrent dans un calme universel. Bientôt les roulements d'un tonnerre
830 lointain, se prolongeant dans ces bois aussi vieux que le monde, en firent sortir des bruits sublimes. Craignant d'être submergés, nous nous hâtâmes de gagner le bord du fleuve et de nous retirer dans une forêt.

» Ce lieu était un terrain marécageux. Nous avancions
835 avec peine sous une voûte de smilax[10], parmi des ceps de vigne, des indigos[11], des faséoles[12], des lianes rampantes, qui entravaient nos pieds comme des filets. Le sol spongieux tremblait autour de nous, et à chaque instant nous étions près d'être engloutis dans des fondrières. Des insectes sans
840 nombre, d'énormes chauves-souris nous aveuglaient ; les serpents à sonnette[13] bruissaient de toutes parts ; et les loups,

---

1. Ces réflexions sur la solitude et les passions font penser à *René*. — 2. *Piqués des... dévorés des...* = par les (emploi classique). — 3. Cette construction, dite anacoluthe, dans laquelle le participe ne se rapporte à aucun terme exprimé, ou se rapporte logiquement à un autre mot que le sujet, est condamnée par Vaugelas : elle n'en resta pas moins fréquente jusque dans le XIXe siècle. Mais elle est, de nos jours, incorrecte. — 4. Jour. — 5. « Mois de juillet » (note de l'auteur). — 6. Voir p. 70, n. 9. — 7. Sorte de houe. — 8. Sorte de genévrier. — 9. Du désert. — 10. Genre de liliacée grimpante (salsepareille). — 11. Arbustes riches en matière colorante bleue, de la famille des légumineuses, qui se cultivaient jadis dans les régions chaudes. En réalité le nom de l'arbre est indigotier, l'indigo désignant la matière colorante. — 12. Sorte de haricots. — 13. Reptiles qui hantent les terrains marécageux. Le *Voyage en Amérique* décrit le serpent à sonnettes comme un reptile « plein d'intelligence et qui aime passionnément la musique ».

les ours, les carcajous[1], les petits tigres, qui venaient se cacher dans ces retraites, les remplissaient de leurs rugissements.

845 » Cependant l'obscurité redouble ; les nuages abaissés errent sous l'ombrage des bois. La nue se déchire, et l'éclair

---

1. « Le carcajou est une espèce de tigre ou de grand chat » (*Voyage en Amérique*). En réalité, c'est le nom vulgaire du blaireau d'Amérique.

● **L'orage** (l. 821-860)

La description

① Montrez comment la description suit l'ordre naturel des faits et s'amplifie progressivement ; distinguez les phases principales de la tempête.

② Relevez les détails descriptifs qui évoquent des bruits, des couleurs, des effets de lumière.

③ Quelle impression générale se dégage de cette scène et comment le choix des détails contribue-t-il à la suggérer ?

Les sources

④ Dans cette description, Chateaubriand semble s'inspirer surtout de Bartram. Mais n'a-t-il pu subir aussi certaines influences littéraires plus ou moins conscientes ? Citez quelques textes célèbres de l'antiquité sur ce thème si souvent traité de la tempête. Qu'est-ce qui fait, néanmoins, l'originalité de Chateaubriand dans ce passage ?

⑤ Comparez la description de Chateaubriand à celle de Bernardin de Saint-Pierre, dans *Paul et Virginie*, sur le même sujet :

« Cependant ces chaleurs excessives élevèrent de l'océan des vapeurs qui couvrirent l'île comme un vaste parasol. Les sommets des montagnes les rassemblaient autour d'eux, et de longs sillons de feux sortaient de temps en temps de leurs pitons embaumés. Bientôt les tonnerres affreux firent retentir de leurs éclats les bois, les plaines et les vallons ; des pluies épouvantables, semblables à des cataractes, tombèrent du ciel. Des torrents écumeux se précipitaient le long des flancs de cette montagne : le fond de ce bassin était devenu une mer ; le plateau où sont assises les cabanes, une petite île ; et l'entrée de ce vallon une écluse par où sortaient pêle-mêle, avec les eaux mugissantes, les arbres et les rochers. »

Le style

⑥ Étudiez l'alliance du réalisme pittoresque et du merveilleux épique ; la valeur expressive ou affective du vocabulaire ; la structure et le rythme des phrases ; les images et les autres procédés de style ; l'harmonie des sonorités et des allitérations.

Gravure de Gustave Doré pour l'édition de 1863

*L'Indien croit voir l'Esprit des ruines; il se recouche
en fermant les yeux et en invoquant son Manitou.*

(Les chasseurs, l. 592 et suiv.)

trace un rapide losange de feu. Un vent impétueux sorti du
couchant roule les nuages sur les nuages ; les forêts plient ;
le ciel s'ouvre coup sur coup et, à travers ses crevasses, on
850 aperçoit de nouveaux cieux et des campagnes ardentes. Quel
affreux, quel magnifique spectacle ! La foudre met le feu
dans les bois ; l'incendie s'étend comme une chevelure de
flammes ; des colonnes d'étincelles et de fumée assiègent les
nues qui vomissent leurs foudres dans le vaste embrase-
855 ment[1]. Alors le grand Esprit[2] couvre les montagnes
d'épaisses ténèbres ; du milieu de ce vaste chaos s'élève un
mugissement confus formé par le fracas des vents, le gémissement des arbres, le hurlement des bêtes féroces, le bour-
donnement de l'incendie, et la chute répétée du tonnerre[3]
860 qui siffle en s'éteignant dans les eaux.

» Le grand Esprit le sait ! Dans ce moment je ne vis
qu'Atala, je ne pensai qu'à elle. Sous le tronc penché d'un
bouleau, je parvins à la garantir des torrents de la pluie.
Assis moi-même sous l'arbre, tenant ma bien-aimée sur mes
865 genoux, et réchauffant ses pieds nus entre mes mains[4],
j'étais plus heureux que la nouvelle épouse qui sent pour la
première fois son fruit tressaillir dans son sein.

» Nous prêtions l'oreille au bruit de la tempête ; tout à
coup je sentis une larme d'Atala tomber sur mon sein :
870 « Orage du cœur, m'écriai-je, est-ce une goutte de votre
» pluie[5] ? » Puis embrassant étroitement celle que j'aimais :
« Atala, lui dis-je, vous me cachez quelque chose. Ouvre-
» moi ton cœur, ô ma beauté ! cela fait tant de bien, quand un
» ami regarde dans notre âme ! Raconte-moi cet autre secret
875 » de la douleur que tu t'obstines à taire. Ah ! je le vois, tu
» pleures ta patrie. » Elle repartit aussitôt : « Enfant des

---

1. Charlevoix décrit ainsi les effets d'un orage : « Non seulement l'air, mais les campagnes
paraissaient en feu... La rivière en fut tellement embrasée qu'on la voyait bouillonner et
qu'une quantité prodigieuse de poissons en moururent. » — 2. Voir p. 47, n. 2. — 3. La foudre.
— 4. Chateaubriand rapporte dans ses *Mémoires* (II, p. 21) que l'abbé Morellet voulut
vérifier lui-même, en faisant asseoir sa servante sur ses genoux, si le geste de Chactas était
possible dans une telle position. — 5. Le même Morellet critique encore ce passage : « Il
n'est guère possible d'imaginer rien de plus froid et de plus déplacé dans un tel moment
qu'une semblable question. Cette apostrophe à l'*orage du cœur*, mise en contraste avec
l'orage du ciel, est une pensée bien étrange. »

» hommes, comment pleurerais-je ma patrie, puisque mon
» père n'était pas du pays des palmiers [1] ? » « Quoi, répliquai-
» je avec un profond étonnement, votre père n'était point
880 » du pays des palmiers ! Quel est donc celui qui vous a mise
» sur cette terre ? Répondez. » Atala dit ces paroles :

  « Avant que ma mère eût apporté en mariage au guerrier
» Simaghan trente cavales, vingt buffles, cent mesures
» d'huile de glands, cinquante peaux de castors et beaucoup
885 » d'autres richesses [2], elle avait connu un homme de la chair
» blanche. Or, la mère de ma mère lui jeta de l'eau au visage [3],
» et la contraignit d'épouser le magnanime Simaghan, tout
» semblable à un roi, et honoré des peuples comme un Génie.
» Mais ma mère dit à son nouvel époux : « Mon ventre a
890 » conçu [4], tuez-moi. » Simaghan lui répondit : « Le grand
» Esprit me garde d'une si mauvaise action. Je ne vous
» mutilerai point, je ne vous couperai point le nez ni les
» oreilles [5], parce que vous avez été sincère et que vous
» n'avez point trompé ma couche. Le fruit de vos entrailles [6]
895 » sera mon fruit, et je ne vous visiterai qu'après le départ de
» l'oiseau de rizière, lorsque la treizième lune [7] aura brillé. »
» En ce temps-là, je brisai le sein de ma mère, et je commen-
» çai à croître, fière comme une Espagnole et comme une
» Sauvage. Ma mère me fit chrétienne, afin que son Dieu et
900 » le Dieu de mon père fût aussi mon Dieu. Ensuite le cha-
» grin d'amour [8] vint la chercher, et elle descendit dans la
» petite cave garnie de peaux, d'où l'on ne sort jamais [9]. »
  » Telle fut l'histoire d'Atala. « Et quel était donc ton père,
» pauvre orpheline, lui dis-je ? Comment les hommes
905 » l'appelaient-ils sur la terre, et quel nom portait-il parmi

---

1. *Le pays des palmiers* : celui des Muscogulges. — 2. Ces cadeaux de mariage étaient rituels chez les sauvages : voir le *Voyage en Amérique.* — 3. « Lorsqu'une jeune Indienne a mal agi, sa mère se contente de lui jeter des gouttes d'eau au visage et de lui dire : tu me déshonores. Le reproche manque rarement son effet » (*Voyage en Amérique*, *O. C.*, VI, p. 68). — 4. Réminiscence de la salutation évangélique. — 5. « L'adultère était autrefois puni chez les Hurons par la mutilation du nez » (voir Carver et Charlevoix). — 6. Réminiscence biblique : saint Luc, I, 31, 42. — 7. Mois. — 8. La mort causée par le *chagrin*. — 9. « Le tombeau est comme une cellule tapissée de peaux » (Charlevoix). *D'où l'on ne sort jamais* ; Catulle (III, 12) parle de même des enfers : « *unde regant redire quemquam* ; d'où, dit-on, personne ne revient. »

» les Génies [1] ? » « Je n'ai jamais lavé les pieds de mon père [2],
» dit Atala ; je sais seulement qu'il vivait avec sa sœur à
» Saint-Augustin [3], et qu'il a toujours été fidèle à ma mère :
» Philippe était son nom parmi les anges [4], et les hommes le
910 » nommaient Lopez. »

» A ces mots, je poussai un cri qui retentit dans toute la
solitude [5] ; le bruit de mes transports se mêla au bruit de

---

1. « Quels étaient son nom de famille et son nom de baptême ? » — 2. Coutume des Anciens et des Hébreux, dans la Bible. — 3. Voir p. 48, n. 5. — 4. Son prénom (chrétien). — 5. Le désert.

....

● **La révélation d'Atala** (l. 882-910)

① Quelle est l'importance de cet épisode pour la suite du récit ? Comment la révélation d'Atala a-t-elle été préparée ?

② La différence des religions constitue-t-elle, en fait, un obstacle insurmontable à l'amour de Chactas et d'Atala ? Comment et pourquoi Chateaubriand a-t-il été amené à modifier son dessein initial, qui était de montrer les conséquences funestes du fanatisme religieux, illustré par l'ignorance et l'aveuglement d'Atala, dans la conception erronée ou incomplète qu'elle se fait de son devoir chrétien ?

③ Comparez la situation de Chactas et d'Atala à celle de Zaïre et d'Orosmane dans la tragédie de Voltaire, *Zaïre* (1732).

● **La peinture des mœurs « sauvages »**

④ Relevez les détails relatifs aux mœurs des Indiens : certains de ces traits de mœurs ne peuvent-ils également s'appliquer aux Anciens et aux Hébreux des temps bibliques ? Étudiez ce procédé de « contamination ».

⑤ Comment Chateaubriand a-t-il rendu vraisemblable cet épisode romanesque ? Atala ne montre-t-elle pas cependant, au cours de son récit, une sensibilité déjà romantique ? Et comment cela peut-il s'expliquer ?

● **La langue « sauvage »**

⑥ Étudiez les métaphores, les périphrases (empruntées ou inventées) qui tendent à créer une « couleur indienne ». Cette forme de couleur locale avait déjà été employée (mais à propos d'autres peuples et sous une forme parodique) par Montesquieu dans les *Lettres persanes* et par Voltaire dans les *Contes*. Montrez comment Chateaubriand reprend, sous une forme sérieuse, le procédé de transposition qui consiste à désigner des réalités européennes par des équivalents propres au langage naturel et aux mœurs des héros.

....

l'orage. Serrant Atala sur mon cœur, je m'écriai avec des
sanglots : « O ma sœur ! ô fille de Lopez ! fille de mon bien-
915 » faiteur ! » Atala, effrayée, me demanda d'où venait mon
trouble ; mais quand elle sut que Lopez était cet hôte généreux qui m'avait adopté à Saint-Augustin[1], et que j'avais
quitté pour être libre, elle fut saisie elle-même de confusion
et de joie.

920 » C'en était trop pour nos cœurs que cette amitié fraternelle qui venait nous visiter et joindre son amour à notre
amour[2]. Désormais les combats d'Atala allaient devenir
inutiles : en vain je la sentis porter une main à son sein et
faire un mouvement extraordinaire ; déjà je l'avais saisie,
925 déjà je m'étais enivré de son souffle, déjà j'avais bu toute la
magie de l'amour sur ses lèvres[3]. Les yeux levés vers le ciel,
à la lueur des éclairs, je tenais mon épouse dans mes bras,
en présence de l'Éternel. Pompe nuptiale, digne de nos
malheurs et de la grandeur de nos amours : superbes forêts
930 qui agitiez vos lianes et vos dômes comme les rideaux et le
ciel de notre couche, pins embrasés qui formiez les flambeaux
de notre hymen, fleuve débordé, montagnes mugissantes,
affreuse et sublime nature, n'étiez-vous donc qu'un appareil
préparé pour nous tromper, et ne pûtes-vous cacher un
935 moment dans vos mystérieuses horreurs[4] la félicité d'un
homme !

» Atala n'offrait plus qu'une faible résistance ; je touchais
au moment du bonheur, quand tout à coup un impétueux
éclair, suivi d'un éclat de la foudre, sillonne l'épaisseur des
940 ombres, remplit la forêt de soufre et de lumière, et brise un
arbre à nos pieds. Nous fuyons. O surprise !... dans le silence
qui succède, nous entendons le son d'une cloche ! Tous deux

---

1. Voir p. 48 n. 5. — 2. Sur cette confusion, assez équivoque, de l'amour et de l'amitié
fraternelle, où P. Sage (*op. cit.*, p. 437, n. 3) a pu voir un penchant de l'auteur pour les amours
incestueuses, voir plus loin (p. 132, l. 331 et suiv.) le discours du P. Aubry : « ... ces
unions ineffables, alors que la sœur était l'épouse du frère, que l'amour et l'amitié fraternelle se confondaient dans le même cœur, et que la pureté de l'une augmentait les délices
de l'autre ». Mais il ne s'agit ici que d'une métaphore, puisque Atala n'est pas réellement la
sœur de Chactas. — 3. Morellet critique cette alliance de mots : *boire la magie* et juge que
la situation où se trouvent les deux amants ne se prêtait guère aux jouissances de l'amour.
— 4. Profondeurs sombres et effrayantes.

interdits, nous prêtons l'oreille à ce bruit, si étrange dans un désert. A l'instant un chien aboie dans le lointain ; il
945 approche, il redouble ses cris, il arrive, il hurle de joie à

● **Les amours de Chactas et d'Atala** (l. 911-944)

① Dans cette *amitié fraternelle* (l. 920) qui vient soudain renforcer l'amour des deux héros, on peut soupçonner comme un écho subconscient du sentiment assez trouble que le jeune François-René de Chateaubriand éprouvait pour sa sœur Lucile. Quoi qu'il en soit, ce nouveau lien qui vient rapprocher encore les deux amants n'ajoute-t-il pas à l'idylle une note sentimentale et romanesque, bien dans le goût de l'époque, et au drame qui se noue un pathétique supplémentaire ?

② **Le cadre** — Montrer comment l'orage donne à cet épisode romanesque un caractère épique et grandiose.

③ **La vraisemblance** — Jugeant les circonstances peu propices à l'amour, Morellet ironise : « Tout ce qui peut arriver de plus heureux à Chactas et à Atala est de se tirer de là sans être mordus par les serpents ou dévorés par les ours et les tigres... Loin de croire qu'ils aient été exposés à une bien pressante tentation, je ne comprends guère comment ils n'en sont pas sortis tous les deux perclus. » Dans quelle mesure ces critiques vous semblent-elles justifiées ?

● **La poésie des cloches**

④ Chateaubriand a chanté la poésie des cloches dans *le Génie du christianisme* (IV, I, 1) et dans un passage célèbre de *René* : « Les dimanches et les jours de fête, j'ai souvent entendu, dans les grands bois, à travers les arbres, les sons de la cloche lointaine qui appelait au temple l'homme des champs. Appuyé contre le tronc d'un ormeau, j'écoutais en silence le pieux murmure. Chaque frémissement de l'airain portait à mon âme naïve l'innocence des mœurs champêtres, le calme et la solitude, le charme de la religion et la délectable mélancolie de ma première enfance. Oh ! quel cœur si mal fait n'a tressailli au bruit des cloches de son lieu natal, de ces cloches qui frémirent de joie sur son berceau, qui annoncèrent son avènement à la vie, qui marquèrent le premier battement de son cœur. »
Comment le son des cloches, si insolite qu'il soit au désert, s'harmonise-t-il avec le « romantisme » de ce tableau et avec les intentions du roman ?

⑤ Étudier les origines et la fortune littéraire de ce thème des cloches chez les poètes romantiques.

● **Le « bon prêtre »**

⑥ Par quels traits se marque la bonté du Père Aubry ?

● **Les styles**

⑥ Étudier le contraste du style épique et du style familier (l. 937-956).

nos pieds ; un vieux Solitaire [1] portant une petite lanterne
le suit à travers les ténèbres de la forêt. « La Providence soit
» bénie ! s'écria-t-il, aussitôt qu'il nous aperçut. Il y a bien
» longtemps que je vous cherche ! Notre chien vous a sentis
950 » dès le commencement de l'orage, et il m'a conduit ici.
» Bon Dieu ! comme ils sont jeunes ! Pauvres enfants !
» comme ils ont dû souffrir ! Allons : j'ai apporté une peau
» d'ours, ce sera pour cette jeune femme ; voici un peu de
» vin dans notre calebasse. Que Dieu soit loué dans toutes
955 » ses œuvres [2] ! sa miséricorde est bien grande, et sa bonté est
» infinie ! »

» Atala était aux pieds du religieux : « Chef de la prière [3],
» lui disait-elle, je suis chrétienne, c'est le ciel qui t'envoie
» pour me sauver. » « Ma fille, dit l'ermite en la relevant,
960 » nous sonnons ordinairement la cloche de la Mission pen-
» dant la nuit et pendant les tempêtes, pour appeler les
» étrangers ; et, à l'exemple de nos frères des Alpes et du
» Liban [4], nous avons appris à notre chien à découvrir les
» voyageurs égarés. » Pour moi, je comprenais à peine
965 l'ermite ; cette charité me semblait si fort au-dessus de
l'homme, que je croyais faire un songe. A la lueur de la
petite lanterne que tenait le religieux, j'entrevoyais sa
barbe [5] et ses cheveux tout trempés d'eau ; ses pieds, ses
mains et son visage étaient ensanglantés par les ronces.
970 « Vieillard, m'écriai-je enfin, quel cœur as-tu donc, toi qui
» n'as pas craint d'être frappé de la foudre ? » « Craindre !

---

1. Ermite. Le P. Aubry, dans l'ensemble du roman, est appelé 17 fois *le solitaire* et
15 fois *l'ermite* (abbé P. Sage, *op. cit.*, p. 421). — 2. Voir Psaume CXLIV, 10-19 : « Que
toutes vos œuvres vous louent, Seigneur, et que vos fidèles vous bénissent ! Le Seigneur est
bon dans toutes ses œuvres. » — 3. L'abbé Morellet critique les périphrases que Chateaubriand emploie pour désigner le P. Aubry : *l'ancien des hommes, l'homme des anciens jours,
le vieux génie de la montagne, l'ermite des rochers, l'homme du rocher, le chef de la prière.*
C'est par cette dernière formule que Chactas désigne aussi les prêtres, et en particulier Fénelon, dans *les Natchez.* — 4. Sur les moines du Liban et du Saint-Bernard, auxiliaires des
voyageurs en détresse, voir *le Génie du christianisme* (IV, III, ch. 5) : « Le missionnaire
américain veille à votre conservation dans ses immenses forêts. » Les moines de Saint-
Bernard avaient été mis à la mode par la campagne des Français en Italie. — 5. La *barbe*
et la vieillesse sont les deux attributs traditionnels de l'ermite « littéraire ». Voir *le Génie*
(IV, livre IV) : « Un grand vieillard à barbe blanche, vêtu d'une longue robe » (il s'agit
d'un missionnaire de la Louisiane).

» repartit le père avec une sorte de chaleur ; craindre, lors-
» qu'il y a des hommes en péril, et que je leur puis être
» utile ! je serais donc un bien indigne serviteur de Jésus-
975 » Christ[1] ! » « Mais sais-tu, lui dis-je, que je ne suis pas

---

1. Voir saint Paul (*épître aux Romains*) : « Paul, serviteur de Jésus-Christ. »

● **Le Père Aubry et le type romanesque de l'ermite**

① **Les origines du type littéraire**

« Le type du missionnaire jouissait [à l'époque d'*Atala*] d'un prestige certain, et celui de l'ermite avait derrière lui une très longue carrière, littéraire et romanesque, remontant au Moyen Age et qui [assurait] le succès à la figure du Père Aubry » (F. Letessier, *op. cit.*, p. 94, n. 2). En fait, ce type de l'ermite n'a-t-il pas des origines plus anciennes encore, et la Bible ne nous en fournit-elle pas déjà l'image (voir le *Livre de Job*) ? Montrez, par des exemples littéraires, les liens qui ratta-chent ces deux types romanesques du saint ermite et du bon mission-naire.

② **Le « bon prêtre »** — Recherchez, dans le portrait moral du Père Aubry, les qualités humaines et les vertus chrétiennes qui font de lui le modèle du « bon prêtre ».

③ Comparez le Père Aubry au Fénelon des *Natchez* : « Le miel distillait de ses lèvres ; l'air se calmait autour de lui, à mesure qu'il parlait. Ce qu'il faisait éprouver n'était pas des transports, mais une succession de sentiments paisibles et ineffables. » (Voir aussi l'*Essai sur les révolu-tions* (O. C., I, p. 599-600) et *le Génie du christianisme* (IV, IV, chap. 4).

● **Le personnage et ses modèles historiques**

④ Selon l'abbé Pierre Sage (*op. cit.*), le Père Aubry ne peut être qu'un Jésuite, missionnaire dans le Nouveau-Monde, comme les R. P. Jogues et Brébeuf, qui ont servi de modèles à l'auteur pour créer son personnage (voir *Correspondance*, I, 57, 58), mais il ne se présente pas sous ce titre qui, au lendemain de la Révolution, et depuis *les Provinciales* de Pascal, conservait en France un mauvais renom, tandis que celui de « mission-naire » jouissait d'un grand prestige. D'autre part, il est difficile de pré-ciser la communauté hospitalière à laquelle appartient le Père Aubry : quels détails permettent de supposer qu'il pourrait s'agir de celle du grand Saint-Bernard ?

● **Le biblisme**

⑤ Relevez les citations et les paragraphes bibliques empruntés à l'Ancien et au Nouveau Testament. Certains censeurs catholiques, contemporains de Chateaubriand, contestèrent l'orthodoxie religieuse du Père Aubry. Le discours du missionnaire vous semble-t-il justifier une telle critique ?

» chrétien ! » « Jeune homme, répondit l'ermite, vous ai-je
» demandé votre religion? Jésus-Christ n'a pas dit : « Mon
» sang lavera celui-ci, et non celui-là [1]. » Il est mort pour le
» juif et le gentil [2], et il n'a vu dans tous les hommes que des
980 » frères et des infortunés. Ce que je fais ici pour vous, est
» fort peu de chose, et vous trouveriez ailleurs bien d'autres
» secours ; mais la gloire n'en doit point retomber sur les
» prêtres. Que sommes-nous, faibles Solitaires, sinon de
» grossiers instruments d'une œuvre céleste ? Eh ! quel
985 » serait le soldat assez lâche pour reculer, lorsque son chef,
» la croix à la main, et le front couronné d'épines, marche
» devant lui au secours des hommes ? »

» Ces paroles saisirent mon cœur ; des larmes d'admiration
et de tendresse tombèrent de mes yeux. « Mes chers enfants,
990 » dit le missionnaire, je gouverne dans ces forêts un petit
» troupeau de vos frères sauvages. Ma grotte est assez près
» d'ici dans la montagne ; venez vous réchauffer chez moi ;
» vous n'y trouverez pas les commodités de la vie, mais
» vous y aurez un abri ; et il faut encore en remercier la
995 » Bonté divine, car il y a bien des hommes qui en manquent. »

---

1. Cette idée de la rédemption universelle est souvent exprimée dans le Nouveau Testament ; voir, en particulier : saint Paul, 1re et 2e *épîtres aux Corinthiens* et *aux Colossiens* (III, 11). — 2. Le païen, chez les chrétiens latins. Ex. : « saint Paul, apôtre des Gentils. »

Le Père Aubry rencontre Atala et Chactas.

Gravure en taille douce de Bosselmann, 1814

*... un chien [...] arrive, il hurle de joie à nos pieds;
un vieux Solitaire portant une petite lanterne le suit
à travers les ténèbres de la forêt.*

(Les chasseurs, l. 944-947)

LES LABOUREURS

« Il y a des justes dont la conscience est si tranquille qu'on ne peut approcher d'eux sans participer à la paix qui s'exhale, pour ainsi dire, de leur cœur et de leurs discours. A mesure que le Solitaire parlait, je sentais les passions s'apai-
5 ser dans mon sein, et l'orage même dans le ciel semblait s'éloigner à sa voix. Les nuages furent bientôt assez dispersés pour nous permettre de quitter notre retraite. Nous sortîmes de la forêt et nous commençâmes à gravir le revers d'une haute montagne. Le chien marchait devant nous, en por-
10 tant au bout d'un bâton la lanterne éteinte. Je tenais la main d'Atala, et nous suivions le missionnaire. Il se détour-nait souvent pour nous regarder, contemplant avec pitié nos malheurs et notre jeunesse. Un livre était suspendu à son cou ; il s'appuyait sur un bâton blanc. Sa taille était
15 élevée, sa figure pâle et maigre, sa physionomie simple et sincère. Il n'avait pas les traits morts et effacés de l'homme né sans passions ; on voyait que ses jours avaient été mau-vais, et les rides de son front montraient les belles cicatrices des passions guéries par la vertu et par l'amour de Dieu et
20 des hommes. Quand il nous parlait debout et immobile, sa longue barbe, ses yeux modestement baissés, le son affec-tueux de sa voix, tout en lui avait quelque chose de calme et de sublime [1]. Quiconque a vu, comme moi, le Père Aubry cheminant seul avec son bâton et son bréviaire dans le
25 désert a une véritable idée du voyageur chrétien sur la terre [2].

» Après une demi-heure d'une marche dangereuse par les sentiers de la montagne, nous arrivâmes à la grotte du missionnaire. Nous y entrâmes à travers les lierres et les giraumonts [3] humides, que la pluie avait abattus des rochers.

---

1. Chateaubriand avait d'abord écrit : « Son nez aquilin, sa longue barbe avaient quelque chose de sublime dans leur quiétude, et comme aspirant à la tombe par leur direction naturelle vers la terre » (1ʳᵉ éd.). Les critiques ironiques lui firent corriger ces traits de mauvais goût. — 2. Bien que l'idée doive être prise ici, semble-t-il, au sens propre, on notera que la vie est souvent comparée, dans la Bible, à un voyage, et l'homme à un voyageur. Voir *Psaumes*, XXXVIII, 13 ; saint Paul, *Épître aux Hébreux*, XI, XIII, etc. — 3. *Girau-mont* : espèce de courge d'Amérique, dite aussi courge de saint Jean ou citrouille iroquoise.

30 Il n'y avait dans ce lieu qu'une natte de feuilles de papaya [1], une calebasse pour puiser de l'eau, quelques vases de bois, une bêche [2], un serpent familier, et sur une pierre, qui servait de table, un crucifix et le livre des Chrétiens [3].

---

1. Voir p. 80, n. 1. — 1. Cette *bêche* servira à enterrer Atala ; traditionnellement, l'ermite a son jardinet à cultiver, et, s'il est trappiste, sa tombe à creuser chaque jour. — 3. *Le livre des Chrétiens* : l'Évangile.

- **Le portrait physique du Père Aubry** (l. 1-39)

  ① Comment ce portrait constitue-t-il une apologie indirecte de la religion chrétienne ?

  ② Comparez ce portrait physique du Père Aubry à celui du « missionnaire de la Louisiane » dans *le Génie du christianisme* : « J'aperçus un grand vieillard à barbe blanche.., lisant attentivement dans un livre et marchant appuyé sur un bâton... Il retournait aux Illinois, où il dirigeait un petit troupeau de Français et de Sauvages chrétiens... Ce saint homme avait beaucoup souffert, il racontait bien les peines de la vie. »

- **L'exotisme**

  ③ « Comme la plupart des anachorètes littéraires », remarque l'abbé Sage (*op. cit.*, p. 424), « mobilier, nourriture, habitudes du solitaire restent traditionnels dans l'ensemble ; ils se sont toutefois conformés aux exigences de l'exotisme ». Relevez ces traits de couleur locale.

  ④ Comparez la grotte du Père Aubry à la cabane du Père Cyrène, dans *les Aventures du sieur Le Beau* (II, 33) : « Une peau d'ours étendue sur des écorces d'arbres et une bille de bois qui lui servait d'oreiller faisaient toute sa couche. Point de chaise, point de table : une seule écorce attachée de bout en bout à travers sa cellule faisait son armoire, son garde-manger et sa bibliothèque qui consistait en quelques livres de dévotion. »

- **Le thème de l'hospitalité**

  L'hospitalité, devoir sacré chez les Anciens, est un thème souvent traité par les poètes grecs et latins. Il n'est pas impossible qu'en décrivant l'accueil du Père Aubry Chateaubriand ait eu présents à l'esprit certains de ces textes célèbres et que des réminiscences antiques s'ajoutent ici aux sources modernes. Voir en particulier l'épisode de Philémon et Baucis dans *les Métamorphoses* d'Ovide (VIII, 611-624) : « [Baucis] écarte... la cendre du foyer, ressuscite le feu de la veille, le nourrit de feuilles et d'écorces, qu'elle embrase en soufflant avec peine. Elle ramasse quelques pièces de bois, des branches sèches qu'elle arrache de son toit, les coupe et les arrange sous un vase d'airain. »

» L'homme des anciens jours [1] se hâta d'allumer du feu
35 avec des lianes sèches ; il brisa du maïs entre deux pierres,
et, en ayant fait un gâteau, il le mit cuire [2] sous la cendre.
Quand ce gâteau eut pris au feu une belle couleur dorée, il
nous le servit tout brûlant, avec de la crème de noix dans un
vase d'érable [3].

40 » Le soir ayant ramené la sérénité, le serviteur du grand
Esprit [4] nous proposa d'aller nous asseoir à l'entrée de la
grotte. Nous le suivîmes dans ce lieu, qui commandait une
vue immense [5]. Les restes de l'orage étaient jetés en désordre
vers l'orient ; les feux de l'incendie allumé dans les forêts
45 par la foudre [6] brillaient encore dans le lointain ; au pied de
la montagne un bois de pins tout entier était renversé dans
la vase et le fleuve roulait pêle-mêle les argiles détrempées,
les troncs des arbres, les corps des animaux et les poissons
morts [7], dont on voyait le ventre argenté flotter à la surface
50 des eaux.

» Ce fut au milieu de cette scène qu'Atala raconta notre
histoire au vieux Génie de la montagne. Son cœur parut
touché, et des larmes tombèrent sur sa barbe : « Mon enfant,
» dit-il à Atala, il faut offrir vos souffrances à Dieu, pour la
55 » gloire de qui vous avez déjà fait tant de choses ; il vous
» rendra le repos. Voyez fumer ces forêts, sécher ces torrents,
» se dissiper ces nuages ; croyez-vous que celui qui peut
» calmer une pareille tempête ne pourra pas apaiser les
» troubles du cœur de l'homme [8] ? Si vous n'avez pas de
60 » meilleure retraite, ma chère fille, je vous offre une place

---

1. Voir p. 98, n. 3. — 2. Construction directe et archaïque de l'infinitif après *mettre*.
Nous dirions aujourd'hui : « à *cuire* » — 3. Ne peut-on voir ici certaines réminiscences de la
légende de Philémon et Baucis dans *les Métamorphoses* d'Ovide (VIII, 611-624), transposées
« à l'indienne » ? (voir p. 103). — 4. Voir p. 73, n. 9. — 5. Comme Chateaubriand lui-même,
le P. Aubry aime les vastes perspectives : d'où, l'emplacement de sa demeure. Par là, il
rappelle Moïse, les Prophètes et J.-J. Rousseau (voir la *Profession de foi du vicaire savoyard*).
— 6. Voir le *Voyage en Amérique* (*O. C.*, VI, p. 98) : « Souvent les orages mettent le feu aux
forêts : elles continuent de brûler jusqu'à ce que l'incendie soit arrêté par le cours de
quelque fleuve : ces forêts brûlées se changent en lacs et en marais. » — 7. Voir Charlevoix (cité par Hogu, p. 128) : « La rivière en fut tellement embrasée [par l'orage] qu'on
la voyait bouillonner et qu'une quantité prodigieuse de poissons en moururent. » — 8. Voir
Psaume LXXXVIII : « Vous dominez sur la puissance de la mer et vous apaisez le mouvement de ses flots. »

» au milieu du troupeau que j'ai eu le bonheur d'appeler à
» Jésus-Christ. J'instruirai Chactas, et je vous le donnerai
» pour époux quand il sera digne de l'être. »

   » A ces mots je tombai aux genoux du Solitaire en versant
65 des pleurs de joie ; mais Atala devint pâle comme la mort.
Le vieillard me releva avec bénignité, et je m'aperçus alors
qu'il avait les deux mains mutilées. Atala comprit sur-le-
champ ses malheurs. « Les barbares ! » s'écria-t-elle.

   « Ma fille, reprit le père avec un doux sourire, qu'est-ce
70 » que cela auprès de ce qu'à enduré mon divin Maître ? Si
» les Indiens idolâtres m'ont affligé, ce sont de pauvres
» aveugles que Dieu éclairera un jour. Je les chéris même
» davantage, en proportion des maux qu'ils m'ont faits[1]. Je

---

1. Voir saint Paul, 2e *Épître aux Corinthiens*, XII, 15 : « Je me dépenserai moi-même
tout entier pour vos âmes, dussé-je, en vous aimant davantage, être moins aimé de vous. »

━━

● **Après l'orage** (l. 40-97)

   ① Dans les lignes suivantes (l. 40-50), montrez le réalisme et le pittoresque exotique de la description ; étudiez en particulier les détails
qui peignent des couleurs ou des jeux de lumière, et les visions plastiques
qui donnent à la scène le caractère romantique et macabre d'une toile
de Géricault (*le Radeau de la Méduse*, 1819).

● **Le biblisme**

   ② Montrez comment le missionnaire tire du spectacle de la nature
apaisée une leçon chrétienne, et relevez les allusions à l'Écriture (voir
notes).

● **La carrière du Père Aubry**

   ③ Plusieurs récits de voyageurs rapportent les tortures infligées aux
missionnaires par les indigènes : à quelle intention psychologique répond
chez Chateaubriand l'emploi de ces documents ? Qu'est-ce que l'histoire
des souffrances endurées par le Père Aubry ajoute à la personnalité
du prêtre ?

● **Le « pré-romantisme »**

   ④ Relevez les traits qui donnent aux circonstances et aux acteurs de
cette scène un caractère déjà romantique. Étudiez en particulier, à
propos du Père Aubry et de Chactas, les manifestations physiques des
sentiments et le rôle des larmes pour traduire des émotions violentes.
Montrez le développement de ce « cliché » littéraire, de Diderot jusqu'aux
poètes romantiques.

━━

» n'ai pu rester dans ma patrie où j'étais retourné, et où une
75 » illustre reine m'a fait l'honneur de vouloir contempler ces
» faibles marques de mon apostolat. Et quelle récompense
» plus glorieuse pouvais-je recevoir de mes travaux, que
» d'avoir obtenu du chef de notre religion la permission de
» célébrer le divin sacrifice avec ces mains mutilées [1] ? Il ne
80 » me restait plus, après un tel honneur, qu'à tâcher de m'en
» rendre digne : je suis revenu au Nouveau-Monde consu-
» mer le reste de ma vie au service de mon Dieu. Il y a bien-
» tôt trente ans que j'habite cette solitude [2], et il y en aura
» demain vingt-deux que j'ai pris possession de ce rocher.
85 » Quand j'arrivai dans ces lieux, je n'y trouvai que des
» familles vagabondes, dont les mœurs étaient féroces et la
» vie fort misérable. Je leur ai fait entendre la parole de
» paix, et leurs mœurs se sont graduellement adoucies. Ils
» vivent maintenant rassemblés au bas de cette montagne.
90 » J'ai tâché, en leur enseignant les voies du salut, de leur
» apprendre les premiers arts [3] de la vie, mais sans les porter
» trop loin, et en retenant ces honnêtes gens dans cette sim-
» plicité qui fait le bonheur [4]. Pour moi, craignant de les
» gêner par ma présence, je me suis retiré sous cette grotte,
95 » où ils viennent me consulter. C'est ici que loin des hommes
» j'admire Dieu dans la grandeur de ces solitudes, et que je
» me prépare à la mort, que m'annoncent mes vieux jours. »
» En achevant ces mots, le Solitaire se mit à genoux, et
nous imitâmes son exemple. Il commença à haute voix une
100 prière, à laquelle Atala répondait. De muets éclairs ouvraient
encore les cieux dans l'orient, et sur les nuages du couchant,
trois soleils brillaient ensemble [5]. Quelques renards [6] dis-

---

1. Comme le P. Aubry, le P. Jogues avait subi des tortures, décrites par Charlevoix : les Iroquois lui avaient arraché les ongles, coupé les index, tranché le pouce ; comme Aubry, il avait été reçu par la reine et avait obtenu du pape l'autorisation de célébrer la messe malgré ses mains mutilées (selon le droit canonique, la mutilation, qui empêche l'observance des rites de l'Eucharistie, interdit en principe l'ordination sacerdotale). Sur la cruauté des Indiens envers les missionnaires, voir *le Génie du christianisme* (IV, IV, ch. 8). — 2. Le désert. — 3. Au sens général : métiers, techniques, sciences et arts proprement dits. — 4. Noter ici l'influence de Rousseau. — 5. Cette illusion d'optique, dite parhélie, est indiquée par Charlevoix : « On vit en même temps comme trois soleils, rangés sur une ligne parallèle à l'horizon. » — 6. Voir le *Voyage en Amérique* (O. C., VI, p. 106) : « Les renards du Canada sont de l'espèce commune ; ils ont seulement l'extrémité du poil d'un noir lustré. »

persés par l'orage allongeaient leurs museaux noirs au bord
des précipices, et l'on entendait le frémissement des plantes
105 qui, séchant à la brise du soir, relevaient de toutes parts leurs
tiges abattues.

» Nous rentrâmes dans la grotte, où l'ermite étendit un
lit de mousse de cyprès pour Atala. Une profonde langueur
se peignait dans les yeux et dans les mouvements de cette
110 vierge ; elle regardait le Père Aubry, comme si elle eût voulu
lui communiquer un secret ; mais quelque chose semblait la
retenir, soit ma présence, soit une certaine honte, soit l'inu-
tilité de l'aveu. Je l'entendis se lever au milieu de la nuit ;
elle cherchait le Solitaire, mais comme il lui avait donné sa
115 couche il était allé contempler la beauté du ciel et prier
Dieu sur le sommet de la montagne [1]. Il me dit le lendemain

---

1. Ainsi faisait Jésus lui-même, selon saint Luc (VI, 12) : « Il s'en alla dans la montagne
pour prier et y passa toute la nuit. »

• **La progression dramatique** (l. 98-151)

① Comment l'inquiétude d'Atala prépare-t-elle le dénouement ?

② Étudiez comment Chateaubriand ménage l'intérêt par le procédé
de la « révélation progressive ». Montrez, par des exemples, comment
cette forme de composition romanesque rejoint ici la technique du drame,
et celle de la tragédie classique en particulier.

• **Le solitaire de la nature**

③ Le Père Aubry se complaît au spectacle de la nature : il aime
« à voir les forêts balancer leurs cimes dépouillées, les nuages voler dans
les cieux, et à entendre les vents gronder dans la solitude ». En quoi
ce sentiment de la nature est-il déjà romantique (voir p. 108, n. 1).

④ Mais le solitaire ne trouve-t-il pas aussi, dans la contemplation de
cette nature sauvage, un aliment à sa foi chrétienne ? Cette contemplation n'est-elle pas une sorte de prière muette et un hommage au créateur ?
Comparez, à ce point de vue, le Père Aubry au Vicaire savoyard de
J.-J. Rousseau.

• **Chactas et Atala**

⑤ En quoi se ressemblent-ils ? En quoi sont-ils différents ? Et que
veut suggérer l'auteur par ce contraste psychologique ?

⑥ Montrez, chez Chactas, le mélange de naïveté « primaire » et de
sensibilité romanesque. Comparez-le à René, dans le roman du même
nom.

que c'était assez sa coutume, même pendant l'hiver, aimant à voir les forêts balancer leurs cimes dépouillées, les nuages voler dans les cieux, et à entendre les vents et les torrents
120 gronder dans la solitude[1]. Ma sœur fut donc obligée de retourner à sa couche, où elle s'assoupit. Hélas ! comblé d'espérance, je ne vis dans la faiblesse d'Atala que des marques passagères de lassitude !

» Le lendemain je m'éveillai aux chants des cardinaux[2] et
125 des oiseaux moqueurs[3], nichés dans les acacias et les lauriers qui environnaient la grotte. J'allai cueillir une rose de magnolia[4], et je la déposai humectée des larmes du matin[5] sur la tête d'Atala endormie[6]. J'espérais, selon la religion de mon pays, que l'âme de quelque enfant mort à la mamelle
130 serait descendue sur cette fleur dans une goutte de rosée[7], et qu'un heureux songe la porterait au sein de ma future épouse. Je cherchai ensuite mon hôte ; je le trouvai, la robe relevée dans ses deux poches, un chapelet à la main, et m'attendant assis sur le tronc d'un pin tombé de vieillesse.
135 Il me proposa d'aller avec lui à la Mission, tandis qu'Atala reposait encore ; j'acceptai son offre, et nous nous mîmes en route à l'instant.

» En descendant la montagne, j'aperçus des chênes où les Génies semblaient avoir dessiné des caractères étrangers.
140 L'ermite me dit qu'il les avait tracés lui-même[8], que c'étaient des vers d'un ancien poète appelé Homère, et quelques sentences d'un autre poète plus ancien encore, nommé Salomon[9]. Il y avait je ne sais quelle mystérieuse harmonie entre cette sagesse des temps, ces vers rongés de mousse, ce vieux

1. Voir p. 104, n. 5. Selon Miss M. H. Miller (*Chateaubriand and English literature*, Hopkins Press, p. 108), ce paysage a un caractère ossianique et rappelle deux passage des *Martyrs* : « Vers la seconde veille de la nuit, n'entendant plus que le bruit d'un torrent dans les montagnes » (livre VII) ; « On entendait le concert lointain des torrents et des sources qui descendent des monts de l'Arcadie » (livre XII). — 2. Voir p. 40, n. 12. — 3. Voir p. 40, n. 10. — 4. Voir p. 40, n. 6. — 5. La rosée matinale. — 6. Selon L. Hogu (art. cit., p. 132), Chateaubriand a imaginé ce geste de Chactas d'après une indication de Charlevoix selon laquelle la plante appelée *opin‑seng* a la vertu de rendre les femmes fécondes. — 7. Sur la transmigration des âmes d'enfants, voir p. 64, n. 4. — 8. L'ermite du *Génie* (voir p. 98, n. 5), comme le P. Aubry, « citait agréablement et souvent des vers de Virgile, et même d'Homère ». — 9. Voir *Livre des Rois*, IV, 32 ; « Salomon composa trois mille maximes et fit mille cinq cantiques » ; et *Ecclésiastique*, XLVII, 16-20.

145 Solitaire qui les avait gravés, et ces vieux chênes qui lui servaient de livres.

» Son nom, son âge, la date de sa mission étaient aussi marqués sur un roseau de savane, au pied de ces arbres. Je m'étonnai de la fragilité du dernier monument : « Il durera 150 » encore plus que moi, me répondit le père, et aura toujours » plus de valeur que le peu de bien que j'ai fait. »

» De là, nous arrivâmes à l'entrée d'une vallée, où je vis un ouvrage merveilleux : c'était un pont naturel [1], semblable

---

1. Le *pont naturel* n'a pas été situé avec certitude. M. Chinard propose un site de Waynesboro (Tennessee), dont la topographie lui paraît plus conforme à la description de Chateaubriand, que celle qui est décrite dans le *Voyage de M. le Marquis de Castellux...* (Londres, 1787), autre source possible.

● **Chateaubriand paysagiste**

① Chateaubriand a-t-il réellement observé les sites américains qu'il décrit dans *Atala* ? J. Bédier en doutait et attribuait à la plupart de ces descriptions une origine livresque. Mais on ne conteste plus guère aujourd'hui l'authenticité de certains paysages d'*Atala* ou du *Voyage* (voir, pour *Atala*, p. 109, n 1 ; 110, n. 4, etc.). Sans négliger l'importance de la question pour déterminer l'itinéraire du voyage en Amérique, ce qui est surtout intéressant, au point de vue littéraire, c'est l'étude des divers procédés utilisés par Chateaubriand « paysagiste » : observation directe ; emprunts livresques ; souvenirs européens transposés à l'américaine ; contamination de plusieurs sources, etc. Donnez des exemples de ces procédés : à quelles intentions morales ou littéraires répondent-ils ?

● **La poésie des cimetières** (voir Documents, p. 185)

② Ce thème a été plusieurs fois traité par Chateaubriand, notamment dans *les Natchez* et dans les *Mémoires* (IV, p. 168 ; 457-458). En quoi est-il « romantique » ? Cherchez-en d'autres exemples dans la littérature française, du XIXe siècle à nos jours.

● **L'homme et la nature**

③ Comparez le goût commun de Chateaubriand et de Rousseau (*Rêveries*, 7e Promenade, P. C. B. p. 136-138) pour la nature vierge et sauvage. Opposez cette esthétique de la nature primitive à celle de Buffon et de Voltaire.

④ Comment ce thème de la nature sauvage se concilie-t-il chez Chateaubriand avec l'intention apologétique ? Voir *le Génie du christianisme* (Lés Églises gothiques) : « Les forêts des Gaules ont passé à leur tour dans les temples de nos pères et nos bois de chênes ont ainsi maintenu leur origine sacrée. Ces voûtes, ciselées en feuillages, ces jambages, qui appuient les murs, et finissent brusquement comme des troncs brisés... »

à celui de la Virginie, dont tu as peut-être entendu parler.
155 Les hommes, mon fils, surtout ceux de ton pays, imitent
souvent la nature, et leurs copies sont toujours petites ; il
n'en est pas ainsi de la nature, quand elle a l'air d'imiter les
travaux des hommes, en leur offrant en effet [1] des modèles.
C'est alors qu'elle jette des ponts du sommet d'une montagne
160 au sommet d'une autre montagne, suspend des chemins
dans les nues, répand des fleuves pour canaux, sculpte des
monts pour colonnes et pour bassins creuse des mers.

» Nous passâmes sous l'arche unique de ce pont et nous
nous trouvâmes devant une autre merveille : c'était le
165 cimetière des Indiens de la Mission, ou *les Bocages de la
mort* [2]. Le Père Aubry avait permis à ses néophytes d'ensevelir
leurs morts à leur manière et de conserver au lieu de leurs
sépultures son nom sauvage ; il avait seulement sanctifié ce
lieu par une croix [3]. Le sol en était divisé, comme le champ
170 commun des moissons, en autant de lots qu'il y avait de
familles. Chaque lot faisait à lui seul un bois qui variait
selon le goût de ceux qui l'avaient planté. Un ruisseau ser-
pentait sans bruit au milieu de ces bocages ; on l'appelait
le Ruisseau de la paix. Ce riant asile des âmes était fermé à
175 l'orient par le pont sous lequel nous avions passé ; deux
collines le bornaient au septentrion et au midi ; il ne s'ouvrait
qu'à l'occident, où s'élevait un grand bois de sapins [4]. Les
troncs de ces arbres, rouges marbrés de vert, montant sans
branches jusqu'à leurs cimes, ressemblaient à de hautes
180 colonnes et formaient le péristyle de ce temple de la mort ;
il y régnait un bruit religieux, semblable au sourd mugissement de l'orgue sous les voûtes d'une église [5] ; mais, lorsqu'on

---

1. En réalité (sens classique). — 2. A. Le Braz voit, dans ce goût de Chateaubriand pour les cimetières, « un des traits les plus bretons... de sa nature. » — 3. « Le P. Aubry avait fait comme les Jésuites à la [= en] Chine, qui permettaient aux Chinois d'enterrer leurs parents dans leurs jardins, selon leur ancienne coutume » (note de l'auteur). — 4. Selon A. Le Braz (*op. cit.*, p. 180-181), ce site serait une transposition américaine de l'enclos de Sᵗ Margaret Ilkesthall, près de Bungay, où le père de Charlotte, le Révérend Ives, pasteur anglican, se rendait chaque dimanche pour visiter ses ouailles. — 5. Voir le *Génie...* (III, 1, 8) : « L'architecte chrétien, non content de bâtir des forêts... a voulu en imiter les mur-mures, et, au moyen de l'orgue et du bronze suspendu, il a attaché au temple gothique jusqu'au bruit des vents et des tonnerres qui roulent dans les profondeurs des bois. »

pénétrait au fond du sanctuaire, on n'entendait plus que les hymnes des oiseaux qui célébraient à la mémoire des morts
185 une fête éternelle.

» En sortant de ce bois, nous découvrîmes le village de la Mission, situé au bord d'un lac, au milieu d'une savane semée de fleurs. On y arrivait par une avenue de magnolias [1] et de chênes verts, qui bordaient une de ces anciennes routes,
190 que l'on trouve vers les montagnes qui divisent [2] le Kentucky des Florides. Aussitôt que les Indiens aperçurent leur pasteur dans la plaine, ils abandonnèrent leurs travaux et accoururent au-devant de lui. Les uns baisaient sa robe, les autres aidaient ses pas ; les mères élevaient dans leurs bras
195 leurs petits enfants, pour leur faire voir l'homme de Jésus-Christ, qui répandait des larmes [3]. Il s'informait, en marchant, de ce qui se passait au village ; il donnait un conseil à celui-ci, réprimandait doucement celui-là, il parlait des moissons à recueillir, des enfants à instruire, des peines à consoler, et il
200 mêlait Dieu à tous ses discours [4].

» Ainsi escortés, nous arrivâmes au pied d'une grande croix qui se trouvait sur le chemin. C'était là que le serviteur de Dieu avait accoutumé [5] de célébrer les mystères [6] de sa religion : « Mes chers néophytes [7], dit-il en se tournant vers
205 » la foule, il vous est arrivé un frère et une sœur ; et pour
» surcroît de bonheur, je vois que la divine Providence a
» épargné hier vos moissons : voilà deux grandes raisons de
» la remercier. Offrons donc le saint sacrifice, et que chacun
» y apporte un recueillement profond, une foi vive, une
210 » reconnaissance infinie et un cœur humilié. »

» Aussitôt le prêtre divin revêt une tunique blanche d'écorce de mûriers [8], les vases sacrés sont tirés d'un tabernacle au

---

1. Voir p. 40, n. 6. — 2. Séparent. — 3. Le P. Aubry a la larme facile : trait d'époque (voir p. 104, l. 52-53). — 4. Cette scène rappelle l'arrivée du Christ dans les villages israélites (saint Marc, XIV, 34-36, etc.). — 5. Avait coutume (tour classique : ne s'employait en ce sens qu'aux temps composés). — 6. Terme consacré dans la liturgie catholique pour désigner la messe, mais qui peut s'entendre aussi au sens propre, la messe étant un mystère incompréhensible pour l'idolâtre Chactas. — 7. Convertis récents. — 8. De même, chez les Natchez, lors des fêtes religieuses, le grand prêtre s'enveloppait « d'une robe blanche d'écorce de bouleau » (*Voyage en Amérique, O. C.,* VI, p. 123).

pied de la croix, l'autel se prépare sur un quartier de roche,
l'eau se puise dans le torrent voisin, et une grappe de raisin
215 sauvage fournit le vin du sacrifice. Nous nous mettons tous
à genoux dans les hautes herbes ; le mystère commence.

» L'aurore paraissant derrière les montagnes enflammait
l'orient. Tout était d'or ou de rose dans la solitude [1]. L'astre
annoncé par tant de splendeur sortit enfin d'un abîme de
220 lumière, et son premier rayon rencontra l'hostie consacrée,
que le prêtre, en ce moment même, élevait dans les airs [2].
O charme de la religion ! O magnificence du culte chrétien [3] !
Pour sacrificateur [4] un vieil ermite, pour autel un rocher,
pour église le désert, pour assistance d'innocents Sauvages !
225 Non, je ne doute point qu'au moment où nous nous proster-
nâmes le grand mystère ne s'accomplît, et que Dieu ne
descendît sur la terre, car je le sentis descendre dans mon
cœur [5].

» Après le sacrifice [6], où il ne manqua pour moi que la fille
230 de Lopez, nous nous rendîmes au village. Là régnait le
mélange le plus touchant de la vie sociale et de la vie de la
nature [7] : au coin d'une cyprière [8] de l'antique désert, on
découvrait une culture naissante ; les épis roulaient à flots
d'or sur le tronc du chêne abattu, et la gerbe d'un été rem-
235 plaçait l'arbre de trois siècles. Partout on voyait les forêts
livrées aux flammes pousser de grosses fumées dans les airs
et la charrue se promener lentement entre les débris de leurs

---

1. Le désert. — 2. Dussault (*Journal des débats*, 17 avril 1801) critique ce trait : « Cette dernière circonstance, ce dernier trait par lequel l'auteur achève son tableau est, contre son intention, très petit et très mesquin. Ce rapprochement du lever du soleil et de la consécration n'est pas heureux et paraît forcé, a quelque chose de recherché, et la recherche est toujours l'antipode du sublime. » — 3. « Ce langage chrétien, dans la bouche du païen Chactas, qui mettra de longues années à se convertir, paraît quelque peu prématuré. » Mais c'est Chateaubriand qui parle par sa bouche (voir *le Biblisme*, p. 115). — 4. Ici, par contre, Chactas revient au style « sauvage », encore que le terme de *sacrificateur* pour désigner le prêtre se trouve aussi dans la Bible. — 5. Comparer les réflexions d'un autre Indien sur le même sujet dans *les Incas*, de Marmontel (livre VI) : « L'avouerai-je [...] ? soit par la force de l'exemple, soit par le charme [= sortilège] des paroles que proférait le sacrificateur et par l'ascendant invisible que leur Dieu prenait sur nous, l'aspect de ces étrangers prosternés devant leur autel, nous frappa, nous saisit de crainte. » — 6. La messe. — 7. Le P. Aubry concilie le « naturisme » de Rousseau et l'esprit évangélique. — 8. Bois de cyprès : le mot se trouve déjà chez Charlevoix.

racines. Des arpenteurs avec de longues chaînes allaient[1]
mesurant le terrain ; des arbitres établissaient les premières
240 propriétés[2] ; l'oiseau cédait son nid ; le repaire de la bête
féroce se changeait en une cabane[3] ; on entendait gronder
des forges, et les coups de la cognée faisaient, pour la dernière fois, mugir des échos expirant eux-mêmes avec les
arbres qui leur servaient d'asile.

245 » J'errais avec ravissement au milieu de ces tableaux,
rendus plus doux par l'image d'Atala et par les rêves de

---

1. Sur cette construction, voir p. 82, n. 5. — 2. Voir J.-J. Rousseau, *Discours sur
l'inégalité*, 2ᵉ partie. Ce partage des terres avait déjà été opéré au Paraguay. — 3. Voir
Isaïe (XXXV, 7) : « Dans les cavernes où les chacals habitaient auparavant, on verra
naître la verdeur des roseaux et du jonc. »

● **L'arrivée à la Mission**

① Quels traits montrent l'affection des néophytes pour le missionnaire ?
Mettez en valeur le caractère naïf et touchant de ce tableau.

② En quoi le langage du Père Aubry est-il naturel et habile ?

● **La description de la messe**

③ A quelle intention apologétique cette description répond-elle ?
Quelle importance Chateaubriand attribue-t-il aux cérémonies religieuses ?

④ Comparez les sentiments de Chactas à ceux d'Eudore, dans *les Martyrs* (livre V, description des Catacombes) :
« En traversant des champs abandonnés, j'aperçus plusieurs personnes
qui se glissaient dans l'ombre et qui, toutes, s'arrêtant au même endroit,
disparaissaient subitement. Poussé par la curiosité, je m'avance et j'entre
hardiment dans la caverne où s'étaient plongés les mystérieux fantômes
[...]. Sur un tombeau paré de fleurs, Marcellin [évêque de Rome] célébrait
le mystère des chrétiens : des jeunes filles couvertes de voiles blancs
chantaient au pied de l'autel ; une nombreuse assemblée assistait au
sacrifice. Je reconnus les Catacombes ! Un mélange de honte, de repentir, de ravissement s'empara de mon âme. »

⑤ Quelles critiques peut-on formuler sur ce passage (l. 211-228), au
double point de vue de la vraisemblance psychologique (sentiments de
Chactas) et de la thèse apologétique (le culte, source et soutien de la foi) ?

● **Le mélange des styles**

⑥ Montrer que Chactas s'exprime à la fois en païen, en chrétien, et
en poète. Comment ce mélange des styles peut-il s'expliquer par les
intentions de l'auteur, et, dans une certaine mesure, par la personnalité
de Chactas ?

félicité dont je berçais mon cœur. J'admirais le triomphe du Christianisme[1] sur la vie sauvage ; je voyais l'Indien se civilisant à la voix de la religion ; j'assistais aux noces pri-250 mitives de l'Homme et de la Terre : l'homme, par ce grand contrat[2], abandonnant à la terre l'héritage de ses sueurs, et la terre s'engageant, en retour, à porter fidèlement les moissons, les fils et les cendres de l'homme[3].

» Cependant on présenta un enfant au missionnaire, qui 255 le baptisa parmi des jasmins en fleur, au bord d'une source, tandis qu'un cercueil, au milieu des jeux et des travaux, se rendait aux Bocages de la mort[4]. Deux époux reçurent la bénédiction nuptiale sous un chêne, et nous allâmes ensuite les établir dans un coin du désert. Le pasteur marchait devant 260 nous, bénissant çà et là, et le rocher, et l'arbre, et la fontaine, comme autrefois, selon le livre des Chrétiens[5], Dieu bénit la terre inculte en la donnant en héritage à Adam[6]. Cette procession, qui pêle-mêle avec ses troupeaux suivit de rocher en rocher son chef vénérable, représentait à mon 265 cœur attendri ces migrations des premières familles, alors que Sem, avec ses enfants, s'avançait à travers le monde inconnu[7], en suivant le soleil, qui marchait devant lui.

» Je voulus savoir du saint ermite comment il gouvernait ses enfants ; il me répondit avec une grande complaisance : 270 « Je ne leur ai donné aucune loi ; je leur ai seulement ensei-
» gné à s'aimer, à prier Dieu, et à espérer une meilleure vie :
» toutes les lois du monde sont là-dedans[8]. Vous voyez au
» milieu du village une cabane plus grande que les autres :
» elle sert de chapelle dans la saison des pluies. On s'y
275 » assemble soir et matin pour louer le Seigneur[9], et quand

---

1. Les missionnaires sont les agents de la civilisation. Ce village semble calqué sur les républiques chrétiennes du Paraguay (*Génie...*, 4ᵉ partie, livre IV, chap. 4). — 2. Bien que l'idée soit toute différente, le mot rappelle *le Contrat social* de Rousseau. — 3. Voir le même thème dans *la Sauvage*, de Vigny (*Destinées*). — 4. Voir p. 110, n. 2. — 5. L'Évangile. — 6. Voir *Genèse*, I, 2 et 27-29 ; II, 15 : « La terre était informe et vide... [Dieu] mit l'homme dans le paradis de délices, afin qu'il le cultivât et qu'il le gardât. » — 7. Voir dans la *Genèse* (X, 21-31 ; XI, 2 et 10-26) la généalogie des enfants de Sem, fils de Noé, et leurs migrations. — 8. Voir le *Sermon sur la montagne* (saint Matthieu, V-VII). — 9. De même, chez les Indiens du Paraguay, « au premier rayon de l'aurore... les hommes et les femmes assistaient à la messe, d'où ils se rendaient à leurs travaux... et, au baisser du jour, la cloche rappelait les nouveaux citoyens à l'autel ».

» je suis absent, c'est un vieillard qui fait la prière ; car la
» vieillesse est, comme la maternité, une espèce de sacerdoce.
» Ensuite on va travailler dans les champs, et si les propriétés
» sont divisées, afin que chacun puisse apprendre l'économie
280 » sociale, les moissons sont déposées dans des greniers
» communs, pour maintenir la charité fraternelle [1]. Quatre

---

1. Même communauté partielle dans les missions du Paraguay.

● **Rousseau et Chateaubriand**

① Recherchez, dans cette description des « laboureurs » (l. 229-253),
l'influence de J.-J. Rousseau (*Discours sur l'origine de l'inégalité*).

② Montrez que cette peinture de mœurs évoque, sous une forme
symbolique, la formation de la société civilisée : quelles étapes de cette
évolution sociale représentent les « chasseurs » et les « laboureurs » ?

③ En quoi consiste ici l'originalité de Chateaubriand, par rapport à
Rousseau ? Quels traits, quelles remarques révèlent l'apologiste du
christianisme ?

● **La poésie bucolique**

④ Étudiez le pittoresque et la grâce naïve de cette scène rustique en
faisant la part de l'idéalisation romanesque.

⑤ Comparez cet épisode à la célèbre description de Lamartine, dans
Jocelyn (Les laboureurs, IXᵉ Époque), et à celle de G. Sand dans *la
Mare au Diable* (Le labour, chap. II).

● **Le biblisme**

⑥ Montrez, à l'aide des notes, comment les réminiscences bibliques
confèrent à cette peinture de la vie primitive au sein de la nature un
caractère religieux.

⑦ Comment cet épisode est-il lié au dessein d'*Atala*, et dans quelle
mesure reflète-t-il l'évolution religieuse de l'auteur, depuis l'*Essai sur
les révolutions* ?

⑧ Commentez ce jugement de J.-L. Geoffroy (*Année littéraire*, tome III,
1801) :

« L'auteur d'*Atala* me paraît supérieur au Tasse lui-même ; rien n'égale
l'onction, l'intérêt, le pathétique qu'il a su répandre sur les mystères
et les sacrements de la religion, qui ne paraissaient pas propres à recevoir les couleurs poétiques ; il semble avoir démenti cet oracle de Boileau : « De la religion les mystères terribles — D'ornements égayés ne sont
pas susceptibles. »

» vieillards distribuent avec égalité le produit du labeur.
» Ajoutez à cela des cérémonies religieuses, beaucoup de
» cantiques, la croix où[1] j'ai célébré les mystères[2], l'ormeau
285 » sous lequel je prêche dans les bons jours, nos tombeaux
» tout près de nos champs de blé, nos fleuves où je plonge
» les petits enfants et les saint Jean de cette nouvelle
» Béthanie[3], vous aurez une idée complète de ce royaume
» de Jésus-Christ. »

290 » Les paroles du Solitaire me ravirent, et je sentis la
supériorité de cette vie stable et occupée, sur la vie errante
et oisive du Sauvage.

» Ah ! René, je ne murmure point contre la Providence,
mais j'avoue que je ne me rappelle jamais cette société
295 évangélique sans éprouver l'amertume des regrets. Qu'une
hutte, avec Atala, sur ces bords, eût rendu ma vie heureuse !
Là finissaient toutes mes courses ; là, avec une épouse,
inconnu des hommes, cachant mon bonheur au fond des
forêts, j'aurais passé comme ces fleuves, qui n'ont pas même
300 un nom dans le désert. Au lieu de cette paix que j'osais alors
me promettre, dans quel trouble n'ai-je point coulé mes
jours ! Jouet continuel de la fortune[4], brisé sur tous les
rivages, longtemps exilé de mon pays, et n'y trouvant, à
mon retour, qu'une cabane en ruine et des amis dans la
305 tombe : telle devait être la destinée de Chactas[5]. »

---

1. *Où* : près de laquelle (emploi classique). — 2. Sacrements (terme biblique). — 3. Lieu situé à l'est du Jourdain, dans le désert, et dont le nom signifie : maison de la barque ; Jean-Baptiste y accomplit sa mission (*saint Jean*, II, 28) ; cette localité ne doit pas être confondue avec l'autre *Béthanie*, située entre Jéricho et Jérusalem, et où Jésus ressuscita Lazare (*id.* IX, 1). — 4. Sens du latin *fortuna* : sort, hasard. — 5. Tout ce paragraphe est une transposition à peine voilée de la vie de Chateaubriand durant les années qui précédèrent la publication d'*Atala*. Ainsi, dans les *Mémoires* (I, p. 458), Chateaubriand imagine quel aurait été son sort s'il avait épousé Charlotte Ives : « Mon rôle changeait sur la terre. Enseveli dans un comté de Grande-Bretagne, je serais devenu un *gentleman* chasseur : pas une seule ligne ne serait tombée de ma plume : j'eusse même oublié ma langue, car j'écrirais en anglais. »

Gravure de Gustave Doré pour l'édition de 1863

*... il était allé contempler la beauté du ciel et prier
Dieu sur le sommet de la montagne.*

(Les laboureurs, l. 115-116)

LE DRAME

« Si mon songe de bonheur fut vif, il fut aussi d'une courte durée, et le réveil m'attendait à la grotte du Solitaire. Je fus surpris, en y arrivant au milieu du jour, de ne pas voir Atala accourir au-devant de nos pas. Je ne sais quelle sou-
5 daine horreur me saisit. En approchant de la grotte, je n'osais appeler la fille de Lopez : mon imagination était également épouvantée, ou du bruit, ou du silence qui succé-derait à mes cris. Encore plus effrayé de la nuit qui régnait à l'entrée du rocher [1], je dis au missionnaire : « O vous, que
10 » le ciel accompagne et fortifie, pénétrez dans ces ombres. »

» Qu'il est faible celui que les passions dominent ! Qu'il est fort celui qui se repose en Dieu [2] ! Il y avait plus de courage dans ce cœur religieux, flétri par soixante-seize années, que dans toute l'ardeur de ma jeunesse. L'homme de paix [3]
15 entra dans la grotte, et je restai au dehors plein de terreur. Bientôt un faible murmure, semblable à des plaintes, sortit du fond du rocher et vint frapper mon oreille. Poussant un cri, et retrouvant mes forces, je m'élançai dans la nuit de la caverne... Esprits de mes pères ! vous savez seuls le spectacle
20 qui frappa mes yeux !

» Le Solitaire avait allumé un flambeau de pin ; il le tenait d'une main tremblante, au-dessus de la couche d'Atala. Cette belle et jeune femme, à moitié soulevée sur le coude, se montrait pâle et échevelée [4]. Les gouttes d'une
25 sueur pénible brillaient sur son front ; ses regards à demi éteints cherchaient encore à m'exprimer son amour, et sa bouche essayait de sourire. Frappé comme d'un coup de foudre, les yeux fixés, les bras étendus, les lèvres entr'ouvertes, je demeurai immobile. Un profond silence règne un moment
30 parmi les trois personnages de cette scène de douleur. Le

1. La grotte (figure dite synecdoque). — 2. Voir *Psaumes*, XXXVI, 7 ; et CXXIV, 1 : « Ceux qui mettent leur confiance dans le Seigneur sont inébranlables comme la montagne de Sion. » — 3. Le P. Aubry. Sur ces périphrases, voir p. 98, n. 3. — 4. Comparez cette scène à la mort de Laurence dans *Jocelyn*, de Lamartine (9e époque, v. 1 025 et suiv.).

Solitaire le rompt le premier : « Ceci, dit-il, ne sera qu'une
» fièvre occasionnée par la fatigue, et si nous nous résignons
» à la volonté de Dieu[1], il aura pitié de nous. »

» A ces paroles, le sang suspendu reprit son cours dans
35 mon cœur, et avec la mobilité du Sauvage[2] je passai subitement de l'excès de la crainte à l'excès de la confiance. Mais
Atala ne m'y laissa pas longtemps. Balançant tristement la
tête, elle nous fit signe de nous approcher de sa couche.

« Mon père, dit-elle d'une voix affaiblie, en s'adressant
40 » au religieux, je touche au moment de la mort. O Chactas !
» écoute sans désespoir le funeste secret que je t'ai caché,
» pour ne pas te rendre trop misérable, et pour obéir à ma
» mère. Tâche de ne pas m'interrompre par des marques
» d'une douleur, qui précipiterait le peu d'instants que j'ai
45 » à vivre. J'ai beaucoup de choses à raconter, et aux batte-
» ments de ce cœur, qui se ralentissent... à je ne sais quel
» fardeau glacé que mon sein soulève à peine... je sens que
» je ne me saurais trop hâter[3]. »

» Après quelques moments de silence, Atala poursuivit
50 ainsi :

« Ma triste destinée a commencé presque avant que
» j'eusse vu la lumière. Ma mère m'avait conçue dans le
» malheur[4] ; je fatiguais son sein, et elle me mit au monde
» avec de grands déchirements d'entrailles : on désespéra de
55 » ma vie[5]. Pour sauver mes jours, ma mère fit un vœu :
» elle promit à la Reine des Anges[6] que je lui consacrerais
» ma virginité, si j'échappais à la mort... Vœu fatal qui me
» précipite au tombeau !

» J'entrais dans ma seizième année, lorsque je perdis ma
60 » mère. Quelques heures avant de mourir, elle m'appela au
» bord de sa couche. « Ma fille, me dit-elle en présence d'un

---

1. Cette idée que l'on doit se résigner à la volonté de Dieu est le thème principal du
Livre de Job. — 2. Le *Voyage en Amérique* signale ce trait de caractère des sauvages, par
exemple le « caractère aimable et volage » du peuple siminole. — 3. Peut-être, souvenir
de l'*Histoire de l'Amérique septentrionale* de La Potherie (III, 249) : « Tu vois combien
j'ai la poitrine oppressée et qu'il me reste peu de temps à vivre. » — 4. Voir *Psaumes*,
I, 7 : « Vous savez que j'ai été formé dans l'iniquité et que ma mère m'a conçu dans le
péché. » — 5. Chateaubriand prête à Atala les circonstances de sa propre naissance. Voir
Mémoires, I, 29 : « J'étais presque mort quand je vins au jour. » — 6. La Sainte Vierge.

» missionnaire qui consolait ses derniers instants ; ma fille,
» tu sais le vœu que j'ai fait pour toi. Voudrais-tu démentir
» ta mère ? O mon Atala ! je te laisse dans un monde qui
65 » n'est pas digne de posséder une chrétienne, au
» milieu d'idolâtres qui persécutent le Dieu de ton père et le
» mien, le Dieu qui, après t'avoir donné le jour, te l'a
» conservé par un miracle. Eh ! ma chère enfant, en accep-
» tant le voile des vierges [1], tu ne fais que renoncer aux
70 » soucis de la cabane [2] et aux funestes passions qui ont
» troublé le sein de ta mère ! Viens donc, ma bien-aimée,
» viens ; jure sur cette image de la mère du Sauveur, entre les
» mains de ce saint prêtre et de ta mère expirante, que tu
» ne me trahiras point à la face du ciel. Songe que je me
75 » suis engagée pour toi, afin de te sauver la vie, et que si tu
» ne tiens ma promesse tu plongeras l'âme de ta mère dans
» des tourments éternels. »

« O ma mère ! pourquoi parlâtes-vous ainsi ! O Religion
» qui fais à la fois mes maux et ma félicité, qui me perds et
80 » qui me consoles ! Et toi, cher et triste objet d'une passion
» qui me consume jusque dans les bras de la mort, tu vois
» maintenant, ô Chactas, ce qui a fait la rigueur de notre
» destinée !... Fondant en pleurs et me précipitant dans le
» sein maternel, je promis tout ce qu'on me voulut faire
85 » promettre. Le missionnaire prononça sur moi les paroles
» redoutables et me donna le scapulaire [3] qui me lie pour
» jamais. Ma mère me menaça de sa malédiction, si jamais
» je rompais mes vœux, et après m'avoir recommandé un
» secret inviolable envers les païens, persécuteurs de ma
90 » religion, elle expira, en me tenant embrassée.

» Je ne connus pas d'abord le danger de mes serments.
» Pleine d'ardeur, et chrétienne véritable, fière du sang
» espagnol qui coule dans mes veines, je n'aperçus autour
» de moi que des hommes indignes de recevoir ma main ; je

---

1. En entrant en religion. — 2. C'est-à-dire à la vie sauvage, symbolisée par l'habitat des indigènes. — 3. Pièce d'étoffe qui descend depuis les épaules (*scapulae*) jusqu'au bas de la poitrine et du dos, en usage dans plusieurs ordres religieux, et qui peut être réduite à un simple morceau de tissu, orné d'une croix, qui se porte suspendu au cou.

95 » m'applaudis de n'avoir d'autre époux que le Dieu de ma
   » mère. Je te vis jeune et beau prisonnier, je m'attendris
   » sur ton sort, je t'osai[1] parler au bûcher de la forêt ; alors je
   » sentis tout le poids de mes vœux[2]. »

   » Comme Atala achevait de prononcer ces paroles,
100 serrant les poings, et regardant le missionnaire d'un air
   menaçant, je m'écriai : « La voilà donc cette religion que
   » vous m'avez tant vantée ! Périsse le serment qui m'enlève
   » Atala ! Périsse le Dieu qui contrarie la nature[3] ! Homme,
   » prêtre, qu'es-tu venu faire dans ces forêts ? »

105 « Te sauver, dit le vieillard d'une voix terrible, dompter
   » tes passions et t'empêcher, blasphémateur, d'attirer sur
   » toi la colère céleste ! Il te sied bien, jeune homme, à peine

---

1. Sur l'antéposition du pronom régime, voir p. 39, n. 3. — 2. Comparer avec *Phèdre* de Racine (I, 3, v. 269-314). — 3. Argument favori des philosophes du XVIIIe siècle contre le christianisme.

●●

● **Le secret d'Atala** (l. 39-98)

Les sources du « vœu fatal »

① Selon G. Charlier, Chateaubriand aurait puisé cette idée du « vœu fatal » qui lie Atala dans un roman de Mme de Genlis, intitulé *les Vœux téméraires*. Mais, outre que la date (1799) est bien tardive, n'est-il pas plus vraisemblable de penser que l'auteur d'*Atala* s'est souvenu ici de la tragédie de Voltaire, *Zaïre*, qu'il connaissait fort bien ? Comparez cette pièce au roman : situation des deux héroïnes ; conflit psychologique ; exotisme.

● **Le drame**

② Montrez que cet épisode constitue un véritable coup de théâtre, dans la plus pure tradition de la tragédie classique : comment ce coup de théâtre a-t-il été précisément préparé, et pourquoi Atala n'avait-elle révélé d'abord à Chactas que la moitié de son secret ?

③ Recherchez les autres éléments qui donnent à la scène le caractère d'une tragédie classique.

● **Atala et Chateaubriand**

④ On connaît le mot de Flaubert : « Madame Bovary, c'est moi. » Atala n'est-elle pas aussi, dans une certaine mesure, Chateaubriand lui-même ? Quelles analogies peut-on remarquer entre le destin de l'auteur et celui de son héroïne ?

» entré dans la vie, de te plaindre de tes douleurs ! Où sont
» les marques de tes souffrances ? Où sont les injustices que
110 » tu as supportées ? Où sont tes vertus, qui seules pourraient
» te donner quelques droits à la plainte ? Quel service as-tu
» rendu ? Quel bien as-tu fait ? Eh ! malheureux, tu ne
» m'offres que des passions et tu oses accuser le ciel ! Quand
» tu auras, comme le Père Aubry, passé trente années exilé sur
115 » les montagnes, tu seras moins prompt à juger des desseins
» de la Providence ; tu comprendras alors que tu ne sais
» rien, que tu n'es rien, et qu'il n'y a point de châtiment si
» rigoureux, point de maux si terribles, que la chair corrom-
» pue ne mérite de souffrir. »

120 » Les éclairs qui sortaient des yeux du vieillard, sa barbe
qui frappait sa poitrine, ses paroles foudroyantes le rendaient semblable à un Dieu. Accablé de sa majesté, je
tombai à ses genoux, et lui demandai pardon de mes emportements[1]. « Mon fils, me répondit-il avec un accent si doux
125 » que le remords entra dans mon âme, mon fils, ce n'est pas
» pour moi-même que je vous ai réprimandé. Hélas ! vous
» avez raison, mon cher enfant : je suis venu faire bien peu
» de chose dans ces forêts, et Dieu n'a pas de serviteur plus
» indigne que moi. Mais, mon fils, le ciel, le ciel, voilà ce
130 » qu'il ne faut jamais accuser ! Pardonnez-moi si je vous ai
» offensé[2], mais écoutons votre sœur. Il y a peut-être du
» remède[3], ne nous lassons point d'espérer. Chactas, c'est
» une religion bien divine que celle-là, qui a fait une vertu
» de l'espérance ![4] »

135 « Mon jeune ami, reprit Atala, tu a été témoin de mes
» combats, et cependant tu n'en as vu que la moindre
» partie ; je te cachais le reste. Non, l'esclave noir qui
» arrose de ses sueurs les sables ardents de la Floride est
» moins misérable que n'a été Atala. Te sollicitant à la
140 » fuite, et pourtant certaine de mourir si tu t'éloignais de

---

1. Ce passage rappelle *Jocelyn* (5ᵉ époque). De même que Chactas résiste au P. Aubry,
Jocelyn s'oppose à l'évêque qui veut l'ordonner prêtre ; le prélat s'indigne et finalement
Jocelyn se soumet. — 2. Souvenir du *Pater*. — 3. Emploi classique de l'article partitif pour
l'indéfini : un. — 4. Voir *le Génie du christianisme* (1ʳᵉ partie, livre II, chap. 3) : « Sans doute
elle fut révélée par le ciel, cette religion qui fit une vertu de l'espérance. »

» moi ; craignant de fuir avec toi dans les déserts, et cepen-
» dant haletant après l'ombrage des bois... Ah ! s'il n'avait
» fallu que quitter parents, amis, patrie ; si même (chose
» affreuse) il n'y eût eu que la perte de mon âme ! Mais ton
145 » ombre, ô ma mère, ton ombre était toujours là, me repro-
» chant ses tourments ! J'entendais tes plaintes, je voyais
» les flammes de l'enfer te consumer. Mes nuits étaient
» arides et pleines de fantômes [1], mes jours étaient désolés ;

---

1. Cette ombre maternelle et ces *fantômes* qui obsèdent Atala sont peut-être inspirés d'Ossian. Miss H. Miller observe (*op. cit.*, p. 118) « Il est fréquent, chez le barde écossais, de voir les fantômes revenir et s'adresser à leurs proches et à leurs amis. »

● **La révolte de Chactas** (l. 99-104)

① En quoi Chactas, dans sa diatribe contre le christianisme, rejoint-il les critiques adressées au « fanatisme » religieux par les philosophes du XVIIIe siècle ? — Comparez ses griefs à ceux de Voltaire et de Diderot dans le *Supplément au Voyage de Bougainville* (1796) : « Voulez-vous savoir l'histoire abrégée de notre misère ? La voici. Il existait un homme naturel : on a introduit au-dedans de cet homme un homme artificiel, et il s'est élevé dans la caverne une guerre continuelle qui dure toute la vie. »

② Dans quelle mesure la révolte de Chactas peut-elle traduire les fluctuations religieuses de Chateaubriand, entre l'*Essai sur les révolutions* et *Atala* ?

● **Le réquisitoire du Père Aubry** (l. 105-119)

③ L'abbé Sage (*op. cit.*, p. 434) juge la véhémence du Père Aubry contraire à l'esprit libéral de la Mission : « Lorsqu'il parle de la *chair corrompue*, lorsqu'il fait allusion à la Passion sanglante de J.-C., ces mots détonnent dans l'atmosphère générale du roman... Deux conceptions du christianisme se heurtent dans *Atala*. » Expliquez et discutez ce jugement.

④ Montrez que le duel oratoire de Chactas et du Père Aubry contient en raccourci l'éternel conflit du bonheur naturel, fondé sur la satisfaction des passions, et de la religion, qui impose une contrainte artificielle. Retracez les grandes étapes de ce problème moral au XVIIe et au XVIIIe s.

● **La soumission de Chactas** (l. 120-124)

⑤ Est-elle le fait d'une illumination soudaine de la grâce ou l'effet d'une « terreur sacrée », proche du fanatisme ?

● **Le style**

⑥ Comparez l'éloquence enflammée du Père Aubry, impitoyable censeur de Chactas, à celle des dernières *Provinciales* de Pascal. Relevez et classez les procédés oratoires.

» la rosée du soir séchait en tombant sur ma peau brûlante ;
150 » j'entrouvrais mes lèvres aux brises, et les brises, loin de
» m'apporter la fraîcheur, s'embrasaient du feu de mon
» souffle. Quel tourment de te voir sans cesse auprès de moi,
» loin de tous les hommes, dans de profondes solitudes, et
» de sentir entre toi et moi une barrière invincible ! Passer ma
155 » vie à tes pieds, te servir comme ton esclave, apprêter ton
» repas et ta couche dans quelque coin ignoré de l'univers,
» eût été pour moi le bonheur suprême [1] ; ce bonheur, j'y
» touchais, et je ne pouvais en jouir. Quel dessein n'ai-je
» point rêvé ! Quel songe n'est point sorti de ce cœur si
160 » triste ! Quelquefois, en attachant mes yeux sur toi, j'allais
» jusqu'à former des désirs aussi insensés que coupables :
» tantôt j'aurais voulu être avec toi la seule créature vivante
» sur la terre ; tantôt, sentant une divinité qui m'arrêtait
» dans mes horribles transports, j'aurais désiré que cette
165 » divinité se fût anéantie, pourvu que serrée dans tes bras
» j'eusse roulé d'abîme en abîme avec les débris de Dieu et
» du monde [2] ! A présent même... le dirai-je ? à présent que
» l'éternité va m'engloutir, que je vais paraître devant le
» Juge inexorable, au moment où, pour obéir à ma mère,
170 » je vois avec joie ma virginité dévorer ma vie, eh bien ! par
» une affreuse contradiction, j'emporte le regret de n'avoir
» pas été à toi ! »

« Ma fille, interrompit le missionnaire, votre douleur vous
» égare. Cet excès de passion auquel vous vous livrez est
175 » rarement juste, il n'est pas même dans la nature ; et en
» cela il est moins coupable aux yeux de Dieu, parce que
» c'est plutôt quelque chose de faux dans l'esprit, que de
» vicieux dans le cœur. Il faut donc éloigner de vous ces
» emportements, qui ne sont pas dignes de votre innocence.
180 » Mais aussi, ma chère enfant, votre imagination impétueuse
» vous a trop alarmée sur vos vœux. La religion n'exige

---

1. Laurence, dans *Jocelyn* (4ᵉ époque), formule un vœu analogue : « Si je suis en tout lieu ta sœur ou ta servante — Toute chose me plaît ou m'est indifférente. » — 2. S'adressant à Céluta, dans *les Natchez*, René dit de même : « Une femme me disait : « Viens échanger des feux avec moi, et perdre la vie ! mêlons des voluptés à la mort ! Que la voûte du ciel nous cache en tombant sur nous ! »

» point de sacrifice plus qu'humain[1]. Ses sentiments vrais,
» ses vertus tempérées[2] sont bien au-dessus des sentiments
» exaltés et des vertus forcées d'un prétendu héroïsme. Si

---

1. Voir saint Luc, II, 14 : « Paix, sur la terre aux hommes de bonne volonté. » Chateaubriand défendit toujours ce libéralisme chrétien. — 2. Modérées.

● **Le bon pasteur** (l. 124-197)

① Les paroles d'apaisement que le Père Aubry adresse d'abord à Chactas repenti, puis à Atala mourante, vous semble-t-elles compatibles avec la dureté du missionnaire à l'égard de la douleur du jeune homme? Ces deux aspects — rigoriste et libéral — du christianisme ne peuvent-ils cependant se concilier ?

② Le critique protestant Vinet s'indignait de l'indulgence du Père Aubry pour les faiblesses de l'amour. A quoi l'abbé Sage réplique (*op. cit.*, p. 436) : « Le père Aubry aurait préféré une Atala vivante, même coupable d'avoir, comme dit le savoureux proverbe, *fait passer Pâques avant les Rameaux*, à une Atala mourante par la sottise et le fanatisme d'une mère mal dirigée. Le pasteur Vinet l'en blâme. Il est permis de trouver plus sage que ce rigorisme, et plus évangélique, la bénignité de l'ermite. » Êtes-vous de cet avis ?

③ Dans quelle mesure le Père Aubry représente-t-il les tendances religieuses de l'auteur vers 1801? Ce libéralisme chrétien n'exprime-t-il pas la position définitive de Chateaubriand ? Voir son discours à la Chambre des Pairs, contre la loi du Sacrilège, en 1826 : « La religion est une religion de paix, qui aime mieux pardonner que punir, une religion qui doit ses victoires à ses miséricordes et qui n'a besoin d'échafauds que pour le triomphe de ses martyrs. »

● **Le sacrifice inutile**

④ Qu'y a-t-il de pathétique dans le désespoir d'Atala, apprenant qu'elle pouvait être relevée de ses vœux ? Le fanatisme maternel ne prend-il pas pour elle le visage de la Fatalité ?

⑤ Atala héroïne « racinienne ». Comparez le rêve du bonheur perdu chez Atala et chez Phèdre, l'héroïne de Racine (II, 5) : « Et Phèdre au labyrinthe avec vous descendue, — Se serait avec vous retrouvée ou perdue » (v. 661-662).

⑥ Atala héroïne romantique. Mais, comme sa sœur Phèdre, Atala est aussi une héroïne « romantique ». On notera, dans sa tirade, le mélange de volupté et de désespoir, d'amour et de cruauté. Comparez Atala et l'Éloa de Vigny.

● **Une scène de tragédie**

⑦ Étudiez le pathétique (cadre ; situation ; sentiments ; dialogue) et le lyrisme dramatique (vocabulaire ; constructions ; rythme).

185 » vous aviez succombé, eh bien ! pauvre brebis égarée, le
» bon Pasteur vous aurait cherchée, pour vous ramener au
» troupeau [1]. Les trésors du repentir vous étaient ouverts :
» il faut des torrents de sang pour effacer nos fautes aux
» yeux des hommes, une seule larme suffit à Dieu. Rassurez-
190 » vous donc, ma chère fille, votre situation exige du calme ;
» adressons-nous à Dieu, qui guérit toutes les plaies de ses
» serviteurs [2]. Si c'est sa volonté, comme je l'espère, que
» vous échappiez à cette maladie, j'écrirai à l'évêque de
» Québec [3] ; il a les pouvoirs nécessaires pour vous relever
195 » de vos vœux, qui ne sont que des vœux simples [4], et vous
» achèverez vos jours près de moi avec Chactas votre
» époux. »

» A ces paroles du vieillard, Atala fut saisie d'une longue
convulsion, dont elle ne sortit que pour donner des marques
200 d'une douleur effrayante. « Quoi ! dit-elle en joignant les
» deux mains avec passion, il y avait du [5] remède ! Je pou-
» vais être relevée de mes vœux ! » « Oui, ma fille, répondit
» le père ; et vous le pouvez encore. » « Il est trop tard, il est
» trop tard, s'écria-t-elle ! Faut-il mourir, au moment où
205 » j'apprends que j'aurais pu être heureuse ! Que n'ai-je
» connu plus tôt ce saint vieillard ! Aujourd'hui, de quel
» bonheur je jouirais, avec toi, avec Chactas chrétien...
» consolée, rassurée par ce prêtre auguste... dans ce désert...
» pour toujours... oh ! c'eût été trop de félicité ! »

210 « Calme-toi, lui dis-je, en saisissant une des mains de
» l'infortunée ; calme-toi, ce bonheur, nous allons le goûter. »
« Jamais ! jamais ! dit Atala. » « Comment, repartis-je ? »
« Tu ne sais pas tout, s'écria la vierge : c'est hier... pendant
» l'orage... J'allais violer mes vœux ; j'allais plonger ma
215 » mère dans les flammes de l'abîme ; déjà sa malédiction
» était sur moi ; déjà je mentais au Dieu qui m'a sauvé la
» vie... Quand tu baisais mes lèvres tremblantes, tu ne savais

---

1. Voir saint Jean, X, 11-18 ; et saint Luc, XV, 4-7. — 2. Voir *Psaumes* (11, 3) : « C'est lui qui vous pardonne toutes vos iniquités et qui guérit toutes vos infirmités » ; et *Isaïe*, XXX, 26. — 3. Le vicariat apostolique de Québec, fondé en 1657, fut érigé en évêché en 1674. — 4. Le droit canonique distingue les *vœux simples*, dont l'autorité ecclésiastique peut relever les fidèles, et les vœux solennels, qui sont définitifs. — 5. Voir p. 122, n. 3.

» pas, tu ne savais pas que tu n'embrassais que la mort ! »
« O ciel ! s'écria le missionnaire, chère enfant, qu'avez-vous
220 fait ? » « Un crime, mon père, dit Atala les yeux égarés ;
» mais je ne perdais que moi, et je sauvais ma mère. »
« Achève donc », m'écriai-je plein d'épouvante. « Eh bien !
» dit-elle, j'avais prévu ma faiblesse ; en quittant les
» cabanes, j'ai emporté avec moi... » « Quoi ? » repris-je avec
225 » horreur. « Un poison[1] ! », dit le Père. « Il est dans mon
» sein », s'écria Atala.

» Le flambeau échappe de la main du Solitaire, je tombe
mourant près de la fille de Lopez, le vieillard nous saisit
l'un et l'autre dans ses bras, et tous trois, dans l'ombre,
230 nous mêlons un moment nos sanglots sur cette couche
funèbre.

« Réveillons-nous, réveillons-nous ! » dit bientôt le coura-
geux ermite en allumant une lampe. « Nous perdons des
» moments précieux : intrépides chrétiens, bravons les
235 » assauts de l'adversité ; la corde au cou, la cendre sur la
» tête, jetons-nous aux pieds du Très-Haut, pour implorer
» sa clémence, ou pour nous soumettre à ses décrets. Peut-
» être est-il temps encore. Ma fille, vous eussiez dû m'avertir
» hier au soir. »

240 « Hélas ! mon père, dit Atala, je vous ai cherché la nuit
» dernière ; mais le ciel, en punition de mes fautes, vous a
» éloigné de moi. Tout secours eût d'ailleurs été inutile ;
» car les Indiens mêmes, si habiles dans ce qui regarde les
» poisons, ne connaissent point de remède à celui que j'ai
245 » pris. O Chactas, juge de mon étonnement, quand j'ai vu
» que le coup n'était pas aussi subit que je m'y attendais !
» Mon amour a redoublé mes forces, mon âme n'a pu si vite
» se séparer de toi. »

» Ce ne fut plus ici par des sanglots que je troublai le récit
250 d'Atala, ce fut par ces emportements, qui ne sont connus
que des Sauvages. Je me roulai furieux sur la terre en me
tordant les bras et en me dévorant les mains. Le vieux

---

1. Le *poison* jouera un grand rôle dans le théâtre romantique (*Chatterton, Hernani, Ruy Blas*, etc.). Voir p. 129 *le Poison au théâtre.*

prêtre, avec une tendresse merveilleuse, courait du frère à
la sœur, et nous prodiguait mille secours. Dans le calme de
255 son cœur et sous le fardeau des ans, il savait se faire entendre
à notre jeunesse, et sa religion lui fournissait des accents
plus tendres et plus brûlants que nos passions mêmes. Ce
prêtre, qui depuis quarante années [1] s'immolait chaque jour
au service de Dieu et des hommes dans ces montagnes, ne
260 te rappelle-t-il pas ces holocaustes d'Israël, fumant perpé-
tuellement sur les hauts lieux, devant le Seigneur [2] ?

» Hélas ! ce fut en vain qu'il essaya d'apporter quelque
remède [3] aux maux d'Atala. La fatigue, le chagrin, le poison
et une passion plus mortelle que tous les poisons ensemble
265 se réunissaient pour ravir cette fleur à la solitude. Vers le
soir, des symptômes effrayants se manifestèrent ; un engour-
dissement général saisit les membres d'Atala, et les extré-
mités de son corps commencèrent à refroidir [4] : « Touche
» mes doigts, me disait-elle, ne les trouves-tu pas bien
270 » glacés ? » Je ne savais que répondre, et mes cheveux se
hérissaient d'horreur ; ensuite elle ajoutait : « Hier encore,
» mon bien-aimé, ton seul toucher me faisait tressaillir, et
» voilà que je ne sens plus ta main, je n'entends presque plus
» ta voix, les objets de la grotte disparaissent tour à tour [5].
275 » Ne sont-ce pas les oiseaux qui chantent ? Le soleil doit
» être près de se coucher, maintenant ? Chactas, ses rayons
» seront bien beaux au désert, sur ma tombe ! »

» Atala s'apercevant que ces paroles nous faisaient
fondre en pleurs, nous dit : « Pardonnez-moi, mes bons
280 » amis, je suis bien faible ; mais peut-être que je vais devenir
» plus forte. Cependant mourir si jeune, tout à la fois,
» quand [6] mon cœur était si plein de vie ! Chef de la prière,
» aie pitié de moi ; soutiens-moi. Crois-tu que ma mère soit

---

1. *Quarante années* : légère contradiction (voir p. 106, l. 82-84). — 2. L'Ancien Testament
cite fréquemment des sacrifices offerts à Jéhovah « sur les hauts lieux » ; cf. *Genèse*,
XXII, 2 (le sacrifice d'Isaac). — 3. Sans doute des simples, dont le missionnaire devait
connaître les vertus thérapeutiques : la botanique avait été mise à la mode par Rousseau.
— 4. Emploi classique de l'intransitif à valeur de pronominal. — 5. Ces *symptômes effrayants*
(l. 266) rappellent ceux qui précédèrent la mort de Socrate, d'après Platon (Voir *Phédon*,
LXVII), et aussi les derniers moments de la Phèdre de Racine (V, 7) : « Déjà je ne vois plus
qu'à travers un nuage... » — 6. Et cela, au moment même où...

285 » contente, et que Dieu me pardonne ce que j'ai fait ? »
« Ma fille[1], répondit le bon religieux, en versant des
» larmes, et les essuyant avec ses doigts tremblants et
» mutilés ; ma fille, tous vos malheurs viennent de votre
» ignorance ; c'est votre éducation sauvage et le manque
» d'instruction nécessaire qui vous ont perdue ; vous ne
290 » saviez pas qu'une chrétienne ne peut disposer de sa vie.
» Consolez-vous donc, ma chère brebis[2] ; Dieu vous par-
» donnera, à cause de la simplicité de votre cœur. Votre

---

1. Ici commence le célèbre discours du P. Aubry, dont les *Mémoires* (II, 20) nous
apprennent qu'il fut refait entièrement, sur le conseil de Fontanes ; la première version a
disparu. — 2. Appellation affectueuse et imagée, dans le style sacerdotal, pour s'adresser
à une fidèle : le P. Aubry a déjà comparé précédemment ses néophytes à un troupeau dont
il est le pasteur, et qualifié Atala de *brebis égarée* (p. 126 l. 185),

---

● **Un dénouement original** (l. 198-284)

① Le dénouement d'*Atala* n'est pas sans analogies avec celui d'*Odérahi*
(voir notice, p. 170). Dans les deux romans, l'héroïne s'empoisonne par
amour, et n'avoue sa tentative de suicide que lorsqu'il est trop tard pour
y porter remède. Mais, note M. Chinard (*op. cit.*, p. 186-187, n. 1), « l'auteur d'*Odérahi* n'oublie jamais que son héroïne est une Indienne et il
s'efforce de respecter la couleur psychologique... Atala est une créature
poétique de Chateaubriand. » D'après ce jugement, vous essaierez de
définir l'originalité du dénouement d'*Atala*.

② **Le poison au théâtre** — Déjà connu comme ressort dramatique par
les Anciens et les classiques (voir *Rodogune* de Corneille, etc.), le poison
jouera un grand rôle dans le théâtre romantique (voir p. 127, n. 1). Quel
était l'avantage de ce procédé dans la tragédie classique ? De quelle
façon différente les Romantiques l'ont-ils utilisé ? Et en quoi l'empoison-
nement d'Atala est-il plus proche de la tragédie classique ?

● **L'agonie d'Atala**

③ Montrez, par une étude précise de la situation, des caractères et du
style, que tout cet épisode est construit comme un drame à trois personnages. Étudiez en particulier le réalisme pathétique du dialogue, et
les « jeux de scène » qui animent le récit d'Atala, les exhortations du
Père Aubry, le désespoir de Chactas.

● **L'ermite charitable**

④ Le Père Aubry n'est pas seulement un « bon prêtre », mais encore
un homme d'action, le seul des trois personnages en scène qui garde
son sang-froid dans une situation critique.

» mère et l'imprudent missionnaire qui la dirigeait ont été
» plus coupables que vous ; ils ont passé leurs pouvoirs, en
295 » vous arrachant un vœu indiscret ! mais que la paix du
» Seigneur soit avec eux [1]. Vous offrez tous trois un terrible
» exemple des dangers de l'enthousiasme [2], et de défaut de
» lumières en matière de religion. Rassurez-vous, mon
» enfant ; celui qui sonde les reins et les cœurs [3] vous jugera
300 » sur vos intentions, qui étaient pures, et non sur votre
» action, qui est condamnable.

» Quant à la vie, si le moment est arrivé de vous endormir
» dans le Seigneur [4], ah ! ma chère enfant, que vous perdez
» peu de chose en perdant ce monde [5] ! Malgré la solitude
305 » où vous avez vécu, vous avez connu les chagrins ; que
» penseriez-vous donc, si vous eussiez été témoin des maux
» de la société, si en abordant sur les rivages de l'Europe [6]
» votre oreille eût été frappée de ce long cri de douleur, qui
» s'élève de cette vieille terre? L'habitant de la cabane, et
310 » celui des palais [7], tout souffre, tout gémit ici-bas ; les
» reines ont été vues pleurant, comme de simples femmes [8],
» et l'on s'est étonné de la quantité de larmes que contiennent
» les yeux des rois !

» Est-ce votre amour que vous regrettez ? Ma fille, il
315 » faudrait autant pleurer un songe. Connaissez-vous le cœur
» de l'homme, et pourriez-vous compter les inconstances de
» son désir ? Vous calculeriez plutôt le nombre des vagues
» que la mer roule dans une tempête [9]. Atala, les sacrifices,
» les bienfaits ne sont pas des liens éternels : un jour, peut-

---

1. Le pardon des offenses est un devoir de charité chrétienne, que rappelle la prière du *Pater*. — 2. Selon M. Charlier, ce mot serait employé ici parce que *les Vœux téméraires* de Mme de Genlis portaient en sous-titre : *ou de l'enthousiasme*. — 3. Voir *Psaumes*, VII, 10 : « Vous affermirez le juste, ô Dieu, qui sondez les cœurs et les reins » (dans la Bible, le cœur est considéré comme le siège de la pensée, et les reins désignent celui des sentiments). — 4. S'*endormir dans le Seigneur* (parfois : au Seigneur) : mourir en état de grâce (voir *Psaumes*, IV, 9). — 5. « Comme elle perd son amant, qui est tout pour elle, elle ne peut ni entendre la morale du missionnaire ni y croire » (abbé Morellet). — 6. En déplorant les malheurs de l'*Europe*, le P. Aubry est l'interprète de l'auteur, que la Révolution a blessé moralement et matériellement. L'abbé Morellet voit là « des sentiments misanthropiques et faux ». — 7. Voir Malherbe, *Consolation à du Périer*. — 8. Allusion à Henriette de France, reine d'Angleterre (voir Bossuet, *Oraison funèbre*). — 9. Souvenir possible de Virgile, *Géorgiques*, II, 103-108.

320 » être, le dégoût fût venu avec la satiété, le passé eût été
    » compté pour rien, et l'on n'eût plus aperçu que les inconvé-
    » nients d'une union pauvre et méprisée[1]. Sans doute[2], ma
    » fille, les plus belles amours furent celles de cet homme et
    » de cette femme sortis de la main du Créateur. Un paradis
325 » avait été formé pour eux, ils étaient innocents et immor-
    » tels. Parfaits de l'âme et du corps, ils se convenaient en

---

1. « L'auteur oublie ici la situation des personnages qu'il met en scène. Ce discours semble adressé à une jeune paysanne, mais il n'y a point ici d'union mal assortie », déclare Morellet, qui ajoute : « Comment a-t-on le cœur d'annoncer à la pauvre fille, sans en rien savoir, que Chactas lui aurait été infidèle ? » Mais la première critique au moins est bien contestable et Morellet renverse les rôles : en fait, Atala se juge, et elle est jugée par les siens, comme d'une naissance et d'une « position sociale » supérieures à celles de Chactas. — 2. *Sans* aucun *doute* (sens classique).

▪▪▪

● **L'homélie du Père Aubry** (l. 285-355)

Valeur de l'argumentation

① L'abbé Morellet juge l'argumentation du Père Aubry fausse, ineffi-cace et maladroite : il reproche essentiellement au missionnaire de pro-diguer à Atala des consolations spirituelles ou morales qui ne sauraient la toucher ; de minimiser la valeur du sentiment qui attache l'héroïne à Chactas ; et réciproquement de mêler à la religion des considérations politiques mal venues ; enfin de méconnaître la situation réelle des deux amants, en traitant Atala « comme une jeune paysanne ». — Que pensez-vous de ces diverses critiques (voir citations en note) ?

Portée apologétique

② Pourquoi ce discours du Père Aubry — assez invraisemblable dans la situation où se trouve Atala — est-il nécessaire pour éclairer l'inten-tion apologétique du roman, en écartant d'avance le grief de « fanatisme », que les adversaires de l'auteur ne devaient pas manquer d'adresser à son héroïne ? Commentez, à ce point de vue, ce jugement de Jules Lemaître : « Sans le Père Aubry, *Atala* pourrait être un conte de Marmontel ou Saint-Lambert. »

③ Comparez, dans une optique chrétienne, l'argumentation du Père Aubry à celles de Malherbe, dans la *Consolation à du Périer*, et de Bossuet dans le *Sermon sur l'ambition*.

Le style

④ A quoi reconnaît-on le travail de l'écrivain (voir p. 129, n. 1) ? Étudiez en particulier l'ordre des arguments et la rigueur logique de la composition ; le vocabulaire, affectif et moral ; les emplois du biblisme ; les procédés oratoires et les divers tons de l'éloquence religieuse.

▪▪▪

» tout : Ève avait été créée pour Adam, et Adam pour Ève.
» S'ils n'ont pu toutefois se maintenir dans cet état de
» bonheur, quels couples le pourront après eux [1] ? Je ne
330 » vous parlerai point des mariages des premiers-nés des
» hommes, de ces unions ineffables, alors que la sœur était
» l'épouse du frère, que l'amour et l'amitié fraternelle se
» confondaient dans le même cœur, et que la pureté de
» l'une augmentait les délices de l'autre [2]. Toutes ces unions
335 » ont été troublées ; la jalousie s'est glissée à l'autel de gazon
» où l'on immolait le chevreau, elle a régné sous la tente
» d'Abraham, et dans ces couches mêmes où les patriarches
» goûtaient tant de joie, qu'ils oubliaient la mort de leurs
» mères [3].

340 » Vous seriez-vous donc flattée, mon enfant, d'être plus
» innocente et plus heureuse dans vos liens, que ces saintes
» familles dont Jésus-Christ a voulu descendre ? Je vous
» épargne les détails des soucis du ménage, les disputes, les
» reproches mutuels, les inquiétudes et toutes ces peines
345 » secrètes qui veillent sur l'oreiller du lit conjugal [4]. La
» femme renouvelle ses douleurs chaque fois qu'elle est
» mère, et elle se marie en pleurant. Que de maux dans la
» seule perte d'un nouveau-né à qui l'on donnait le lait, et
» qui meurt sur votre sein ! La montagne a été pleine de
350 » gémissements ; rien ne pouvait consoler Rachel, parce que
» ses fils n'étaient plus [5]. Ces amertumes attachées aux ten-
» dresses humaines sont si fortes, que j'ai vu dans ma patrie

---

1. Argument faible : la déchéance d'Adam et d'Ève, chassés du paradis, n'implique nullement la fin de leur amour, et la *Genèse* ne dit rien de tel. — 2. A propos de ces réflexions étranges du P. Aubry, l'abbé P. Sage écrit (*op. cit.*, p. 437, n. 5) : « Cette complaisance qui semble porter Chateaubriand vers les amours incestueuses ne lui est pas exclusive... Le discours du P. Aubry, à cet endroit, en dépit de ses références patriarcales, en contracte un caractère assez déplaisant » (voir, à ce sujet, p. 96, n. 2). Mais le P. Aubry ne veut-il pas dire ici simplement que l'amour se parait des charmes de l'amitié, sans qu'il y eût, pour autant, réciprocité, ni confusion incestueuse des deux sentiments ? — 3. Voir dans la *Genèse* (IV, 1-8) la jalousie de Caïn pour Abel qui offrait au Seigneur les premiers-nés de son troupeau ; la rivalité de Sara, femme d'Abraham, et d'Agar, sa servante ; l'union d'Isaac et de Rébecca, dont l'amour « le consola de la mort de sa mère » (XXIV, 67), etc. — 4. Chateaubriand ne prête-t-il pas ici au P. Aubry ses propres sentiments sur les inconvénients du mariage ? (Voir *Mémoires*, IV, p. 31). Morellet critique non sans raison ces « lieux communs » et la métaphore « emphatique » de l'*oreiller du lit conjugal*. — 5. Voir *Jérémie*, XXI, 15.

» de grandes dames aimées par des rois, quitter la cour pour
» s'ensevelir dans des cloîtres [1], et mutiler cette chair révol-
355 » tée, dont les plaisirs ne sont que des douleurs.

    » Mais peut-être direz-vous que ces derniers exemples
» ne vous regardent pas ; que votre ambition se réduisait à
» vivre dans une obscure cabane avec l'homme de votre
» choix ; que vous cherchiez moins les douceurs du mariage
360 » que les charmes de cette folie que la jeunesse appelle
» amour ? Illusion, chimère, vanité, rêve d'une imagination
» blessée ! Et moi aussi, ma fille, j'ai connu les troubles du

---

    1. Allusion possible à Louise de la Vallière, délaissée par Louis XIV, et entrée au Carmel en 1675.

═══

● **La « philosophie » du Père Aubry** (l. 356-403)

    ① **La dialectique** — Montrez comment le Père Aubry s'élève progres-
sivement de l'argumentation *ad hominem* à des considérations générales
et philosophiques. Ce « sermon » vous paraît-il très opportun et propre
à réconforter Atala ?

    ② **Le pessimisme** — Comment cette conception pessimiste de l'existence,
ces considérations amères sur la fragilité des affections humaines peuvent-
elles se concilier avec la vie active et heureuse des néophytes du missionnaire (voir plus haut, p. 111-112) ?

    ③ **Philosophie et religion** — Quelles survivances de l'esprit philosophi-
que du XVIIIe siècle apparaissent dans les idées et dans le langage même
du Père Aubry ? Et dans quelle mesure celui-ci est-il l'interprète de
l'auteur ?

● **Le prêtre juge de l'amour**

    ④ Le thème de la fragilité des affections humaines — amour, amitié —
est traditionnel. Cherchez-en d'autres exemples, notamment chez Bossuet,
La Bruyère, La Rochefoucauld, Voltaire — et Chateaubriand lui-même.

    ⑤ En reprenant ce lieu commun, le Père Aubry commet-il une mala-
dresse, comme le pense l'abbé Morellet, ou bien cherche-t-il à détacher
Atala des biens terrestres qu'elle est sur le point de perdre ?

    ⑥ **Amour et amitié** — Le Père Aubry semble confondre ces deux sen-
timents. Dans quelle mesure exprime-t-il les tendances personnelles de
Chateaubriand ?

● **Le biblisme**

    ⑦ Montrer comment le missionnaire utilise la Bible pour étayer son
argumentation.

═══

» cœur : cette tête n'a pas toujours été chauve, ni ce sein
» aussi tranquille qu'il vous le paraît aujourd'hui. Croyez-en
365 » mon expérience : si l'homme, constant dans ses affections,
» pouvait sans cesse fournir[1] à un sentiment renouvelé sans
» cesse, sans doute la solitude et l'amour l'égaleraient à
» Dieu même[2] ; car ce sont là des deux éternels plaisirs du
» grand Être[3]. Mais l'âme de l'homme se fatigue, et jamais
370 » elle n'aime longtemps le même objet avec plénitude[4]. Il y
» a toujours quelques points par où deux cœurs ne se
» touchent pas, et ces points suffisent à la longue pour
» rendre la vie insupportable.

» Enfin, ma chère fille, le grand tort des hommes, dans
375 » leur songe de bonheur, est d'oublier cette infirmité de la
» mort attachée à leur nature : il faut finir[5]. Tôt ou tard,
» quelle qu'eût été votre félicité, ce beau visage se fût
» changé en cette figure uniforme que le sépulcre donne à
» la famille d'Adam ; l'œil même de Chactas n'aurait pu
380 » vous reconnaître entre vos sœurs de la tombe. L'amour
» n'étend point son empire sur les vers du cercueil[6]. Que
» dis-je ? (ô vanité des vanités[7] !) Que parlé-je de la puis-
» sance des amitiés de la terre ? Voulez-vous, ma chère
» fille, en connaître l'étendue ? Si un homme revenait à la
385 » lumière, quelques années après sa mort, je doute qu'il fût
» revu[8] avec joie, par ceux-là même qui ont donné le plus
» de larmes à sa mémoire : tant on forme vite d'autres
» liaisons, tant on prend facilement d'autres habitudes, tant
» l'inconstance est naturelle à l'homme, tant notre vie

---

1. Satisfaire à. — 2. La 1ʳᵉ éd. du *Génie du christianisme* (1ʳᵉ partie, livre 1, ch. 9) défi-
nissait Dieu « l'éternel Célibataire des mondes », formule qui fut critiquée et disparut, mais
dont l'idée se retrouve implicitement ici. — 3. Expression empruntée à Rousseau (*Profession
de foi du Vicaire savoyard*). — 4. Voir, dans *René*, une réflexion analogue sur l'inconstance de
l'amitié « que la présence attiédit, que l'absence efface, qui ne résiste point au malheur, et
encore moins à la prospérité ». Voir aussi *Mémoires* (II, p. 402). — 5. Cette idée, *il faut finir*,
rappelle la formule par laquelle le Frère Prieur éveille les moines trappistes : « Frère,
il faut mourir » ; à quoi les moines répondent : *Deo gratias !*. Voir *le Génie du christianisme*
(1ʳᵉ partie, I, 9). — 6. On trouve la même image (biblique) chez Malherbe, *Consolation à
du Périer* (V, 21-24). — 7. Voir l'*Ecclésiaste* : « *Vanitas vanitatum et omnia vanitas !* », cité
par Bossuet dans l'*Oraison funèbre d'Henriette d'Angleterre*. — 8. Emploi classique du subjonctif imparfait pour le conditionnel présent : serait revu.

390 » est peu de chose même dans le cœur de nos amis[1] !
» Remerciez donc la Bonté divine, ma chère fille, qui vous
» retire si vite de cette vallée de misère[2]. Déjà le vêtement
» blanc et la couronne éclatante des vierges se préparent
» pour vous sur les nuées ; déjà j'entends la Reine des
395 » Anges[3] qui vous crie : « Venez, ma digne servante, venez,
» ma colombe[4], venez vous asseoir sur un trône de candeur,
» parmi toutes ces filles qui ont sacrifié leur beauté et leur
» jeunesse au service de l'humanité, à l'éducation des
» enfants et aux chefs-d'œuvre de la pénitence[5]. Venez,
400 » rose mystique[6], vous reposer sur le sein de Jésus-Christ.
» Ce cercueil, lit nuptial que vous vous êtes choisi, ne sera
» point trompé ; et les embrassements de votre céleste
» époux ne finiront jamais ! »

» Comme le dernier rayon du jour abat les vents et répand
405 le calme dans le ciel, ainsi la parole tranquille du vieillard
apaisa les passions dans le sein de mon amante. Elle ne
parut plus occupée que de ma douleur, et des moyens de
me faire supporter sa perte. Tantôt elle me disait qu'elle
mourrait heureuse, si je lui promettais de sécher mes pleurs ;
410 tantôt elle me parlait de ma mère, de ma patrie ; elle cherchait à me distraire de la douleur présente, en réveillant en
moi une douleur passée. Elle m'exhortait à la patience, à la
vertu. « Tu ne seras pas toujours malheureux, disait-elle : si
» le ciel t'éprouve aujourd'hui, c'est seulement pour te rendre
415 » plus compatissant aux maux des autres[7]. Le cœur, ô
» Chactas, est comme ces sortes d'arbres qui ne donnent
» leur baume pour les blessures des hommes que lorsque le
» fer les a blessés eux-mêmes. »

---

1. Morellet blâme « cette morale désolante qui ne croît ni à l'amour constant, ni à l'amitié sincère » ; selon lui, Atala « ne peut y croire ni... y trouver des motifs de consolation ». — 2. Voir *Psaumes*, XXIX, 3 : « *Lacus miserias*, lac de misère » et LXXXIII, 7 : « *Vallis lacrymarum*, vallée de larmes », périphrases désignant la vie terrestre par opposition à la vie éternelle. — 3. La Sainte Vierge (voir p. 119, n. 6), encore appelée *Reine des vierges* (p. 66, l. 364). — 4. Terme poétique par lequel l'Époux du *Cantique des cantiques* désigne sa bien-aimée. — 5. Allusion aux ordres religieux (voir *le Génie du christianisme*, 4e partie, l. VI, chap. 3 et 4). — 6. Formule empruntée aux litanies de la Sainte Vierge : *rosa mystica*, pour désigner la mère du Christ. — 7. A côté du sentiment chrétien, il y a peut-être ici une réminiscence de l'*Énéide* (I, 628-630) : « Moi aussi [c'est Didon qui parle] j'ai traversé de longues épreuves... et l'expérience du malheur m'apprit à secourir les malheureux. »

» Quand elle avait ainsi parlé, elle se tournait vers le
420 missionnaire, cherchait auprès de lui le soulagement qu'elle
m'avait fait éprouver, et, tour à tour consolante et consolée,
elle donnait et recevait la parole de vie [1] sur la couche de la
mort.

» Cependant l'ermite redoublait de zèle. Ses vieux os
425 s'étaient ranimés par l'ardeur de la charité, et toujours préparant des remèdes, rallumant le feu, rafraîchissant la
couche, il faisait d'admirables discours sur Dieu et sur le
bonheur des justes [2]. Le flambeau de la religion à la main,
il semblait précéder Atala dans la tombe, pour lui en
430 montrer les secrètes merveilles [3]. L'humble grotte était
remplie de la grandeur de ce trépas chrétien, et les esprits
célestes étaient, sans doute, attentifs à cette scène où
la religion luttait seule contre l'amour, la jeunesse et la
mort.

435 » Elle triomphait, cette religion divine, et l'on s'apercevait de sa victoire à une sainte tristesse qui succédait dans
nos cœurs aux premiers transports des passions. Vers le
milieu de la nuit, Atala sembla se ranimer pour répéter des
prières que le religieux prononçait au bord de sa couche.
440 Peu de temps après, elle me tendit la main, et avec une voix
qu'on entendait à peine, elle me dit : « Fils d'Outalissi [4],
» te rappelles-tu cette première nuit où tu me pris pour la
» Vierge des dernières amours [5] ? Singulier présage de notre
» destinée ! » Elle s'arrêta ; puis elle reprit : « Quand je
445 » songe que je te quitte pour toujours, mon cœur fait un tel
» effort pour revivre que je me sens presque le pouvoir de
» me rendre immortelle à force d'aimer. Mais, ô mon Dieu,
» que votre volonté soit faite [6] ! » Atala se tut pendant
quelques instants ; elle ajouta : « Il ne me reste plus qu'à
450 » vous demander pardon des maux que je vous ai causés.

---

1. Celle de Dieu et de ses ministres (expression biblique). — 2. Dans *le Génie du christianisme*, le 8e chapitre du livre VI est intitulé : *Bonheur des justes*. — 3. « Je demande ici ce
que la tombe a de merveilleux : ce que la religion nous enseigne de l'autre vie est admirable
sans doute, mais ces merveilles ne sont pas *dans la tombe* » (Morellet). — 4. Voir p. 47, n. 10.
— 5. Voir p. 54, n. 3. — 6. Paroles du *Pater*, tirée du *Sermon sur la montagne* (Matthieu, VI,
10 et XXI, 42).

» Je vous ai beaucoup tourmenté par mon orgueil et mes
» caprices [1]. Chactas, un peu de terre jeté [2] sur mon corps
» va mettre tout un monde entre vous et moi, et vous délivrer
» pour toujours du poids de mes infortunes. »
455 « Vous pardonner, répondis-je noyé de larmes, n'est-ce
» pas moi qui ai causé tous vos malheurs ? » « Mon ami,
» dit-elle en m'interrompant, vous m'avez rendue très
» heureuse, et si j'étais à [3] recommencer la vie je préférerais

---

1. Morellet se demande « où, quand, comment, à quelle occasion » Atala a pu tourmenter ainsi Chactas. « C'est là, dit-il, la confession d'une coquette très civilisée. » — 2. Accord avec la locution adverbiale : *un peu*. — 3. Emploi classique du verbe être pour : avoir (à), suivi de l'infinitif.

● **La fin édifiante d'Atala** (l. 404-521)

① Montrez, par des citations, qu'Atala meurt en chrétienne. Comparez sa fin édifiante à celle d'Henriette d'Angleterre dans l'oraison funèbre de Bossuet, et à la mort de Julie dans *la Nouvelle Héloïse*.

② Quelle délicatesse Atala montre-t-elle, dans ses dernières volontés, à l'égard de Chactas ? Vous semble-t-elle se comporter en « coquette très civilisée », comme le dit l'abbé Morellet ?

③ Comparez le rayonnement surnaturel qu'Atala exerce sur son entourage à la conversion de Pauline et de Félix dans *Polyeucte*, de Corneille.

● **La vraisemblance**

④ Selon l'abbé Morellet, Chactas est incapable de comprendre les arguments et le langage du Père Aubry ; lui-même s'exprime « en chrétien et non en Sauvage » (voir notes). Discutez ces critiques, en tenant compte d'une part de l'éducation chrétienne que Chactas a reçue chez Lopez, d'autre part des dispositions religieuses du jeune sauvage au moment où il raconte ses aventures à René (voir le Prologue).

⑤ Selon d'autres critiques, la « conversion » de Chactas est trop brusque pour être naturelle. Quelles circonstances peuvent cependant justifier la révélation éprouvée par l'amant d'Atala ? Étudiez à ce sujet la portée psychologique des cérémonies du culte auxquelles Chateaubriand attachait lui-même tant d'importance.

⑥ Montrez que, dans cet épisode, le missionnaire reprend l'aspect traditionnel du prêtre dans l'accomplissement de son ministère.

● **L'orthodoxie chrétienne**

⑦ Le Père Aubry avait-il le droit d'accorder les derniers sacrements à Atala, alors que l'Église condamne le suicide ?

⑧ Comment la fin édifiante d'Atala répond-elle aux intentions apologétiques du roman ?

» encore le bonheur de vous avoir aimé quelques instants
460 » dans un exil infortuné à toute une vie de repos dans ma
» patrie. »

» Ici la voix d'Atala s'éteignit ; les ombres de la mort se
répandirent autour de ses yeux et de sa bouche[1] ; ses doigts
errants cherchaient à toucher quelque chose ; elle conversait
465 tout bas avec des esprits invisibles[2]. Bientôt, faisant un
effort, elle essaya, mais en vain, de détacher de son cou le
petit crucifix ; elle me pria de le dénouer moi-même, et elle
me dit :

« Quand je te parlai pour la première fois, tu vis cette
470 » croix briller à la lueur du feu sur mon sein ; c'est le seul
» bien que possède Atala. Lopez, ton père[3] et le mien,
» l'envoya à ma mère peu de jours après ma naissance.
» Reçois donc de moi cet héritage, ô mon frère, conserve-le
» en mémoire de mes malheurs. Tu auras recours à ce Dieu
475 » des infortunés dans les chagrins de ta vie. Chactas, j'ai
» une dernière prière à te faire. Ami, notre union aurait été
» courte sur la terre, mais il est après cette vie une plus
» longue vie. Qu'il serait affreux d'être séparée de toi pour
» jamais ! Je ne fais que te devancer aujourd'hui, et je te
480 » vais attendre[4] dans l'empire céleste. Si tu m'as aimée,
» fais-toi instruire dans la religion chrétienne, qui préparera
» notre réunion. Elle fait sous tes yeux un grand miracle,
» cette religion, puisqu'elle me rend capable de te quitter
» sans mourir dans les angoisses du désespoir[5]. Cependant,
485 » Chactas, je ne veux de toi qu'une simple promesse, je sais
» trop ce qu'il en coûte pour te demander un serment.
» Peut-être ce vœu te séparerait-il de quelque femme plus
» heureuse que moi... O ma mère, pardonne à ta fille. O
» Vierge, retenez votre courroux. Je retombe dans mes

---

1. Voir le *Livre de Job* : « Qu'il soit couvert des ténèbres et de l'ombre de la mort, qu'une noire obscurité l'environne. » — 2. Ces *esprits invisibles* rappellent Ossian ; mais l'idée est naturelle de la part d'un jeune sauvage. — 3. *Ton père* : il s'agit, bien entendu, d'une image (voir *frère*, l. 473), appellation affectueuse et chrétienne) : allusion à Lopez, protecteur de Chactas (voir p. 48-50). — 4. Voir p. 39, n. 3. — 5. Idée chrétienne par excellence. Voir les adieux de Chateaubriand à son ami Clausel de Coussergues : « Les chrétiens ne se quittent que pour se retrouver. »

490 » faiblesses, et je te dérobe, ô mon Dieu, des pensées qui ne
» devraient être que pour toi ! »

» Navré[1] de douleur, je promis à Atala d'embrasser un
jour la religion chrétienne[2]. A ce spectacle, le Solitaire se
levant d'un air inspiré, et étendant les bras vers la voûte
495 de la grotte : « Il est temps, s'écria-t-il, il est temps d'appeler
» Dieu ici ! »

» A peine a-t-il prononcé ces mots qu'une force surnaturelle me contraint de tomber à genoux et m'incline la
tête au pied du lit d'Atala. Le prêtre ouvre un lieu secret où
500 était renfermée une urne d'or couverte d'un voile de soie ;
il se prosterne et adore[3] profondément. La grotte parut
soudain illuminée ; on entendit dans les airs les paroles des
anges et les frémissements des harpes célestes ; et lorsque le
Solitaire tira le vase sacré de son tabernacle, je crus voir
505 Dieu lui-même sortir du flanc de la montagne.

» Le prêtre ouvrit le calice[4] ; il prit entre ses deux doigts
une hostie blanche comme la neige, et s'approcha d'Atala,
en prononçant des mots mystérieux[5]. Cette sainte avait les
yeux levés au ciel, en extase. Toutes ses douleurs parurent
510 suspendues, toute sa vie se rassembla sur sa bouche ; ses
lèvres s'entrouvrirent et vinrent avec respect chercher le
Dieu caché sous le pain mystique[6]. Ensuite le divin vieillard
trempe un peu de coton dans une huile consacrée ; il en frotte
les tempes d'Atala[7], il regarde un moment la fille mou-
515 rante, et tout à coup ces fortes paroles lui échappent :
« Partez, âme chrétienne : allez rejoindre votre Créateur[8] ! »

---

1. Blessé, accablé (sens classique). — 2. Chactas tiendra effectivement sa promesse : voir l'épilogue, p. 160, n. 4. — 3. Cet emploi intransitif est biblique, et passé dans la langue religieuse ; voir le cantique « *Venite, adoremus* ; Venez, adorons. » — 4. Légère inexactitude : Chateaubriand (ou Chactas) confond ici *le calice* (qui sert à la consécration du vin pendant la messe) avec le ciboire (où sont conservées les hosties consacrées). — 5. Ici, c'est Chactas jeune qui parle : devenu vieux, et même sans avoir été baptisé, Chactas doit être suffisamment instruit d'une religion qu'il est prêt à embrasser, pour comprendre le sens des paroles sacramentelles. Dans tout ce récit, les souvenirs de jeunesse se mêlent aux réflexions actuelles du vieillard. — 6. L'hostie. — 7. Chactas décrit ici, avec quelque fantaisie, les rites de l'extrême-onction, reproduits avec plus d'exactitude dans *le Génie du christianisme* (1re partie, l. I, ch. XI). — 8. Voir la prière pour les agonisants : « *Proficiscere, anima christiana* ; Partez, âme chrétienne. »

Relevant alors ma tête abattue, je m'écriai, en regardant le vase où était l'huile sainte : « Mon père, ce remède rendra- » t-il la vie à Atala ? » « Oui, mon fils, dit le vieillard en tom-
520 » bant dans mes bras, la vie éternelle[1] ! » Atala venait d'expirer. »

Dans cet endroit[2], pour la seconde fois depuis le commen-cement de son récit[3], Chactas fut obligé de s'interrompre. Ses pleurs l'inondaient, et sa voix ne laissait échapper que
525 des mots entrecoupés. Le Sachem aveugle ouvrit son sein, il en tira le crucifix d'Atala.

« Le voilà, s'écria-t-il, ce gage de l'adversité ! O René, ô mon fils, tu le vois ; et moi, je ne le vois plus ! Dis-moi, après tant d'années, l'or n'en est-il point altéré ? N'y vois-tu
530 point la trace de mes larmes ? Pourrais-tu reconnaître l'en-droit qu'une sainte a touché de ses lèvres ? Comment Chactas n'est-il point encore chrétien[4] ? Quelles frivoles raisons de politique et de patrie l'ont jusqu'à présent retenu dans les erreurs de ses pères ? Non, je ne veux pas tarder
535 plus longtemps. La terre me crie : « Quand donc descendras- » tu dans la tombe, et qu'attends-tu pour embrasser une » religion divine ? » O terre, vous ne m'attendrez pas long-temps : aussitôt qu'un prêtre aura rajeuni dans l'onde[5] cette tête blanchie par les chagrins, j'espère me réunir à
540 Atala. Mais achevons ce qui me reste à conter de mon histoire : »

---

1. Le comte de Marcellus rapproche de ce passage le vers de Lamartine dans *Jocelyn* (Pro-logue, v. 75) : « Il a gagné la mort. — Oui, lui dis-je, et le ciel ! » Comparez aussi le vers de Corneille, dans *Polyeucte* : « Où me conduisez-vous ? — A la mort ! — A la gloire ! » — 2. Ce moment (sens classique). — 3. Rappel opportun du prologue (voir p. 47, n. 1). — 4. Dans l'épi-logue, René apprendra que Chactas a reçu le baptême : sans doute peu après sa visite à l'er-mite. — 5. Aux yeux des chrétiens, le baptême constitue une « renaissance » : d'où le prénom *René* (proprement : né une seconde fois, par le baptême).

Gravure de Gustave Doré pour l'édition de 1863

... une force surnaturelle me contraint de tomber à genoux et m'incline la tête au pied du lit d'Atala.

(Le drame, l. 497-499)

Gravure de Gustave Doré pour l'édition de 1863

*Nous convînmes que nous partirions le lendemain
au lever du soleil pour enterrer Atala sous l'arche
du pont naturel, à l'entrée des Bocages de la mort.*

(Les funérailles, l. 38-41)

LES FUNÉRAILLES[1]

« Je n'entreprendrai point, ô René, de te peindre aujour-
d'hui le désespoir qui saisit mon âme, lorsque Atala eut
rendu le dernier soupir. Il faudrait avoir plus de chaleur[2]
qu'il ne m'en reste ; il faudrait que mes yeux fermés se
5 pussent rouvrir au soleil, pour lui demander compte des
pleurs qu'ils versèrent à sa lumière[3]. Oui, cette lune qui
brille à présent sur nos têtes se lassera d'éclairer les solitudes
du Kentucky ; oui, le fleuve qui porte maintenant nos
pirogues suspendra le cours de ses eaux, avant que mes
10 larmes cessent de couler pour Atala[4] ! Pendant deux jours
entiers, je fus insensible aux discours de l'ermite. En essayant
de calmer mes peines, cet excellent homme ne se servait point
des vaines raisons de la terre, il se contentait de me dire :
« Mon fils, c'est la volonté de Dieu », et il me pressait dans
15 ses bras. Je n'aurais jamais cru qu'il y eût tant de consolation dans ce peu de mots du chrétien résigné, si je ne l'avais
éprouvé moi-même.

» La tendresse, l'onction, l'inaltérable patience du vieux
serviteur de Dieu vainquirent enfin l'obstination de ma
20 douleur. J'eus honte des larmes que je lui faisais répandre.
« Mon père, lui dis-je, c'en est trop : que les passions d'un
» jeune homme ne troublent plus la paix de tes jours[5].
» Laisse-moi emporter les restes de mon épouse ; je les
» ensevelirai dans quelque coin du désert, et si je suis encore
25 » condamné à la vie je tâcherai de me rendre digne de ces
» noces éternelles qui m'ont été promises par Atala. »

---

1. Dans un article des *Annales de Normandie* (mai 1913) intitulé « La couleur romantique
dans les contes de Maupassant », M. R. Garapon établit un parallèle entre le récit des funérailles d'Atala et une page de *Miss Harriet* (éd. Conard, p. 33-35) : « Les détails de beauté
que l'on trouve à chaque ligne chez Chateaubriand se transforment régulièrement chez
Maupassant en détails de laideur ; mais l'émotion... reste fondamentalement la même :
c'est la pitié que tout être humain ressent devant la mort causée par l'amour. » — 2. *Chaleur*
vitale : forces. — 3. Morellet critique l'obscurité de cette métaphore. — 4. Procédé de
rhétorique qui se rattache à l'ironie ou démonstration par l'absurde, en usage chez les
Anciens (p. ex. Virgile, *Bucoliques*, I, 59-64 ; VIII, 27-28, etc.). — 5. Le brusque tutoiement
marque la piété « filiale » de Chactas envers le P. Aubry.

» A ce retour inespéré de courage, le bon père tressaillit de joie ; il s'écria : « O sang de Jésus-Christ, sang de mon » divin maître, je reconnais là tes mérites ! Tu sauveras sans 30 » doute ce jeune homme. Mon Dieu, achève ton ouvrage. » Rends la paix à cette âme troublée, et ne lui laisse de ses » malheurs que d'humbles et utiles souvenirs. »

» Le juste [1] refusa de m'abandonner le corps de la fille de Lopez, mais il me proposa de faire venir ses Néophytes et de 35 l'enterrer avec toute la pompe chrétienne ; je m'y refusai à mon tour. « Les malheurs et les vertus d'Atala, lui dis-je, » ont été inconnus des hommes ; que sa tombe, creusée furti- » vement par nos mains, partage cette obscurité ! » Nous convînmes que nous partirions le lendemain au lever du 40 soleil pour enterrer Atala sous l'arche du pont naturel [2], à l'entrée des Bocages de la mort [3]. Il fut aussi résolu que nous passerions la nuit en prières auprès du corps de cette sainte.

» Vers le soir, nous transportâmes ses précieux restes à une ouverture de la grotte, qui donnait vers le nord. L'ermite 45 les avait roulés dans une pièce de lin d'Europe, filé par sa mère : c'était le seul bien qui lui restât de sa patrie, et depuis longtemps il le destinait à son propre tombeau [4]. Atala était couchée sur un gazon de sensitives [5] de mon- tagnes ; ses pieds, sa tête, ses épaules et une partie de son 50 sein étaient découverts. On voyait dans ses cheveux une fleur de magnolia [6] fanée... celle-là même que j'avais déposée sur le lit de la vierge pour la rendre féconde [7]. Ses lèvres, comme un bouton de rose cueilli depuis deux matins, sem- blaient languir et sourire. Dans ses joues d'une blancheur 55 éclatante, on distinguait quelques veines bleues. Ses beaux yeux étaient fermés, ses pieds modestes étaient joints, et ses mains d'albâtre pressaient sur son cœur un crucifix d'ébène ; le scapulaire [8] de ses vœux était passé sur son cou.

---

1. Nouvelle périphrase désignant le P. Aubry. — 2. Voir p. 109, n. 1. — 3. Voir p. 110, n. 2. — 4. Ce geste de charité chrétienne est comparé par M. H. Guillemin à celui du curé de Valneige donnant les planches de son lit pour faire un cercueil au pauvre « colporteur » juif, à qui les villageois refusent une sépulture décente à cause de sa religion (*Jocelyn*, 9e époque, v. 212). — 5. Plantes ainsi nommées à cause de l'irritabilité de leurs feuilles qui s'abaissent au moindre contact ; très répandues en Amérique tropicale. — 6. Voir p. 40, n. 6. — 7. Voir p. 108, l. 126. — 8. Voir p. 120, n. 3.

Elle paraissait enchantée [1] par l'Ange de la mélancolie et par
60 le double sommeil de l'innocence et de la tombe. Je n'ai rien
vu de plus céleste. Quiconque eût ignoré que cette jeune
fille avait joui de la lumière [2] aurait pu la prendre pour la
statue de la Virginité endormie.

» Le religieux ne cessa de prier toute la nuit. J'étais assis
65 en silence au chevet du lit funèbre de mon Atala. Que de
fois, durant son sommeil, j'avais supporté sur mes genoux

---

1. Envoûtée (sens classique). — 2. Périphrase alambiquée pour: avait été vivante.

● **Les funérailles d'Atala**

Les préparatifs (l. 1-47)

① Quels traits montrent la délicatesse et la générosité du Père Aubry
à l'égard de Chactas et d'Atala ?

② En refusant pour Atala des funérailles publiques, Chactas obéit-il
seulement à un sentiment de discrétion et de respect pour la mémoire
de son amante ? Ne peut-on voir aussi, dans ce désir de simplicité
posthume, un trait de l'amour romantique, égoïste et exclusif, qui se
plaît à s'envelopper de mystère et ne peut s'épanouir que dans l'isolement? La sépulture de Chateaubriand lui-même, au Grand Bé, face à
la mer, ne relève-t-elle pas du même état d'esprit qui tend à isoler de la
foule indiscrète le génie au destin exceptionnel ?

Atala sur son lit de mort (l. 48-63)

③ Montrez que tous les détails de cette description tendent à préparer
la comparaison finale avec la statue de *la Virginité endormie* (l. 63).

④ L'image que Chateaubriand nous offre ici de la mort n'a rien de
macabre, mais tend au contraire à donner une impression de fraîcheur,
de grâce et de paix : quels détails concourent à produire cette impression ? Comparez ce tableau de la jeune morte au sonnet de Ronsard :
« Comme on voit sur la branche... » (*Amours de Marie*, II, 4) et aux scènes
funèbres d'A. Chénier dans les *Élégies* et les *Bucoliques* : en particulier,
au célèbre poème de « la Jeune Tarentine ».

L'art de l'écrivain

⑤ Dans le tableau d'Atala sur son lit de mort, on recherchera les
éléments qui donnent à ce portrait funèbre une couleur poétique : choix
et groupement des détails ; associations ou contrastes des couleurs ;
images et comparaisons ; harmonie « affective », etc. Après la lecture
de cette description, pouvez-vous souscrire au jugement que le critique
Doudan porte sur *Chateaubriand coloriste* : « Le goût de la couleur arrive
à dépraver l'âme » ?

cette tête charmante ! Que de fois je m'étais penché sur elle,
pour entendre et pour respirer son souffle ! Mais à présent
aucun bruit ne sortait de ce sein immobile, et c'était en vain
70 que j'attendais le réveil de la beauté !

» La lune prêta son pâle flambeau à cette veillée funèbre.
Elle se leva au milieu de la nuit, comme une blanche vestale [1] qui vient pleurer sur le cercueil d'une compagne.
Bientôt elle répandit dans les bois ce grand secret de mélan-
75 colie, qu'elle aime à raconter aux vieux chênes et aux rivages
antiques des mers [2]. De temps en temps, le religieux plon-
geait un rameau fleuri dans une eau consacrée [3], puis
secouant la branche humide il parfumait la nuit des baumes
du ciel [4] ! Parfois il répétait sur un air antique quelques
80 vers d'un vieux poète nommé Job [5] ; il disait :

« J'ai passé comme une fleur ; j'ai séché comme l'herbe des
» champs [6].

» Pourquoi la lumière a-t-elle été donnée à un misérable,
» et la vie à ceux qui sont dans l'amertume du cœur [7] ? »

85 » Ainsi chantait l'ancien des hommes [8]. Sa voix grave et
un peu cadencée allait roulant [9] dans le silence des déserts.
Le nom de Dieu et du tombeau sortait de tous les échos, de
tous les torrents, de toutes les forêts. Les roucoulements de
la colombe de Virginie, la chute d'un torrent dans la mon-
90 tagne, les tintements de la cloche [10] qui appelait les voya-

---

1. Prêtresse de Vesta, vouée à la virginité ; trait antique assez inattendu dans la bouche
d'un sauvage. — 2. « Un homme de sens, en lisant cette phrase recherchée et contournée, en
reçoit-il quelques idées nettes ? » demande le « philosophe » Morellet. Flaubert, par contre,
en admirait justement l'harmonie. — 3. Eau bénite. — 4. Morellet critique encore cette
image : « Cette dénomination de *parfums* et de *baumes* ne peut être donnée à un peu d'eau
commune et salée, qui n'a ni baume ni parfum. Enfin, comment Chactas, idolâtre, a-t-il pu
peut-il voir dans l'eau bénite les *parfums du ciel* ? » — 5. Personnage de la Bible, devenu
le symbole de la misère stoïque. — 6. Voir *Job* (XIV, 1) et le *Psaume* CII, paraphrasé par
Bossuet : « Madame... a passé comme l'herbe des champs ; ... le soir, nous la vîmes séchée »
(*Oraison funèbre d'Henriette d'Angleterre*). — 7. Voir *Job*, III, 20. — 8. Périphrase « indienne ».
— 9. Voir p. 82, n. 5. — 10. Ce détail semble indiquer que le P. Aubry appartenait, comme
le pense l'abbé Sage, à une communauté de missionnaires.

geurs, se mêlaient à ces chants funèbres, et l'on croyait
entendre dans les Bocages de la mort [1] le chœur lointain des
décédés, qui répondait à la voix du Solitaire.

» Cependant une barre d'or se forma dans l'Orient [2].
95 Les éperviers criaient sur les rochers, et les martres [3] ren-
traient dans le creux des ormes : c'était le signal du convoi
d'Atala. Je chargeai le corps sur mes épaules ; l'ermite
marchait devant moi, une bêche à la main. Nous commençâmes à descendre de rocher en rocher ; la vieillesse et la
100 mort ralentissaient également nos pas. A la vue du chien

---

1. Voir p. 110, n. 2. — 2. Comparer à Flaubert, *Salammbô* (ch. I) : « Une barre lumineuse
s'élève du côté de l'orient. » — 3. *Martre* ou marte : genre de mammifères carnivores de
la famille des mustélidés.

● **La cérémonie funèbre** (l. 71-143)

Le « romantisme »

① Étudiez dans ce passage les traits « romantiques » : le décor (la lune,
la cloche, les torrents) ; les thèmes (la jeune morte, la mélancolie, le
sentiment de la nature). Comment le paysage s'accorde-t-il avec le sujet
de la description (voir Documents, p. 185 : « Et la lune... ») ?

② Comparez ce tableau funèbre à celui de *Jocelyn* (9e époque, v. 1684-
1886) ; relevez les traits communs aux deux textes : tombe sous l'arche
d'un pont ; dans le lit d'un torrent ; époux portant lui-même la morte ;
Jocelyn « creusant de ses mains la fosse au cimetière », etc.

Le biblisme

③ Relevez les citations bibliques : comment s'accordent-elles avec le
récit ? Quels éléments poétiques ajoutent-elles à la scène ?

④ Comparez l'usage que Bossuet et Chateaubriand font de la Bible
(voir en particulier l'*Oraison funèbre d'Henriette d'Angleterre*).

Le style

⑤ Relevez et commentez les images : distinguez celles qui sont conven-
tionnelles ou traditionnelles, et celles qui sont originales.

⑥ Morellet reproche à Chateaubriand un excès de recherche et l'obscurité de son style métaphorique : « C'est là, dit-il, de la prose poétique,
qui montre l'auteur à découvert, et non un discours dramatique appro-
prié à son personnage. » Qu'en pensez-vous ?

⑦ Étudiez l'harmonie du paragraphe (l. 71-76) que Gustave Flaubert
aimait à répéter à haute voix. (Voir p. 146, n. 2.)

qui nous avait trouvés dans la forêt, et qui maintenant, bondissant de joie, nous traçait une autre route, je me mis à fondre en larmes. Souvent la longue chevelure d'Atala, jouet des brises matinales, étendait son voile d'or sur mes yeux [1]
105 souvent pliant sous le fardeau, j'étais obligé de le déposer sur la mousse, et de m'asseoir auprès, pour reprendre des forces. Enfin, nous arrivâmes au lieu marqué par ma douleur ; nous descendîmes sous l'arche du pont. O mon fils, il eût fallu voir un jeune Sauvage et un vieil ermite, à genoux
110 l'un vis-à-vis de l'autre dans un désert, creusant avec leurs mains un tombeau pour une pauvre fille dont le corps était étendu près de là, dans la ravine desséchée d'un torrent [2] !

» Quand notre ouvrage fut achevé, nous transportâmes la beauté dans son lit d'argile [3]. Hélas ! j'avais espéré de [4]
115 préparer une autre couche pour elle ! Prenant alors un peu de poussière dans ma main, et gardant un silence effroyable, j'attachai, pour la dernière fois, mes yeux sur le visage d'Atala. Ensuite je répandis la terre du sommeil sur un front de dix-huit printemps [5] ; je vis graduellement dispa-
120 raître les traits de ma sœur, et ses grâces se cacher sous le rideau de l'éternité ; son sein surmonta quelque temps le sol noirci, comme un lis blanc s'élève du milieu d'une sombre argile : « Lopez, m'écriai-je alors, vois ton fils inhumer ta » fille ! » et j'achevai de couvrir Atala de la terre du sommeil.
125 » Nous retournâmes à la grotte, et je fis part au missionnaire du projet que j'avais formé de me fixer près de lui. Le saint, qui connaissait merveilleusement le cœur de l'homme, découvrit ma pensée et la ruse de ma douleur. Il me dit : « Chactas, fils d'Outalissi [6], tandis qu'Atala a vécu, je vous ai
130 » sollicité moi-même de demeurer auprès de moi ; mais à

---

1. Voir *Odérahi* (p. 211) : « Je vis mon père Ourahou chargé du corps de sa fille, qu'il tenait par les mains, suspendue derrière lui : la longue chevelure de mon épouse couvrait son visage baigné de pleurs. » — 2. Lamartine s'est souvenu des funérailles d'Atala dans *Jocelyn.* — 3. Scène peinte par Girodet : *Atala au tombeau* (musée du Louvre ; voir illustration hors texte). — 4. Construction classique : ces changements de construction (directe ou indirecte) de l'infinitif complément de certains verbes sont nombreux dans l'histoire de la langue ; de nos jours encore, certains verbes admettent une double construction. — 5. « Quelle recherche dans les expressions d'un homme désolé ! » (Morellet). — 6. Voir p. 47, n. 10.

» présent votre sort est changé : vous vous devez à votre
» patrie [1]. Croyez-moi, mon fils, les douleurs ne sont point
» éternelles ; il faut tôt ou tard qu'elles finissent, parce que
» le cœur de l'homme est fini ; c'est une de nos grandes
135 » misères : nous ne sommes pas même capables d'être
» longtemps malheureux [2]. Retournez au Meschacebé :
» allez consoler votre mère, qui vous pleure tous les jours,
» et qui a besoin de votre appui. Faites-vous instruire dans
» la religion de votre Atala, lorsque vous en trouverez
140 » l'occasion [3], et souvenez-vous que vous lui avez promis
» d'être vertueux et chrétien. Moi, je veillerai ici sur son
» tombeau. Partez, mon fils. Dieu, l'âme de votre sœur, et
» le cœur de votre vieil ami vous suivront. »

» Telles furent les paroles de l'homme du rocher ; son
145 autorité était trop grande, sa sagesse trop profonde, pour ne
pas lui obéir. Dès le lendemain, je quittai mon vénérable
hôte qui, me pressant sur son cœur, me donna ses derniers
conseils, sa dernière bénédiction et ses dernières larmes. Je
passai au tombeau ; je fus surpris d'y trouver une petite
150 croix qui se montrait au-dessus de la mort, comme on aperçoit encore le mât d'un vaisseau qui a fait naufrage. Je jugeai
que le Solitaire était venu prier au tombeau, pendant la nuit ;
cette marque d'amitié et de religion fit couler mes pleurs en
abondance. Je fus tenté de rouvrir la fosse, et de voir encore
155 une fois ma bien-aimée ; une crainte religieuse me retint.
Je m'assis sur la terre fraîchement remuée. Un coude
appuyé sur mes genoux, et la tête soutenue dans ma main,
je demeurai enseveli dans la plus amère rêverie. O René,

---

1. Fénelon dit de même à Chactas dans *les Natchez* : « Mon fils, chaque homme se doit
à sa patrie. » Mais Chateaubriand n'exprime-t-il pas ici sa propre nostalgie d'émigré ? —
2. Selon Morellet, ce n'est là qu' « un paradoxe qui ne résiste pas à l'examen » ; mais l'idée est
dans la tradition « philosophique » du XVIIIe siècle. — 3. On s'est étonné que le P. Aubry
n'exige pas de Chactas une conversion immédiate, impliquant le baptême. Mais, comme
le dit l'abbé P. Sage : « Chactas est un jeune Sauvage au cœur droit... L'adhésion au christianisme n'est pas pour lui d'une urgente nécessité. Ce qui importe d'abord, c'est qu'il soit
vertueux. Il sera déjà chrétien par là ; le baptême, *à l'occasion*, couronnera ses vœux. » La
confiance du P. Aubry en la vertu naturelle de l'homme n'est pas sans rappeler celle du
Vicaire savoyard de J.-J. Rousseau, et la philosophie optimiste dont elle témoigne est encore
un héritage du XVIIIe siècle.

c'est là que je fis, pour la première fois, des réflexions
160 sérieuses sur la vanité de nos jours, et la plus grande vanité
de nos projets ! Eh ! mon enfant, qui ne les a point faites ces
réflexions ! Je ne suis plus qu'un vieux cerf blanchi par les
hivers [1] ; mes ans le disputent à ceux de la corneille : eh
bien ! malgré tant de jours accumulés sur ma tête, malgré
165 une si longue expérience de la vie, je n'ai point encore ren-
contré d'homme qui n'eût été trompé dans ses rêves de
félicité, point de cœur qui n'entretînt une plaie cachée. Le
cœur le plus serein en apparence ressemble au puits naturel
de la savane Alachua [2] : la surface en paraît calme et pure,
170 mais quand vous regardez au fond du bassin vous apercevez un large crocodile que le puits nourrit dans ses eaux.

» Ayant ainsi vu le soleil se lever et se coucher sur ce lieu
de douleur, le lendemain, au premier cri de la cigogne, je me
préparai à quitter la sépulture sacrée. J'en partis comme de
175 la borne d'où je voulais m'élancer dans la carrière de la
vertu. Trois fois j'évoquai l'âme d'Atala [3] ; trois fois le Génie
du désert répondit à mes cris sous l'arche funèbre. Je saluai
ensuite l'Orient, et je découvris au loin, dans les sentiers de
la montagne, l'ermite qui se rendait à la cabane de quelque
180 infortuné. Tombant à genoux et embrassant étroitement la
fosse, je m'écriai : « Dors en paix dans cette terre étrangère,
» fille trop malheureuse ! Pour prix de ton amour, de ton
» exil et de ta mort, tu vas être abandonnée, même de
» Chactas ! » Alors versant des flots de larmes, je me séparai
185 de la fille de Lopez, alors je m'arrachai de ces lieux, laissant
au pied du monument de la nature un monument plus
auguste : l'humble tombeau de la vertu. »

---

1. Voir Documents, p. 186. — 2. Voir p. 56, l. 160 — 3. On peut rapprocher cette triple invocation d'un usage funéraire des Indiens, rapporté dans le *Voyage en Amérique* (O. C., VI, p. 119) : « Au lever du soleil, on pousse de grands hurlements sur le cercueil d'écorce où gît le cadavre ; au coucher du soleil, les hurlements recommencent ; cela dure trois jours, au bout desquels le défunt est enterré. » D'autre part, L. Hogu (*op. cit.*, p. 160) voit ici « l'écho d'une coutume bretonne », signalée par Le Braz (*les Légendes de la mort chez les Bretons*) : « Pour reconnaître si une âme est damnée ou non, il suffit de se rendre au sortir du cimetière dans un lieu élevé et découvert... ; de là-haut, on crie le nom du mort par trois fois dans trois directions différentes. » Il est possible que Chateaubriand ait associé les deux coutumes, indienne et bretonne. Mais il faut noter aussi que, chez les Anciens comme chez les Hébreux, le nombre *trois* est un nombre « magique ».

● **Le départ de Chactas** (l. 125-187)

① L'optimisme confiant dont le Père Aubry fait preuve à l'égard de Chactas, en n'exigeant pas de lui une conversion immédiate, ne peut-il s'expliquer par des raisons non seulement philosophiques (voir p. 149, n. 3), mais encore religieuses ? Quelle eût été la valeur d'une conversion consentie sous l'effet du désespoir ? Les événements ne donnent-ils pas raison au prêtre ?

② Ce libéralisme « anti-pascalien » est lié, chez le missionnaire, à une certaine conception optimiste de la nature humaine, qui fait confiance à la « vertu » naturelle pour amener l'incroyant à la religion. Ne retrouvons-nous pas ici comme un écho de la « religion naturelle » du vicaire savoyard chez Rousseau ? Et le Père Aubry n'est-il pas aussi, dans une certaine mesure, l'interprète de Chateaubriand, encore partagé, à l'époque d'*Atala*, entre ses anciennes attaches « philosophiques » et sa foi chrétienne toute neuve ?

● **Le style « Empire »**

③ A côté du lyrisme personnel, nous trouvons, dans tout cet épisode des funérailles d'Atala, et dans l'ensemble du roman, les vestiges du style « Empire » ou « néo-classique », qui se caractérise par l'académisme, la recherche verbale, le goût de l'antique, et une certaine emphase romanesque. Donnez-en des exemples, en relevant, dans les critiques de Morellet, celles qui vous semblent valables.

④ Mais ces défauts, inhérents à l'époque, ne doivent pas nous faire oublier la profonde originalité de « l'Enchanteur », comme poète et comme artiste. Pourquoi a-t-on pu dire de Chateaubriand qu'il avait renouvelé la prose française ?

Gravure de P. P. Choffard pour l'édition de 1805

ÉPILOGUE

Chactas, fils d'Outalissi[1], le Natché, a fait cette histoire à René l'Européen. Les pères l'ont redite aux enfants, et moi, voyageurs aux terres lointaines, j'ai fidèlement rapporté ce que les Indiens m'en ont appris. Je vis dans ce récit le tableau
5 du peuple chasseur et du peuple laboureur, la religion, première législatrice des hommes, les dangers de l'ignorance et de l'enthousiasme religieux, opposés aux lumières, à la charité et au véritable esprit de l'Évangile, les combats des passions et des vertus dans un cœur simple, enfin le triomphe
10 du Christianisme sur le sentiment le plus fougueux et la crainte la plus terrible, l'amour et la mort.

Quand un Siminole me raconta cette histoire, je la trouvai fort instructive et parfaitement belle, parce qu'il y mit la

---

1. Voir p. 47, n. 10.

● **Le dessein d' « Atala »** (l. 1-20)

① En vous aidant des indications fournies par le premier paragraphe de l'Épilogue, analysez les intentions de Chateaubriand : montrez comment son dessein initial s'est modifié entre l'époque où le roman fut conçu et celle de sa rédaction (voir la préface). Dans quelle mesure la « conversion » de Chateaubriand après l'*Essai sur les révolutions* a-t-elle pu contribuer à ce changement d'optique ?

② Dans l'ensemble du Récit et dans le début de l'Épilogue, recherchez les traits ou les réflexions qui rattachent *Atala* au courant philosophique du XVIIIe siècle et ceux qui révèlent l'intention apologétique de l'auteur.

● **La composition**

③ Montrer qu'*Atala* est composée à la manière d'une tragédie antique.

④ Comment le drame est-il inséré dans le récit ? Donnez des exemples de ce procédé « rétrospectif » dans le roman moderne et au cinéma.

● **Le thème du souvenir**

⑤ Ses origines (voir le *Testament* de Villon : les *Regrets* de du Bellay) ; son utilisation romantique : chez Chateaubriand, Lamartine, Hugo, Musset.

fleur du désert, la grâce de la cabane, et une simplicité à
15 conter la douleur, que je ne me flatte pas d'avoir conservées.
Mais une chose me restait à savoir. Je demandais ce qu'était
devenu le Père Aubry, et personne ne me le pouvait[1] dire. Je
l'aurais toujours ignoré, si la Providence, qui conduit tout,
ne m'avait découvert ce que je cherchais. Voici comment la
20 chose se passa :

J'avais parcouru les rivages du Meschacebé, qui formaient
autrefois la barrière méridionale de la Nouvelle France[2], et
j'étais curieux de voir au nord l'autre merveille de cet
empire, la cataracte de Niagara[3]. J'étais arrivé tout près
25 de cette chute, dans l'ancien pays des Agonnonsioni[4],
lorsqu'un matin, en traversant une plaine, j'aperçus une
femme assise sous un arbre, et tenant un enfant mort sur
ses genoux. Je m'approchai doucement de la jeune mère, et
je l'entendis qui disait[5] :

30 « Si tu étais resté parmi nous, cher enfant, comme ta
» main eût bandé l'arc avec grâce ! Ton bras eût dompté
» l'ours en fureur ; et sur le sommet de la montagne tes pas
» auraient défié le chevreuil à la course. Blanche hermine
» du rocher, si jeune, être allé dans le pays des âmes !
35 » Comment feras-tu pour y vivre ? Ton père n'y est point
» pour t'y nourrir de sa chasse. Tu auras froid, et aucun
» esprit ne te donnera des peaux pour te couvrir. Oh ! il faut
» que je me hâte de t'aller rejoindre, pour te chanter des
» chansons, et te présenter mon sein. »

40 Et la jeune mère chantait d'une voix tremblante, balan-
çait l'enfant sur ses genoux, humectait ses lèvres du lait
maternel[6], et prodiguait à la mort tous les soins qu'on donne
à la vie.

Cette femme voulait faire sécher le corps de son fils sur

---

1. Sur l'antéposition du pronom *le*, voir p. 39, n. 3. — 2. Ancien nom du Canada, jusqu'en
1763. — 3. S'il est probable que Chateaubriand, qui parle ici par la bouche de Chactas,
visita effectivement les cataractes du *Niagara* (sans doute en août-septembre 1791), par
contre, il n'alla point dans la vallée du « Meschacebé » et ne put que s'en approcher après
s'être rendu aux cataractes du Niagara. — 4. « Les Iroquois » (note de l'auteur). — 5. Épisode inspiré de Carver. Voir p. 64-66, une scène analogue. — 6. Selon Carver, l'enfant mort
a quatre ans ; mais, chez les Indiens, les enfants tétaient leur mère jusqu'à sept ou huit ans :
voir le *Voyage en Amérique* (*O. C.*, VI, p. 67).

45 les branches d'un arbre, selon la coutume indienne [1], afin
de l'emporter ensuite aux tombeaux de ses pères. Elle
dépouilla donc le nouveau-né, et respirant quelques instants
sur sa bouche, elle dit : «Ame de mon fils, âme charmante, ton
» père t'a créée jadis sur mes lèvres par un baiser [2] ; hélas !
50 » les miens n'ont pas le pouvoir de te donner une seconde
» naissance ! » Ensuite elle découvrit son sein, et embrassa
ces restes glacés, qui se fussent ranimés au feu du cœur
maternel, si Dieu ne s'était réservé le souffle qui donne la vie.

Elle se leva et chercha des yeux un arbre sur les branches

---

1. Voir *ibid.* (*O. C.*, VI, p. 119) : « Quand un Sauvage meurt l'hiver à la chasse, son corps
est conservé sur les branches des arbres. » — 2. « Selon l'opinion des Sauvages, c'est le père
qui crée l'âme de l'enfant » (*ibid.*, *O. C.*, VI, p. 119).

● **L'itinéraire de Chateaubriand en Amérique**

① Certains sites américains que décrit Chateaubriand (comme la région
du Meschacebé ou Mississipi) n'ont pas été réellement observés ; par
contre, d'autres, comme les chutes du Niagara, sont dépeints d'après des
souvenirs personnels. Donnez des exemples de cette contamination
(consciente ou non) de l'expérience du voyageur et des réminiscences
livresques : la couleur locale, dans son ensemble, vous paraît-elle en
souffrir ? Voir p. 11 *le Voyage de Chateaubriand en Amérique*.

● **La peinture des mœurs sauvages**

② Comparez l'épisode de l'enfant mort à la scène de maternité du Récit
(p. 64-66, l. 328-349).

③ En rapprochant cet épisode du récit suivant de Carver, montrer
l'originalité de Chateaubriand :

«[La mère] allait tous les soirs au pied de l'arbre sur les branches duquel
étaient exposés les restes des personnes chéries, et, après avoir coupé
une boucle de ses cheveux, qu'elle jetait à terre, elle déplorait ses malheurs... « Si tu avais continué de vivre parmi nous, disait-elle, cher enfant,
» combien un arc aurait été bien placé entre tes mains et combien les
» flèches auraient été funestes aux ennemis de notre nation. Tu aurais
» souvent bu leur sang et mangé leur chair, et un grand nombre d'esclaves
» auraient récompensé tes travaux ; avec tes bras nerveux, tu aurais
» saisi le buffle blessé, ou combattu l'ours furieux. Tes pieds légers t'au-
» raient fait atteindre l'élan ou rendu l'égal du daim à la course, sur le
» sommet des montagnes... »

④ Montrez comment V. Hugo a utilisé ce passage d'*Atala* dans :
« La Canadienne suspendant au palmier le corps de son enfant »
(*V. Hugo raconté par un témoin de sa vie*, éd. Hetzel, I, 207).

55 duquel elle pût exposer son enfant. Elle choisit un érable à
fleurs rouges, festonné de guirlandes d'apios[1], et qui exha-
lait les parfums les plus suaves. D'une main elle en abaissa
les rameaux inférieurs, de l'autre elle y plaça le corps ;
laissant alors échapper la branche[2], la branche retourna à sa
60 position naturelle, emportant la dépouille de l'innocence,
cachée dans un feuillage odorant. Oh ! que cette coutume
indienne est touchante ! Je vous ai vu[3] dans vos campagnes
désolées, pompeux monuments des Crassus et des César[4],
et je vous préfère encore ces tombeaux aériens du Sauvage,
65 ces mausolées de fleurs et de verdure que parfume l'abeille,
que balance le zéphir, et où le rossignol[5] bâtit son nid et
fait entendre sa plaintive mélodie. Si c'est la dépouille d'une
jeune fille que la main d'un amant a suspendue à l'arbre de
la mort ; si ce sont les restes d'un enfant chéri qu'une mère
70 a placés dans la demeure des petits oiseaux, le charme
redouble encore. Je m'approchai de celle qui gémissait au
pied de l'érable ; je lui imposai les mains sur la tête, en
poussant les trois cris de douleur[6]. Ensuite, sans lui parler,
prenant comme elle un rameau, j'écartai les insectes qui
75 bourdonnaient autour du corps de l'enfant. Mais je me
donnai de garde[7] d'effrayer une colombe voisine. L'Indienne
lui disait : « Colombe, si tu n'es pas l'âme de mon fils qui
» s'est envolée[8], tu es, sans doute, une mère qui cherche
» quelque chose pour faire un nid. Prends de ces cheveux,
80 » que je ne laverai plus dans l'eau d'esquine[9], prends-en

---

1. Sorte de papilionacées aux tiges volubiles et dont les fleurs en grappes sont fort odo-
rantes. — 2. Construction archaïque, dite anacoluthe : le sujet du participe (= la mère)
n'est pas exprimé. — 3. Lapsus de l'auteur pour : *vus* (confusion probable entre l'objet
vous et l'apostrophe *monuments*). Par ailleurs, les règles modernes de l'accord du participe
sont généralement observées, selon l'usage de l'époque. — 4. En réalité Chateaubriand
n'était pas encore allé en Italie : son premier séjour à Rome eut lieu du 27 juin 1803 au
21 janvier 1804. — 5. Il n'y a pas de rossignols en Amérique, mais Chateaubriand aimait
ces oiseaux au chant mélodieux (voir le *Génie*, 1re partie, V, 5). — 6. Voir p. 150, n. 3 et Charlevoix : « [Chez les Indiens] ceux qui pleuraient les morts mettaient les deux mains sur la
tête de tous ceux qu'ils rencontraient. » — 7. Se donner garde de : se garder de (sens classique). — 8. De même, dans *les Natchez*, Céluta, voyant s'envoler un oiseau, demande :
« Est-ce que tu crois que ma fille va mourir, puisque la colombe s'est envolée ? » — 9. « L'*esquine* tient de la liane et de la ronce... Outre [sa] vertu sudorifique, elle a celle de faire
croître les cheveux, et les femmes... s'en servent... avec succès » (Le Page du Pratz).

» pour coucher tes petits : puisse le grand Esprit [1] te les
» conserver ! »

Cependant la mère pleurait de joie en voyant la politesse
de l'étranger. Comme nous faisions ceci, un jeune homme
85 approcha et dit : « Fille de Céluta [2], retire notre enfant,
» nous ne séjournerons pas plus longtemps ici, et nous par-
» tirons au premier soleil. » Je dis alors : « Frère, je te souhaite
» un ciel bleu, beaucoup de chevreuils, un manteau de
» castor, et l'espérance [3]. Tu n'es donc pas de ce désert ? »
90 « Non, répondit le jeune homme, nous sommes des exilés,
» et nous allons chercher une patrie. » En disant cela, le
guerrier baissa la tête dans son sein, et avec le bout de son
arc, il abattait la tête des fleurs. Je vis qu'il y avait des
larmes au fond de cette histoire, et je me tus. La femme
95 retira son fils des branches de l'arbre, et elle le donna à
porter à son époux. Alors je dis : « Voulez-vous me permettre
» d'allumer votre feu cette nuit ? » « Nous n'avons point de
» cabane, reprit le guerrier ; si vous voulez nous suivre,
» nous campons au bord de la chute. » « Je le veux bien,
100 » répondis-je », et nous partîmes ensemble [4].

Nous arrivâmes bientôt au bord de la cataracte [5], qui
s'annonçait par d'affreux mugissements. Elle est formée
par la rivière Niagara, qui sort du lac Érié, et se jette dans
le lac Ontario ; sa hauteur perpendiculaire est de cent
105 quarante-quatre pieds. Depuis le lac Érié jusqu'au Saut, le
fleuve accourt, par une pente rapide, et au moment de la
chute, c'est moins un fleuve qu'une mer, dont les torrents
se pressent à la bouche béante d'un gouffre. La cataracte se
divise en deux branches, et se courbe en fer à cheval. Entre

---

1. Voir p. 73, n. 9. — 2. *Atala* se rattache ainsi aux *Natchez* : l'Européen René, marié à la jeune Indienne Céluta, a eu d'elle une fille, Amélie : après la mort tragique de ses parents, « celle-ci parut triste le reste de sa vie... Elle eut elle-même, d'un mariage sans amour, une fille, plus malheureuse que sa mère » (éd. Chinard, p. 502). C'est de cette petite-fille de René qu'il s'agit ici. — 3. Voir Documents, p. 186. On trouve une scène analogue dans *les Natchez*. — 4. L'*Essai sur les révolutions* rapporte que Chateaubriand rencontra, près de la cararacte, une famille indienne, mais « elle était composée de deux femmes, avec deux petits enfants à la mamelle, et de trois guerriers », et il ne s'agissait pas d'exilés. — 5. Le paysage décrit a sans doute été observé. Mais Chateaubriand a pu se souvenir aussi de Carver (description du saut de Saint-Antoine, sur le Mississipi).

110 les deux chutes s'avance une île creusée en dessous, qui pend
avec tous ses arbres sur le chaos des ondes. La masse du
fleuve qui se précipite au midi s'arrondit en un vaste
cylindre, puis se déroule en nappe de neige, et brille au
soleil de toutes les couleurs. Celle qui tombe au levant des-
115 cend dans une ombre effrayante ; on dirait une colonne
d'eau du déluge. Mille arcs-en-ciel se courbent et se croisent
sur l'abîme. Frappant le roc ébranlé, l'eau rejaillit en tour-
billons d'écume, qui s'élèvent au-dessus des forêts, comme
les fumées d'un vaste embrasement. Des pins, des noyers
120 sauvages, des rochers taillés en forme de fantômes décorent
la scène. Des aigles entraînés par le courant d'air descendent
en tournoyant au fond du gouffre ; et des carcajous se suspendent par leurs queues flexibles [1] au bout d'une branche
abaissée, pour saisir dans l'abîme les cadavres brisés des
125 élans et des ours.

Tandis qu'avec un plaisir mêlé de terreur je contemplais
ce spectacle, l'Indienne et son époux me quittèrent. Je les
cherchai en remontant le fleuve au-dessus de la chute, et
bientôt je les trouvai dans un endroit convenable à leur
130 deuil. Ils étaient couchés sur l'herbe avec des vieillards,
auprès de quelques ossements humains enveloppés dans des
peaux de bêtes. Étonné de tout ce que je voyais depuis
quelques heures, je m'assis auprès de la jeune mère et je
lui dis : « Qu'est-ce que tout ceci, ma sœur ? » Elle me
135 répondit : « Mon frère, c'est la terre de la patrie ; ce sont les
» cendres de nos aïeux, qui nous suivent dans notre exil [2]. »
« Et comment, m'écriai-je, avez-vous été réduits à un tel
» malheur ? » La fille de Céluta repartit : « Nous sommes les
» restes des Natchez [3]. Après le massacre que les Français
140 » firent de notre nation pour venger leurs frères, ceux de
» nos frères qui échappèrent aux vainqueurs trouvèrent

---

1. Trait emprunté à Charlevoix. En réalité, le *carcajou* est un simple blaireau. — 2. Voir le
Voyage en Amérique, d'après Charlevoix : « Quand les Indiens ont plaidé leurs droits de
possession, ils se sont toujours servi de cet argument : dirons-nous aux os de nos pères :
levez-vous et suivez-nous dans une terre étrangère ? Cet argument n'étant point écouté,
qu'ont-ils fait ? Ils ont emporté les ossements qui ne les pouvaient suivre. » — 3. Voir
p. 42, n. 3.

» un asile chez les Chikassas [1] nos voisins. Nous y sommes
» demeurés assez longtemps tranquilles ; mais il y a sept
» lunes [2] que les Blancs de la Virginie se sont emparés de
145 » nos terres, en disant qu'elles leur ont été données par un
» roi d'Europe [3]. Nous avons levé les yeux au ciel et, chargés
» des restes de nos aïeux, nous avons pris notre route à
» travers le désert. Je suis accouchée [4] pendant la marche ;

---

1. Les *Chikassas* ou Chicacas avaient, selon Charlevoix, poussé les Natchez à la révolte qui amena l'anéantissement de leur nation ; ils recueillirent les survivants du massacre de 1731. Dès lors, l'histoire des deux peuplades est confondue. — 2. Mois. — 3. Charles Édouard, roi d'Angleterre (1720-1788). La Virginie était colonie anglaise depuis 1624. — 4. Emploi classique de l'auxiliaire *être* là où nous employons aujourd'hui l'auxiliaire *avoir*, pour marquer l'action.

● **Les cataractes du Niagara** (l. 101-125)

L'*Essai sur les révolutions* contient un premier état de cette description. On comparera les deux textes, en montrant comment, dans *Atala*, l'auteur a simplifié et épuré la rédaction initiale. Voici le texte de l'*Essai sur les révolutions* (2ᵉ partie, ch. XXIII) :

« Elle [la cataracte] est formée par la rivière Niagara qui sort du lac Érié et se jette dans l'Ontario. A environ neuf milles de ce dernier lac se trouve la chute ; sa hauteur perpendiculaire peut être d'environ deux cents pieds. Mais ce qui contribue à la rendre si violente, c'est que, depuis le lac Érié jusqu'à la cataracte, le fleuve arrive toujours en déclinant par une pente rapide, dans un cours de près de six lieues ; en sorte qu'au moment même du saut c'est moins une rivière qu'une mer impétueuse, dont les cent mille torrents se pressent à la bouche béante d'un gouffre. La cataracte se divise en deux branches et se courbe en fer à cheval d'environ un demi-mille de circuit. Entre les deux chutes s'avance un énorme rocher creusé en dessous qui pend avec tous ses sapins sur le chaos des ondes. La masse du fleuve, qui se précipite au midi, se bombe et s'arrondit comme un vaste cylindre au moment qu'elle quitte le bord, puis se déroule en nappe de neige et brille au soleil de toutes les couleurs du prisme : celle qui tombe au Nord descend dans une ombre effrayante comme une colonne d'eau du déluge. Des arcs-en-ciel sans nombre se courbent et se croisent sur l'abîme, dont les terribles mugissements ressemblent aux fumées épaisses d'un vaste embrasement. Des rochers démesurés, taillés en forme de fantômes, décorent la scène sublime ; des noyers sauvages, d'un aubier rougeâtre et écailleux, croissent chétivement sur ces squelettes fossiles. On ne voit auprès aucun animal vivant, hors des aigles qui, en planant au-dessus de la cataracte où ils viennent chercher leur proie, sont entraînés par le courant d'air et forcés de descendre en tournoyant dans l'abîme. Quelque carcajou tigré, se suspendant par sa longue queue à l'extrémité d'une branche abaissée, essaie d'attraper les débris des corps noyés des élans et des ours que la remole jette à bord. »

» et comme mon lait était mauvais, à cause de la douleur,
150 » il a fait mourir mon enfant. » En disant cela, la jeune
mère essuya ses yeux avec sa chevelure ; je pleurais aussi.

Or je dis bientôt : « Ma sœur, adorons le grand Esprit [1],
» tout arrive par son ordre. Nous sommes tous voyageurs [2] ;
» nos pères l'ont été comme nous ; mais il y a un lieu où
155 » nous nous reposerons. Si je ne craignais d'avoir la langue
» aussi légère que celle d'un Blanc, je vous demanderais si
» vous avez entendu parler de Chactas, le Natché ? » A ces
mots, l'Indienne me regarda et me dit : « Qui est-ce qui vous
» a parlé de Chactas, le Natché ? » Je répondis : « C'est la
160 » sagesse. » L'Indienne reprit : « Je vous dirai ce que je
» sais, parce que vous avez éloigné les mouches du corps de
» mon fils [3] et que vous venez de dire de belles paroles sur
» le grand Esprit. Je suis la fille de la fille de René l'Européen,
» que Chactas avait adopté. Chactas qui avait reçu le bap-
165 » tême [4], et René mon aïeul si malheureux ont péri dans le
» massacre. » « L'homme va toujours de douleur en douleur,
» répondis-je en m'inclinant. Vous pourriez donc aussi
» m'apprendre des nouvelles du Père Aubry ? » « Il n'a pas
» été plus heureux que Chactas, dit l'Indienne. Les Chéro-
170 » quois [5], ennemis des Français, pénétrèrent à sa Mission ;
» ils y furent conduits par le son de la cloche qu'on sonnait
» pour secourir les voyageurs [6]. Le Père Aubry se pouvait
» sauver [7] ; mais il ne voulut pas abandonner ses enfants, et

---

1. Voir p. 73, n. 9. — 2. Sur cette image du voyageur, voir p. 102, n. 2. — 3. Voir le *Voyage en Amérique* (*O. C.*, VI, p. 157) : « Le sang de nos proches tués dans la dernière guerre n'a point été essuyé ; leurs corps n'ont point été recouverts : il faut aller les garantir des mouches. » Sur cet usage, voir aussi p. 58, n. 6. — 4. Cette déclaration ne correspond pas au récit de la mort de Chactas dans *les Natchez* : « Le Sachem tira de son sein un crucifix que lui avait donné Fénelon... : Atala, dit-il d'une voix ranimée, que je meure dans ta religion ! Que j'accomplisse ma promesse au P. Aubry ! Je n'ai point été purifié par l'eau sainte ; mais je demande au ciel le baptême de désir. » Cette forme de baptême est acceptée par l'Église, mais on peut s'étonner que les sauvages en aient connu la valeur, et aussi que le vertueux Indien n'ait jamais reçu le sacrement rituel. — 5. Les *Chéroquois*, ou Cherokees, formaient avec les Muscogulges et les Siminoles la confédération des Creeks. — 6. Voir p. 96, l. 942. — 7. Tout cet épisode (le martyre du P. Aubry) est inspiré d'un récit de Charlevoix, qui rapporte la mort analogue du P. de Brébeuf, missionnaire chez les Hurons. Le *Génie du christianisme* (4e partie, l. III, ch. 8) reproduit ce récit, plus développé ; ici, le P. Lallemant, qui fut martyrisé avec le P. de Brébeuf (en 1649), est remplacé par un *Sauvage chrétien* (l. 180). Cela n'a rien d'invraisemblable, car les Indiens n'hésitaient pas à torturer leurs frères convertis.

» il demeura pour les encourager à mourir, par son exemple.
175 » Il fut brûlé avec de grandes tortures ; jamais on ne put
» tirer de lui un cri qui tournât à la honte de son Dieu, ou
» au déshonneur de sa patrie. Il ne cessa, durant le supplice,
» de prier pour ses bourreaux et de compatir au sort des
» victimes. Pour lui arracher une marque de faiblesse, les
180 » Chéroquois amenèrent à ses pieds un Sauvage chrétien,
» qu'ils avaient horriblement mutilé. Mais ils furent bien
» surpris, quand ils virent le jeune homme se jeter à genoux,
» et baiser les plaies du vieil ermite qui lui criait : « Mon
» enfant, nous avons été mis en spectacle aux anges et aux
185 » hommes. » Les Indiens furieux lui plongèrent un fer rouge
» dans la gorge, pour l'empêcher de parler. Alors, ne pouvant
» plus consoler les hommes, il expira.

» On dit que les Chéroquois, tout accoutumés qu'ils
» étaient à voir des Sauvages souffrir avec constance, ne
190 » purent s'empêcher d'avouer qu'il y avait dans l'humble
» courage du Père Aubry quelque chose qui leur était inconnu,
» et qui surpassait tous les courages de la terre. Plusieurs
» d'entre eux, frappés de cette mort, se sont faits chrétiens[1].

» Quelques années après, Chactas, à son retour de la
195 » terre des Blancs[2], ayant appris les malheurs du chef de
» la prière, partit pour aller recueillir ses cendres et celles
» d'Atala. Il arriva à l'endroit où était située la Mission,
» mais il put à peine le reconnaître. Le lac s'était débordé[3],
» et la savane était changée en un marais ; le pont naturel[4],
200 » en s'écroulant, avait enseveli sous ses débris le tombeau
» d'Atala et les Bocages de la mort[5]. Chactas erra longtemps
» dans ce lieu ; il visita la grotte du Solitaire qu'il trouva
» remplie de ronces et de framboisiers, et dans laquelle une
» biche allaitait son faon. Il s'assit sur le rocher de la Veillée
205 » de la mort, où il ne vit que quelques plumes tombées de

---

1. Détail peut-être emprunté aux *Lettres édifiantes* (VI, 66) : à la mort d'un chrétien dans les tortures, plusieurs de ces barbares, touchés d'un spectacle qui leur était si nouveau, se convertirent. Mais on pense aussi à la conversion de Pauline et de Félix dans *Polyeucte*, de Corneille. — 2. L'Europe. — 3. La forme pronominale *se déborder* s'employait dans la langue classique et encore au XIXᵉ siècle, à côté de la forme intransitive. — 4. Voir p. 109, n. 1. — 5. Voir p. 110, n. 2.

» l'aile de l'oiseau de passage[1]. Tandis qu'il y pleurait, le
» serpent familier[2] du missionnaire sortit des broussailles
» voisines, et vint s'entortiller à ses pieds. Chactas réchauffa
» dans son sein ce fidèle ami[3], resté seul au milieu de ces
210 » ruines. Le fils d'Outalissi[4] a raconté que plusieurs fois
» aux approches de la nuit il avait cru voir les ombres
» d'Atala et du Père Aubry s'élever dans la vapeur du cré-
» puscule[5]. Ces visions le remplirent d'une religieuse frayeur
» et d'une joie triste.

215 » Après avoir cherché vainement le tombeau de sa sœur
» et celui de l'ermite, il était près d'abandonner ces lieux,
» lorsque la biche de la grotte se mit à bondir devant lui[6].
» Elle s'arrêta au pied de la croix de la Mission. Cette croix
» était alors à moitié entourée d'eau ; son bois était rongé
220 » de mousse, et le pélican du désert aimait à se percher sur
» ses bras vermoulus. Chactas jugea que la biche reconnais-
» sante l'avait conduit au tombeau de son hôte. Il creusa
» sous la roche qui jadis servait d'autel, et il y trouva les
» restes d'un homme et d'une femme. Il ne douta point que
225 » ce ne fussent ceux du prêtre et de la vierge, que les anges
» avaient peut-être ensevelis dans ce lieu ; il les enveloppa
» dans des peaux d'ours, et reprit le chemin de son pays
» emportant les précieux restes, qui résonnaient sur ses
» épaules comme le carquois de la mort. La nuit, il le
230 » mettait sous sa tête, et il avait des songes d'amour et de
» vertu. O étranger, tu peux contempler ici cette poussière
» avec celle de Chactas lui-même ! »

Comme l'Indienne achevait de prononcer ces mots, je me
levai ; je m'approchai des cendres sacrées, et me prosternai

---

1. Le thème de *l'oiseau de passage* ou migrateur, symbole de la destinée humaine, apparaît souvent chez Chateaubriand. Ces migrations d'oiseaux sont décrites dans deux chapitres du *Génie du christianisme* (I, livre V). — 2. Voir p. 103, l. 32. — 3. Voir le *Voyage en
Amérique* (*O. C.*, VI, p. 108) : « Les Indiens apprivoisent les serpents au point de les faire
venir coucher l'hiver dans des boîtes placées au foyer d'une cabane. Ces singuliers pénates
sortent de leurs habitacles au printemps pour retourner dans les bois. » — 4. Voir p. 47, n. 10.
— 5. M. H. Guillemin pense que ce texte de Chateaubriand peut avoir suggéré à Lamartine
l'idée de la Vision qui termine *Jocelyn*, et dans laquelle apparaissent les ombres rayonnantes
des deux amants de Valneige. — 6. Intervention providentielle et romanesque. Peut-être
Chateaubriand se souvient-il ici de ses lectures sur le « cerf canadien », que l'on peut appri-
voiser, et sur sa femelle « qui est charmante » (*Voyage en Amérique*, *O. C.*, VI, p. 104).

235 devant elles en silence. Puis m'éloignant à grand pas, je
m'écriai : « Ainsi passe sur la terre tout ce qui fut bon,
» vertueux, sensible ! Homme, tu] n'es qu'un songe rapide,
» un rêve douloureux ; tu n'existes que par le malheur, tu
» n'es quelque chose que par la tristesse de ton âme et
240 » l'éternelle mélancolie de ta pensée ! »

Ces réflexions m'occupèrent toute la nuit. Le lendemain,
au point du jour, mes hôtes me quittèrent. Les jeunes

● **Le martyre du Père Aubry** (l. 175-193)

① Montrez l'intention apologétique de ce récit. Comparez le thème de
l'épilogue à celui des *Martyrs*.

② Comparez le martyre du Père Aubry à celui des Pères de Brébeuf et
Lallemant, dans Charlevoix :

« Il se riait également des menaces et des tortures, mais la vue de ses
chers néophytes cruellement traités à ses yeux répandait une grande
amertume sur la joie qu'il ressentait de voir ses espérances accomplies...
Un moment, on lui amena son compagnon qu'on avait enveloppé
d'écorce de pin ; et on se préparait à y mettre le feu... Dès que le Père
Lallemant aperçut le Père Brébeuf dans l'affreux état où on l'avait mis,
il frémit d'abord, ensuite il lui dit ces paroles de l'Apôtre : *Nous avons
été mis en spectacle au monde, aux anges et aux hommes...* Il courut se
jeter à ses pieds et baisa respectueusement ses plaies... »

③ Le thème du martyr dans la littérature chrétienne : donnez des
exemples du Moyen Age au XIXᵉ siècle.

● **L'anéantissement de la Mission et le retour de Chactas** (l. 215-253)

④ Commentez ce jugement de l'abbé P. Sage :

« Hélas ! cette douce évocation n'est que le rêve d'une heure ! la petite
société arcadienne campée dans le Paradis retrouvé est promise, comme
celle de Bernardin de Saint-Pierre, à la destruction et à la mort, si elle vient
à rencontrer l'humanité réelle, cupide et méchante. Chateaubriand, en
1801, ne paraît guère croire à l'avènement d'une société chrétienne sur
la terre. »

⑤ Comparez le retour de Chactas et celui de René au château paternel.
Rapprochez aussi cet épisode du récit des *Natchez* et des dernières lignes
de *Paul et Virginie*.

⑥ Dégagez les éléments romanesques, dans la découverte du tombeau
d'Atala.

● **Le style**

⑦ Étudiez le mélange de réalisme et de sublime épique. Analysez les
procédés oratoires : les antithèses, en particulier.

guerriers ouvraient la marche, et les épouses la fermaient ;
les premiers étaient chargés des saintes reliques ; les secondes
245 portaient leurs nouveau-nés ; les vieillards cheminaient lentement au milieu, placés entre leurs aïeux et leur postérité,
entre les souvenirs et l'espérance, entre la patrie perdue et
la patrie à venir[1]. Oh ! que de larmes sont répandues,
lorsqu'on abandonne ainsi la terre natale, lorsque du haut
250 de la colline de l'exil, on découvre pour la dernière fois le
toit où l'on fut nourri et le fleuve de la cabane, qui continue
de couler tristement à travers les champs solitaires de la
patrie !

Indiens infortunés que j'ai vus errer dans les déserts du
255 Nouveau-Monde, avec les cendres de vos aïeux, vous qui
m'aviez donné l'hospitalité malgré votre misère, je ne
pourrais vous la rendre aujourd'hui, car j'erre, ainsi que
vous, à la merci des hommes ; et moins heureux dans mon
exil, je n'ai point emporté les os de mes pères[2].

---

1. Cet exode des Indiens rappelle, à quelques détails près, les circonstances dans lesquelles Chateaubriand quitta la famille de sauvages qu'il avait rencontrée au Niagara
(*Essai sur les révolutions*, II, dernier chap.) : « Le lendemain, à mon réveil, j'aperçus la troupe
déjà prête pour le départ... Nos amis prirent la route du nord... Les guerriers partirent
devant, poussant le cri de marche ; les femmes cheminaient derrière, chargées des bagages
et des petits enfants qui, suspendus dans des fourrures aux épaules de leurs mères, se détournaient en souriant. » — 2. Le dernier paragraphe d'*Atala* est comme un abrégé de celui qui
termine l'*Essai sur les révolutions* : « Bienfaisants Sauvages ! Vous qui m'avez donné l'hospitalité... qu'il me soit permis de vous payer ici un tribut de reconnaissance. Puissiez-vous
jouir longtemps de votre précieuse indépendance !... Êtes-vous toujours ensemble, toujours
heureux ? Parlez-vous quelquefois de l'étranger de la forêt ?... Généreuse famille, son sort
est bien changé depuis la nuit qu'il passa avec vous ; mais du moins est-ce une consolation
pour lui si, tandis qu'il existe au-delà des mers, persécuté des hommes de son pays, son
nom est encore prononcé avec attendrissement par les pauvres Indiens. » Voir aussi Documents
p. 186.

Une jeune Siminole
Dessin de George Catlin

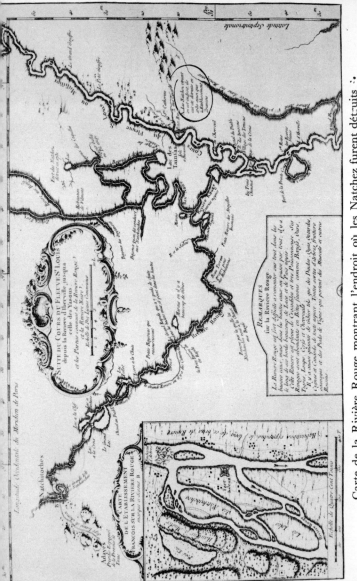

Carte de la Rivière Rouge montrant l'endroit où les Natchez furent détruits :.

B. N. Cl. Bordas

ÉTUDE D' « ATALA »

1. Les sources d'« Atala »

Pour composer son roman, Chateaubriand a puisé à diverses sources : lui-même nous en indique certaines dans les *Mémoires d'outre-tombe* et dans *le Génie du christianisme* ; d'autres ont pu être établies avec certitude. Quelques-unes, enfin, restent douteuses. Parmi ces emprunts, il faut distinguer ceux qui concernent la documentation de l'ouvrage (topographie, faune et flore américaines, mœurs des Indiens, vie des missionnaires), et ceux qui touchent au récit romanesque, à l'intrigue, aux thèmes philosophiques et aux intentions morales du roman.

La documentation : le cadre et la peinture des mœurs

Pour compléter son observation personnelle, recueillie au cours du voyage en Amérique, Chateaubriand s'est principalement référé à des récits de missionnaires et de voyageurs. Dans *le Génie du christianisme*, l'auteur rend hommage à ces missionnaires qui « ont décrit les annales élégantes et naïves de nos colonies ». Parmi ces récits, il cite en particulier l'*Histoire des Antilles* du P. Dutertre, et celle de *la Nouvelle France*, par Charlevoix[1]. — Dans les *Mémoires d'outre-tombe*, il mentionne également : Champlain, Lahontan, Lescarbot, Lafitau[2] et le recueil des *Lettres édifiantes*[3]. J. Bédier a établi de façon incontestable que ces diverses sources sont communes à plusieurs œuvres : *les Natchez*, le *Voyage en Amérique*, *Atala*, *le Génie du christianisme*, et, pour certains chapitres, les *Mémoires d'outre-tombe*[4]. — En ce qui concerne spécialement *Atala*, on a pu retrouver des influences précises : tout d'abord, celle du Père Pierre-François-Xavier de Charlevoix, jésuite français, qui avait parcouru de 1720 à 1722 les régions de Saint-Laurent et du Mississipi, et qui publia ses observations dans son *Histoire et description générale de la Nouvelle France*[5]. Après Charlevoix, on peut citer plusieurs missionnaires ou voyageurs :

---

1. *Génie du christianisme*, 4ᵉ partie, livre IV, chap. 1. — 2. *Mémoires*, éd. Biré-Moreau, p. 306. — 3. Recueil collectif de quarante volumes, à la gloire des missionnaires. — 4. «Chateaubriand en Amérique; vérité et fiction » (*R. H. L.*, 1899, p. 501-502 ; 1900, p. 59-121; et *Études critiques*, Paris, 1903). — 5. Paris, 1744.

le Père Lafitau : *Les Mœurs des Sauvages américains comparées aux mœurs des premiers temps*[1] ; l'Américain W. Bartram (1739-1823) : *Travels through North and South Caroline*[2] ; l'Anglais Jonathan Carver : *Travels through the interior parts of North America*[3] ; le compilateur américain Gilbert Imlay : *Topographical Description of the Western Territories of North America*[4] ; le baron de Lahontan : *Nouveaux Voyages* et *Dialogues curieux... avec un Sauvage de bon sens*[5] ; Le Page du Pratz : *Histoire de la Louisiane*[6] ; peut-être le marquis de La Potherie : *Histoire de l'Amérique septentrionale*[7] ; et un compilateur anonyme, auteur des *Aventures du Sieur Le Beau*, œuvre romanesque dont le héros est imaginaire[8].

A ces sources reconnues par l'auteur, ou retrouvées par la critique, on peut encore ajouter certaines illustrations que l'auteur d'*Atala* devait connaître, comme les gravures en couleurs du livre de Marc Casteby : *Histoire naturelle de la Caroline*[9], etc. Ainsi Chateaubriand ne s'est pas privé de prendre son bien où il se trouvait. Il ne s'en est d'ailleurs jamais caché : « D'autres ont leurs ressources en eux-mêmes, écrit-il dans l'*Itinéraire de Paris à Jérusalem*[10], moi, j'ai besoin de suppléer à ce qui me manque par toutes sortes de travaux. » « L'écrivain original, dit-il encore, n'est pas celui qui n'imite personne, mais celui que personne n'imite[11]. » On pourrait plutôt reprocher au romancier l'abondance et l'inégalité de son information historique ou géographique. A côté de garants sérieux, d'autres — comme Carver et le baron de Lahontan — ne méritent guère le crédit que l'auteur leur accorde. Mais ces inexactitudes ou ces légères invraisemblances n'enlèvent rien à l'intérêt littéraire d'une œuvre romanesque où l'idéologie tient la plus large place.

La couleur antique

A ces sources précises s'ajoutent des réminiscences antiques, plus ou moins transposées à l'indienne. Dans la peinture des mœurs, Chateaubriand choisit de préférence chez ses

---

1. Paris, 1724. — 2. Ouvrage édité successivement à Londres (1792-1794) et à Dublin (1793) ; traduit en allemand, en hollandais et en français. Voir J. Bédier (*op. cit.*) et J. M. Gautier, *l'Exotisme dans l'œuvre de Chateaubriand* (Manchester University Press, 1951, p. 57). — 3. Traduit en français (Paris, 1784) ; ouvrage d'une information douteuse. — 4. Londres, 1792. — 5. L'auteur, selon M. F. Letessier (*op. cit.*, p. XIX), ne mérite pas grand crédit. — 6. Paris, 1758. — 7. Paris, Nyon, 1753. — 8. Voir les articles de M. G. Chinard dans *Modern Language notes* (XXV, p. 137-141) et *Modern Philology* (IX, p. 129-149). — 9. Londres, 1753, 2e éd. — 10. Éd. Malakis (Baltimore, Londres, Paris, 1948) I, p. 145. — 11. *Génie du christianisme*, 2e partie, livre I, chap. III.

modèles des traits communs aux Anciens et aux Sauvages. L'influence de l'*Énéide* et de l'*Odyssée* est particulièrement sensible dans la fréquence et la longueur des discours et dans le choix des images. Mais c'était là le goût de l'époque : on ne peut en faire grief à l'auteur.

L'action et les thèmes romanesques

On ne saurait non plus lui tenir rigueur d'avoir sacrifié au goût de son temps en reprenant, dans son roman, certains « clichés » du XVIIIe siècle, remis en honneur par les récits des voyageurs et des missionnaires : le thème du « bon sauvage », illustré par les encyclopédistes, celui de la nature vierge opposée à la civilisation destructrice, celui de l'âge d'or primitif, ou des amours naturelles et innocentes.

D'autre part, certaines œuvres célèbres du siècle précédent conservaient, à l'aube du romantisme, toute leur popularité : et Chateaubriand ne pouvait les ignorer. L'aventure de Chactas et d'Atala rappelle un épisode des *Incas* de Marmontel [1] : Chactas abandonnant son bienfaiteur pour reprendre sa vie sauvage évoque un épisode rapporté par Rousseau dans une note de son *Discours sur l'inégalité* : un jeune Hottentot, recueilli par le gouverneur du Cap, Van der Stel, est élevé par celui-ci dans les « principes de la religion chrétienne et dans la pratique des usages de l'Europe », mais il finit par reprendre ses habitudes ancestrales et s'enfuit.

Mais, surtout, *Atala* pouvait évoquer à l'esprit des contemporains le célèbre roman de Bernardin de Saint-Pierre, *Paul et Virginie*, dont le succès n'avait pas diminué depuis sa publication, en 1778. Chateaubriand reconnaissait lui-même avoir subi le charme de cet ouvrage « qu'il savait », dit-il, à peu près tout entier par cœur [2].

Cette influence parut même si manifeste aux contemporains que Dussault put établir un long parallèle entre les deux romans dans un article du *Journal des débats* [3]. D'autre part, dans le recueil des *Veillées américaines*, publié en 1795, se trouve une anecdote, intitulée *Odérahi*, qui offre des analogies plus frappantes encore avec *Atala*, à tel point que, lors de la réédition du recueil [4], l'auteur anonyme n'hésita pas à présenter son héroïne comme « une sœur aînée d'Atala » : Ontérée [5] est aimé d'Odérahi, fille d'un chef indien, de même que Chactas est aimé par Atala ; dans les deux romans, un

---

1. Voir G. Chinard, *l'Exotisme américain*, p. 288-290 ; et J. Lemaître, *Chateaubriand* (Paris, 1912), p. 94. — 2. Comte de Marcellus, *Chateaubriand et son temps*, 1899, p. 129. — 3. 17 avril 1801. — 4. Juillet-août 1801. — 5. On retrouve ce personnage dans *René*.

obstacle s'oppose à l'amour des héros : la seule différence
est que, dans *Atala*, il s'agit d'un obstacle d'ordre religieux,
et, dans *Odérahi*, d'un obstacle moral, Ontérée aimant une
autre femme. Le dénouement est le même dans les deux
récits : Odérahi s'empoisonne comme Atala, et meurt, au
moment même où Ontérée consent enfin à l'épouser ; tout
comme Atala, relevée de ses vœux par le Père Aubry, est
empêchée par la mort de vivre le bonheur qui s'offre à elle.
De ces analogies incontestables peut-on néanmoins conclure
à une imitation consciente ? Autant il est improbable que
Chateaubriand, émigré à Londres, ait connu la première
édition d'*Odérahi*, autant il est invraisemblable qu'il n'ait
pas connu la seconde, signalée par un article du *Moniteur* [1]
où l'auteur établissait un parallèle entre *Atala* et *Odérahi*.
On peut difficilement admettre que Chateaubriand, contrai-
rement à ses habitudes et à son caractère, ait cherché à
dissimuler ses sources : mais même s'il l'avait fait et qu'il
eût prétexté une simple coïncidence — bien invraisemblable —, la critique l'aurait-elle cru ? Et puis, peut-être,
l'auteur d'*Atala* n'était-il pas fâché d'une comparaison qui,
dans son esprit, devait tourner à son avantage. Une telle
attitude ne manquerait pas d'élégance et s'accorderait
parfaitement avec l'exemple des grands « classiques » [2].
D'ailleurs, si l'influence d'*Odérahi* est la plus manifeste,
ce n'est pas la seule : l'aventure de l'Européen qui se réfugie
dans le Nouveau Monde pour fuir une civilisation détestée
et qui ne peut trouver le bonheur malgré l'hospitalité des
indigènes et l'amour d'une Indienne, constitue la trame de
plusieurs ouvrages romanesques parus dans la seconde
moitié du XVIIIᵉ siècle, notamment : *Florello, histoire
méridionale...*, de Louisel de Tréagate (1776) ; *Akazia,
anecdotes huronnes*, de Nicolas Bricaire de la Dixmerie
(1765), œuvre reprise par Mr. Morton, sous le titre *Ouabi
or the Virtues of nature* (Boston, 1790), et par un anonyme
— en qui certains ont cru reconnaître Chateaubriand lui-
même — dans une anecdote intitulée *Akazia et Célario*
(bibliothèque britannique de Genève, mai 1798) [3].
Enfin, la situation de René, réfugié en Amérique, a peut-être
été suggérée à l'auteur d'*Atala* par certaines conversations
entendues au cours de ses voyages. Ainsi, dans l'*Essai sur
les révolutions*, Chateaubriand rapporte un entretien qu'il
eut avec l'un de ces exilés volontaires : Philippe le Coq,
qui vécut au Canada, épousa une Indienne et « renonça aux
coutumes de son pays pour prendre les mœurs sauvages » [4].

---

1. Du 27 Thermidor, an IX. — 2. Voir l'*Imitation originale*, p. 87. — 3. Voir F. Letessier,
op. cit., introduction, p. XV-XVI. — 4. *Essai sur les révolutions*, IIᵉ partie, chapitre 56, note.

Montlosier cite également, dans ses *Mémoires*, une anecdote qui aurait pu inspirer certains détails d'*Atala* : il s'agit d'un ancien soldat de Louis XIV, invalide et aveugle comme Chactas ; il mène à Cayenne une vie primitive en compagnie de deux vieilles négresses, accueille son visiteur — Malouet, qui séjournait alors en Guyane — avec émotion, lui raconte sa vie, et lui donne sa bénédiction... D'autres récits analogues purent parvenir aux oreilles de Chateaubriand, pendant son séjour à Londres. Ce qui est sûr, en tout cas, c'est que le thème de l'Européen qui retourne volontairement à la vie sauvage et s'éprend d'une indigène était fort répandu à l'époque.

2. L'originalité d'« Atala »

En quoi consiste donc l'originalité d'*Atala* ? Dans son inspiration, ce roman se situe à mi-chemin entre la pensée philosophique du XVIIIe siècle et un christianisme rénové, qui trouvera son plein épanouissement dans *le Génie du christianisme*. C'était déjà une hardiesse, de la part de Chateaubriand, que d'entreprendre la réhabilitation de la religion chrétienne, fortement ébranlée par l'esprit rationaliste du XVIIIe siècle. Mais il était plus audacieux encore de prétendre associer l'esprit chrétien à la mentalité primitive. Quoi de plus opposé, en effet, que le dogme catholique de la *chute*, source de la misère humaine[1], et la légende du « bon sauvage », vivant heureux à l'état de nature ? De fait, cette synthèse paradoxale ne va pas toujours, dans *Atala*, comme on le verra plus loin[2], sans contradictions ni invraisemblance. Mais l'idée est originale et hardie. Elle était habile aussi, à l'époque. Il eût été dangereux et maladroit de heurter de front le goût d'un public encore tout imprégné de la pensée philosophique et des « chimères » d'un J.-J. Rousseau. Au contraire, si l'on parvenait à concilier, dans une œuvre romanesque, une intrigue amoureuse, des paysages exotiques, l'innocence primitive et le christianisme naïf des premiers âges, le succès était assuré. Certes, l'entreprise était périlleuse. Mais Chateaubriand eut le courage de la tenter, et la réussite couronna ses efforts. L'Église, pourtant, se montra réticente. Ce mélange de paganisme et d'esprit chrétien, de passion profane et de vertu, cette idylle romanesque à la Bernardin de Saint-Pierre, revue à travers les

---

1. Voir les *Pensées* de Pascal, Ire partie : « Misère de l'homme sans Dieu », et les *Lettres philosophiques* de Voltaire, Lettre XXV, « Sur les *Pensées* de M. Pascal ». — 2. Voir p. 172-173.

Lettres édifiantes, tout cela il faut le reconnaître, ne semblait pas d'une parfaite orthodoxie catholique : aux yeux de l'Église, ce «christianisme naturel» ressemblait un peu trop à la religion du Vicaire savoyard.

3. Le christianisme d'« Atala »

Le sujet du roman était déjà scabreux : s'il est vrai qu'Atala, par fanatisme ou par ignorance, se fait de la religion chrétienne une idée fausse, il n'en reste pas moins qu'elle est amenée au suicide par cette même religion, mal interprétée, et qu'elle reçoit l'extrême-onction des mains du missionnaire, malgré cet acte condamné par l'Église. Le Père Aubry n'échappe pas non plus à la critique religieuse : pouvait-il, de sa propre autorité, relever Atala de son vœu, même avec l'intention d'en référer ultérieurement à l'évêque ? Et, après la mort de la jeune Indienne, le missionnaire n'aurait-il pas dû profiter des bonnes dispositions de Chactas pour obtenir sa conversion immédiate et effective, par le baptême ? Or non seulement il n'en fait rien, mais il dissuade le jeune sauvage de se convertir sur-le-champ ; il fait confiance à la vertu de cet amant inconsolable pour l'amener au baptême. Sans doute l'avenir lui donnera-t-il raison : mais comment concilier cette conception optimiste de la nature humaine, et cette « religion du cœur », avec le dogme chrétien du péché originel ? Ce missionnaire-philosophe ne fait-il pas un peu trop bon marché des commandements de l'Église ? Ne se résigne-t-il pas aussi un peu trop aisément à « l'appel du désert » qui arrache Atala et Chactas aux bienfaits moraux de la civilisation européenne ? Ne voyons-nous pas les deux amants se révolter contre les desseins d'une Providence qui ressemble fort, dans leur situation et dans leur esprit, à la Fatalité antique, acharnée au malheur des hommes ? A vrai dire, ces légères atteintes à l'orthodoxie religieuse, ce mélange insolite de christianisme et d'esprit philosophique hérité du siècle précédent ne choquèrent, à l'époque d'*Atala*, que quelques ecclésiastiques ou dévots pointilleux, et ne nuisirent en rien au succès du roman. D'autre part, ces contradictions — ou ces contrastes — s'expliquent historiquement : le dessein général d'*Atala* fut en effet conçu avant la crise religieuse que traversa l'auteur, au lendemain de l'*Essai sur les révolutions*[1]. A l'origine, *Atala* devait être une sorte de conte philosophique, dans l'esprit

---

1. Voir *Mémoires*, I, p. 490-492 et 634-635.

du XVIIIe siècle, et destiné à montrer les dangers du fanatisme. Par la suite, quand Chateaubriand fut amené, pour les raisons qu'il a lui-même expliquées[1], à reprendre son manuscrit, son optique avait changé : il avait retrouvé la foi de son enfance, une foi encore bien tiède, mais qui tendait à s'affirmer. Sans doute les retouches qui furent alors apportées à la rédaction primitive devaient-elles être assez sensibles : ce n'est toutefois qu'une hypothèse, présentée pour la première fois par Jules Lemaître[2] : pour être plus affirmatif, il faudrait posséder le manuscrit original : or nous ne le connaissons pas. Ce qu'il y a de sûr, c'est que les variantes des éditions successives ne font pas ressortir de différences notables quant au fond. Le contraste de la morale naturelle et de l'intention religieuse reste donc un caractère essentiel d'*Atala*, et sans doute Jules Lemaître n'a-t-il pas tout à fait tort de penser que « sans le Père Aubry, *Atala* pourrait être un conte de Marmontel ou de Saint-Lambert ».

4. Les caractères

Ainsi, dans l'évolution religieuse de l'auteur, *Atala* s'inscrit à la croisée des chemins, entre l'*Essai sur les révolutions* et *le Génie du christianisme*. Mais c'est surtout à travers ses personnages que nous retrouvons Chateaubriand lui-même dans son œuvre.

Chactas est sans doute un des derniers représentants du « bon sauvage », type mis à la mode au XVIIIe siècle et popularisé, au début du XIXe, par les récits des voyageurs et des missionnaires. On a même pu trouver à l'amant d'Atala des modèles précis : le personnage du vieil Indien aveugle se trouve déjà chez Bartram[3]. Certains traits de son caractère ont pu être suggérés à l'auteur, comme nous l'avons vu[4], par des anecdotes ou des récits entendus à Londres pendant l'émigration. Mais, comme le fait observer M. Letessier[5], Chactas n'est-il pas plus encore Chateaubriand lui-même, « avec son inquiétude, sa passion ardente, son goût de l'indépendance [...] Chateaubriand [...] dont on retrouve les sentiments intimes transportés au désert pour s'animer dans le cœur d'un Indien » ? — D'autres traits de caractère nous rappellent encore l'auteur : la fierté farouche, la noblesse, l'attachement aux traditions ancestrales, la soif d'aventures, l'amour de la nature sauvage et luxuriante... Il y a en outre, chez ce « Sauvage », une élévation de pensée, une délicatesse de

---

1. Voir p. 23. — 2. *Chateaubriand*, p. 94. — 3. Voir p. 42, n. 7. — 4. Voir p. 170-171. — 5. *Op. cit.*, p. XXXI.

sentiments qui appartiennent à Chateaubriand, beaucoup plus qu'à son héros. Quant au **Père Aubry**, on peut le considérer, sinon comme le porte-parole de l'auteur, du moins comme sa créature spirituelle. Non que les modèles fissent défaut à l'écrivain. Il a pu en trouver un peu partout dans les récits des missionnaires. Mais le Père Aubry incarne le type du « bon prêtre », tel que Chateaubriand le concevait : non pas « l'infâme » de Voltaire, ni le théologien subtil des *Provinciales*, mais « le prêtre tel qu'il est », le héros des temps modernes, celui « qui peut jouer un rôle des plus importants de l'épopée »[1]. Certes, là encore, Chateaubriand n'a rien inventé, ce n'est pas lui, quoi qu'on en ait dit[2] qui « donna au prêtre droit de cité dans notre littérature » ! l'abbé Sage a même pu écrire un gros livre pour démontrer que le type du « bon prêtre » apparaît en France dès la fin du xvᵉ siècle[3]. Mais, comme le dit le même critique, l'auteur d'*Atala* a fait beaucoup plus : il a dévoilé « un nouvel univers spirituel aux fils de Voltaire et de Rousseau » ; avec le Père Aubry, « le prêtre ne se borne plus à être un intendant de la vie : il redevient un ministre de la mort. Il a regagné ainsi, grâce à *Atala*, une de ses dimensions perdues : la principale »[4]. Si l'on osait ajouter quelque chose à ce jugement si perspicace, on pourrait dire, d'un point de vue « laïque » et en dehors de toute considération religieuse, que le Père Aubry incarne aussi le prêtre libéral et humain, indulgent aux erreurs des hommes, par esprit de tolérance autant que par charité chrétienne : Voltaire aurait sans doute aimé ce prêtre-là.

L'expérience personnelle de l'auteur n'est pas moins sensible dans le caractère d'**Atala**. Un passage des *Mémoires*, daté il est vrai de 1822, mais très probablement véridique[5] semble bien prouver que le personnage d'Atala fut inspiré à Chateaubriand, au cours de son voyage en Amérique en 1791, par des Indiennes « issues d'un sang mêlé de chercki et de castillan ». Deux d'entre elles frappèrent particulièrement le voyageur par leur beauté, qui alliait « la double séduction de l'Indienne et de l'Espagnole ». Et l'auteur précise : « L'une était fière, et l'autre triste [...]. L'une d'elles, la fière, priait souvent ; elle me paraissait *demi-chrétienne*. » Ce dernier détail fait immédiatement penser à l'amante de Chactas, hypothèse confirmée d'ailleurs par Chateaubriand lui-même : « Ces deux Floridiennes cousines du côté paternel, dit-il, m'ont servi de modèles, l'une pour Atala, l'autre

---

1. Le *Génie du christianisme*, IIᵉ partie, livre II, chap. 9. — 2. P. Franche, *Le Prêtre dans le roman français* (1902, p. 24). — 3. Abbé P. Sage, *Le Bon Prêtre dans la littérature française, d'Adamis de Gaule au « Génie du christianisme »*, Genève-Lille, Droz-Girard, 1951. — 4. *Ibid.* p. 440 ; voir aussi J. L. Prévost, *Le Prêtre, ce héros de roman*, Paris, Téqui, 1953, p. 11-12. — 5. *Mémoires*, éd. Levaillant, I, p. 331-334.

pour Céluta[1]. » Mais un autre passage des *Mémoires* nous apprend que le « souvenir de Charlotte » (Miss Ives, la fille du pasteur[2]) obsédait encore l'esprit de l'auteur, à l'époque où il « portait à la fois dans son cerveau, dans son sang, dans son âme, Atala et René [...] ces brillants jumeaux ». Il est bien difficile, cependant, d'assimiler la timide Charlotte, à qui Chateaubriand émigré donnait des leçons de français, et l'amante passionnée de Chactas. Aussi M. André Gavoty a-t-il proposé un autre modèle à l'héroïne d'*Atala*[3] : il s'agit de Mme du Belloy, dont les *Mémoires* ne font qu'une seule et brève mention[4], mais qui eut à Londres, avec l'auteur de l'*Essai sur les révolutions*, une brève et brillante liaison, déjà évoquée par Mathieu Molé dans ses *Souvenirs*[5], et précisée, grâce à des documents nouveaux, par M. Gavoty. Selon ce critique, « sous les traits d'Atala, le caractère et le visage de Mme du Belloy sont aisément reconnaissables ». Cette thèse ne paraît pas entièrement convaincante à M. F. Letessier[6], qui objecte — avec raison, semble-t-il — qu'« *Atala* était dès longtemps en gestation et même rédigée, lorsque Chateaubriand connut et aima la belle Dominicaine ». D'après M. Letessier, Mme du Belloy n'aurait fourni que « quelques détails au portrait définitif de la fille du désert », ainsi que « l'accent de passion vraie dont le souffle traverse le récit tout entier ».

Mais — comme le note encore M. Letessier — n'est-il pas vain « de vouloir mettre une femme réelle derrière chacune de celles que Chateaubriand a fait vivre dans ses œuvres »[7] ? Des souvenirs plus ou moins conscients ont pu intervenir dans la création du personnage d'Atala, sans qu'il s'agisse pour autant ni d'un portrait réel ni même d'un portrait « composite ». Atala semble bien appartenir à cette cohorte de « sylphides » imaginaires qui hantèrent l'imagination de Chateaubriand pendant toute sa vie. Comme Rousseau, cet amant volage ne cessa de peupler son univers amoureux « d'êtres selon son cœur ». Et il le dit lui-même dans ses *Mémoires* : « Ne m'étant attaché à aucune femme, ma sylphide obsédait encore mon imagination. Je me faisais une félicité de réaliser avec elle mes courses fantastiques dans les forêts du Nouveau-Monde. Par l'influence d'une autre nature, ma fleur d'amour, mon fantôme sans nom des bois de l'Armorique, est devenue Atala sous les ombrages de la Floride[8]. » Ainsi les idées, les sentiments, les souvenirs

---

1. Héroïne des *Natchez*. — 2. Sur Miss Ives et Atala, voir A. Le Braz, *Au pays d'exil de Chateaubriand* (Paris, Champion, 1909). — 3. *Revue des Deux Mondes*, mai-juin 1948. — 4. *Mémoires*, I, 474. — 5. Louis Molé (1781-1855) servit Napoléon et fut premier ministre sous Louis-Philippe. — 6. *Op. cit.*, Intr. p. XXV. — 7. *Ibid*, p. XXVI. — 8. *Mémoires*, I, p. 240.

et l'imagination de l'auteur apparaissent-ils constamment à travers ses personnages : et cette présence de l'homme chez l'écrivain fait déjà d'*Atala* une œuvre originale, bien différente des romans et des récits exotiques à la mode au début du xixe siècle.

5. Les styles d'« Atala »

La langue

En écrivant *Atala*, Chateaubriand a créé un style nouveau, à la fois classique et moderne. Ce qui reste classique, c'est le goût, « ce bon sens du génie » sans lequel le génie lui-même n'est qu'une sublime folie ». L'art, pour Chateaubriand, ce n'est pas toute la nature, mais la nature choisie. L'écrivain doit éviter le style « bas », « trivial », « commun »[1]. Il doit aussi se garder de ce défaut que Sainte-Beuve reproche à V. Hugo : l'abus de la « force », c'est à-dire l'outrance sous toutes ses formes, traits caractéristiques du « romanesque européen ». L'art exige la mesure, le « rien de trop » des Anciens. Pour plaire, il faut d'abord ne point choquer. Mais le bon goût ne suffit pas. Il doit s'accompagner du travail, complément indispensable de l'inspiration. Chateaubriand se piquait d'ailleurs de purisme. « Onze fois, nous dit-il dans sa Préface, il a repris *Atala*. Après avoir « pesé chaque phrase, examiné chaque mot », il a « fait disparaître jusqu'aux moindres incorrections de langage »[2]. Docile aux conseils de Fontanes[3] et aux observations de ses censeurs, il a mis en pratique le conseil de Boileau : « Cent fois sur le métier remettez votre ouvrage, — Polissez-le sans cesse et le repolissez[4]. »

Ce souci de mesure et de goût explique la noblesse générale du ton dans *Atala* : les contemporains s'étonnèrent d'entendre ces « bons sauvages » s'exprimer avec tant d'élégance et dans une langue tout académique[5]. « Je demande comment Chactas, à l'âge de vingt ans, idolâtre et sauvage, a pu entendre un seul mot des discours admirables que le missionnaire fait sur Dieu et sur le bonheur des justes », écrit Morellet dans ses *Observations critiques*. « Je demande comment Chactas, idolâtre et demeurant tel, a pu apercevoir

---

1. *Essai sur la littérature anglaise* (1836). — 2. Voir p. 33. — 3. Voir p. 33, n. 4. — 4. *L'Art poétique*, I, v. 172-173. — 5. *Observations critiques sur le roman intitulé « Atala »* (1801).

que *toute l'humble grotte était remplie de la grandeur d'un trépas chrétien*, et comprendre ce que c'est qu'un trépas chrétien ? [...] Je prie les lecteurs de se figurer Chactas sanglotant ces paroles : *Je répandis la terre antique sur un front de dix-huit printemps.* » Ainsi Morellet et certains censeurs d'*Atala* purent-ils, au nom de la vraisemblance, reprocher à l'auteur son excès de purisme.

Inversement, d'autres contemporains firent grief à Chateaubriand d'avoir employé dans son roman une langue hétéroclite et barbare. « Quant aux détails, écrit M.-J. Chénier[1], on y sent l'affectation marquée d'imiter l'auteur de *Paul et Virginie*[2] ; mais pour lui ressembler, il faudrait comme lui décrire et peindre. Des noms accumulés de fleuves, d'animaux, d'arbres, de plantes ne sont pas des descriptions ; des couleurs jetées pêle-mêle ne forment pas des tableaux. M. de Chateaubriand suit la poétique extraordinaire qu'il a développée dans son *Génie du christianisme*. » Jugement sévère, et même injuste. On ne peut nier que, dans *Atala*, la couleur locale et l'exotisme proviennent, dans une large mesure, de l'emploi d'un vocabulaire géographique et botanique où les noms propres aux consonances étranges (pour une oreille européenne) tiennent une place importante. Mais peut-on reprocher à Chateaubriand d'avoir usé de ces termes précis, si barbares qu'ils parussent aux contemporains, pour peindre des paysages exotiques ? Dans le cas contraire, ne lui eût-on pas reproché le caractère conventionnel et vague de ses descriptions, défaut auquel n'échappe pas toujours Bernardin de Saint-Pierre ? En outre, comme l'observe M. Ch. Bruneau dans sa *Petite histoire de la littérature française*[3], cette « langue sauvage » n'est pas exclusivement exotique : « Chateaubriand y juxtapose habilement les souvenirs antiques et les détails exotiques. » Et M. Bruneau donne pour exemple la description des bisons, qui peuplent les savanes du Meschacebé : *Quelquefois un bison chargé d'années, fendant les flots à la nage, se vient coucher parmi de hautes herbes, dans une île du Meschacebé. A son front orné de deux croissants, à sa barbe antique et limoneuse, vous le prendriez pour le dieu du fleuve, qui jette un œil satisfait sur la grandeur de ses ondes, et la sauvage abondance de ses rives*[4]. Il reste que ce mélange des tons et des styles, cette alliance de purisme classique et d'exotisme surprirent et parfois choquèrent les contemporains : ainsi *le Publiciste* du 27 Germinal an IX (17 avril 1801) porte-t-il ce jugement

---

1. *Tableau historique de l'état et des progrès de la littérature française depuis 1789* (1816). — 2. Roman de Bernardin de Saint-Pierre (1787). — 3. Tome II, p. 28-29. — 4. Voir p. 39, n. 4.

sévère : « Ce mélange des styles que l'auteur paraît regarder comme un avantage ne sert souvent qu'à refroidir l'illusion, parce qu'il est contraire à la vérité [...]. Le même homme ne peut tour à tour raisonner comme un Européen et sentir comme un sauvage. Celui qui prête une voix aux fleuves et une âme à la solitude ne s'amusera point à définir le premier regard de celle qu'il va aimer [...]. Ceci est d'un sauvage qui contemple la nature en amant, et sa maîtresse en observateur. » Mais le public, dans son ensemble, fut d'un avis tout opposé ; J.-L. Geoffroy, notamment, loue l'auteur d'*Atala* d'avoir créé, dans son roman, un style nouveau : « *Atala*, écrit-il, a donc une fiction vraiment originale, dont les détails, aussi neufs que hardis, me semblent avoir agrandi le domaine de la haute poésie et enrichi notre langue poétique dont on accuse avec justesse la sécheresse et l'indigence[1]. »

La poésie d' «Atala »

C'est qu'*Atala* est bien en effet une œuvre poétique. Chateaubriand lui-même a défini ce roman « une sorte de poème, moitié descriptif, moitié dramatique[2] » : non qu'il pensât, comme beaucoup de ses contemporains, que la prose, même poétique, pût supporter la comparaison avec les vers : « Je suis obligé d'avertir, précise-t-il en note, que si je me sers ici du mot de poème, c'est faute de savoir comment faire autrement. Je ne suis point de ceux qui confondent le prose et les vers [...]. Le poète, quoi qu'on en dise, est toujours l'homme par excellence, et des volumes entiers de prose descriptive ne valent pas cinquante beaux vers d'Homère, de Virgile ou de Racine. » Que cette modestie soit sincère ou feinte, il n'en reste pas moins qu'une page d'*Atala* est infiniment plus poétique, au sens propre du terme, que des poèmes entiers de Delille, de Lebrun, ou même de J.-B. Rousseau. Le XVIIIe siècle n'avait connu qu'un seul grand poète, André Chénier ; le « Siècle des lumières » fut essentiellement un siècle de prose. Or Chateaubriand apportait avec *Atala* une langue nouvelle qui ajoutait à la prose classique certains caractères propres à la poésie. A vrai dire, il n'en était pas l'inventeur ; avant lui, J.-J. Rousseau avait déjà donné, dans *la Nouvelle Héloïse* et dans *les Rêveries du Promeneur solitaire*, un premier modèle de cette « prose poétique ». Mais il s'agissait alors d'un langage purement affectif, tendant à suggérer, par la musique des

---

1. *Année littéraire*, t.III, 1801. — 2. Voir préface, p. 26, l. 53.

mots et de la phrase, des sensations ou des sentiments inexprimables dans la langue ordinaire. Avec Rousseau, pour reprendre une formule usée mais juste, le paysage devenait un « état d'âme » : le pittoresque en était généralement exclu. Dans *Atala*, au contraire, Chateaubriand se montre à la fois poète et peintre. Après Bernardin de Saint-Pierre, il introduit l'exotisme dans la littérature. Mais ce qui n'était, chez l'auteur de *Paul et Virginie*, qu'un procédé de style, devient, dans *Atala*, l'essentiel : c'est l'exotisme qui fournit le thème général du roman, comme le cadre de l'action, et le caractère des personnages. Parfois associé, nous l'avons vu [1], à des souvenirs antiques, il joue dans le récit le même rôle de « dépaysement » que la mythologie dans la tragédie classique. En permettant à l'imagination de s'évader vers des contrées inconnues et mystérieuses, toutes chargées de légende, dans un paradis terrestre retrouvé, Chateaubriand ouvre la porte au rêve. Et par là, déjà, il crée une « atmosphère » poétique. Le lyrisme est un autre élément de cette poésie « sauvage ». Il apparaît dans l'analyse des sentiments, dans la peinture de la passion brûlante, au sein d'une nature vierge. Ce n'est plus là seulement une poésie descriptive et pittoresque, mais un lyrisme personnel, où l'auteur communique à ses personnages ses émotions intimes, ses souvenirs idéalisés et ses rêves mélancoliques. *Atala* est en quelque sorte la sœur aînée de *Jocelyn* [2], cet autre roman d'amour où la nature et le devoir, la vertu et la passion s'affrontent douloureusement sans pouvoir se rejoindre.

Atala mérite donc bien le qualificatif de « poème descriptif », au sens le plus large du terme, car l'analyse psychologique ne tient pas moins de place dans le roman que la description du paysage ou la peinture des mœurs indiennes. D'autre part, ce poème est composé à la façon d'un drame, ou plutôt d'une tragédie classique, dont les passions déterminent seules les événements. « Des inquiétudes, une crise, une solution » : cette définition que donne Alain de la tragédie ne peut-elle s'appliquer au roman d'*Atala* ? Enfin, si le sujet de ce drame a un peu vieilli — encore que certains thèmes, comme le droit des peuples à l'indépendance [3], retrouvent aujourd'hui un regain d'actualité —, Chateaubriand reste l'Enchanteur, l'artiste incomparable, le poète-né qui a donné à la « prose poétique » de Rousseau sa forme définitive. Sa phrase concilie le rythme de la période classique et l'harmonie du vers lamartinien. Il ne serait pas impossible d'y retrouver, souvent, des mètres poétiques,

---

1. Voir les questions posées p. 43, 49, 51 et 59. — 2. Poème de Lamartine, 1836. — 3. Voir p. 158, n. 2 et p. 159 n. 1.

comme dans *les Rêveries du Promeneur solitaire*[1]. La présentation typographique elle-même rappelle la disposition strophique, par les « blancs » qui séparent les paragraphes : Baudelaire reprendra le procédé dans ses *Petits Poèmes en prose*. Et l'intégration, au cours du récit, de « chansons » du folklore indien, achève de donner à cette prose d'artiste une couleur éminemment poétique.

6. L'influence d'« Atala »

Le Génie du christianisme a fait oublier *Atala* : la grande œuvre a éclipsé la petite. Et pourtant, tout Chateaubriand est déjà dans cet opuscule, qui méritait bien de vivre son propre destin : les contemporains ne s'y trompèrent pas, qui firent à cette histoire indienne un si chaleureux accueil. Il est difficile de parler d'une « postérité » d'*Atala*. Le thème central — celui du « bon sauvage » — n'a guère survécu à l'enthousiasme révolutionnaire, hérité du XVIIIᵉ siècle. Pourtant nous avons pu, chemin faisant, retrouver dans le *Jocelyn* de Lamartine le conflit essentiel de la foi et de la passion. Parmi les œuvres qui ont subi, de près ou de loin, l'influence d'*Atala*, on peut citer aussi *Éloa* et *la Sauvage* de Vigny. Plus près de nous, le roman de P. Loti, *Ramuntcho*, est, selon M. V. Giraud, « une géniale transposition d'*Atala* ». Mais surtout, en portant la prose à un degré de perfection inégalable, Chateaubriand ouvrait la voie à la poésie romantique, ressuscitant ainsi un genre que l'on pouvait croire oublié depuis André Chénier, et enseveli sous les décombres du XVIIIᵉ siècle. Ne fût-ce qu'à ce titre, « l'Enchanteur » aurait déjà droit à notre reconnaissance : placé au carrefour de la pensée philosophique déclinante et du romantisme naissant, il a renoué, en une synthèse puissante et féconde, avec les plus pures traditions du génie national.

---

1. Voir *les Rêveries du Promeneur solitaire* (P. C. B.), p. 189 et *passim*.

DOCUMENTS

Fragments
du
GÉNIE DU CHRISTIANISME[1]

(*Atala*, p. 37-41.)

Il est difficile de se faire une idée de la navigation inté-
rieure, dont la nature a disposé les canaux dans cette partie
du Nouveau-Monde. Des milliers de fleuves se croisent, se
quittent, se mêlent de nouveau, se nouent, se dénouent
en cent manières. Les uns tombent du sommet d'une montagne, tels que le Kanhaumy ; les autres forment des
rapides tumultueux sous les rives perpendiculaires de cinq
cents pieds d'élévation, tels que le Kentucky ; d'autres
ouvrent lentement leurs vastes plis à travers les forêts et
les savanes, tels que la Kauck. Tous ces fleuves, en descendant les uns dans les autres et formant les branches d'une
seule chaîne, varient leurs confluents selon leur plus ou
moins de pureté, et plus ou moins de vitesse de leur cours.
L'Ohio apporte tranquillement au Meschacebé la collection
des belles ondes qu'il dérobe aux urnes du Kentucky, du
Scioto, du Ouabache et du Tenase ; tandis que le Missouri
darde, comme une écluse, son eau blanche à travers l'an-
cêtre des fleuves, le coupe obliquement en Y, dont une large
barre va frapper le bord opposé, rebondit, et, contraint
alors de se mêler à son rival, le précipite avec lui vers la mer,
en décolorant ses ondes.

Quand tous ces fleuves se sont gonflés des déluges de l'hiver,
quand les tempêtes ont abattu des pans entiers de forêts,
c'est alors qu'il se fait dans les eaux de la solitude des embar-
cations dignes de sa pompe sauvage. Le temps, comme un
puissant bûcheron, assemble sur toutes les sources les arbres

---

1. Ces *Fragments* furent publiés, sous ce titre, en 1838, dans la 4e édition des *Œuvres
complètes*, tome XXXI. Ils comportent des morceaux jusqu'alors inédits, inclus dans un
Génie du christianisme primitif, dont l'auteur avait commencé l'impression à Londres,
avant son retour d'émigration. Bien que Chateaubriand ait renié cette première rédaction
de son « grand ouvrage », les éditeurs jugèrent utile de publier ces *Fragments*, dont un
exemplaire avait échappé à la destruction. Certains de ces « premiers jets d'une imagination
chaleureuse, s'exaltant dans la solitude à l'aspect des beautés de la nature », constituent
comme une première ébauche d'*Atala* et de *René*. Nous donnons ici les principaux extraits
qui intéressent *Atala*. On pourra utilement les rapprocher de la rédaction définitive.

déracinés : il les unit avec des lianes, il les cimente avec des vases et des argiles ; il y plante de jeunes arbrisseaux et lance son ouvrage sur les ondes. Charriés par les vagues écumantes, ces radeaux débouchent de toutes parts sur le Meschacebé. Le vieux fleuve s'en empare à son tour et se charge d'aller les placer à son embouchure, pour y former une nouvelle branche et multiplier ses cornes avec ses années. Monté sur ces vastes trains de bois, il les dirige avec son trident et repousse l'un et l'autre rivage ; par intervalle, il élève sa grande voix en passant sous les monts et répand ses eaux débordées autour des tombeaux indiens et des troncs des arbres, comme le Nil autour des pyramides et des colonnes égyptiennes.

Mais comme la grâce est toujours unie à la magnificence dans les scènes de la nature, tandis que le courant du milieu entraîne rapidement vers la mer les cadavres des pins et des chênes, on voit sur les deux courants latéraux remonter tranquillement, le long des rivages, des îles de pistia et de nénuphar, dont les roses jaunes s'élèvent comme de petits pavillons, à l'extrémité d'un mât de quinze à seize pouces. Des serpents verts, des hérons bleus, des flammants roses, de jeunes crocodiles, s'embarquent passagers sur ces vaisseaux de fleurs, et la colonie, déployant au vent ses voiles d'or, va aborder endormie dans quelque anse retirée du fleuve.

(*Atala*, p. 40, l. 71-97.)

Le jour approchait de sa fin et tout était calme, superbe, solitaire et mélancolique au désert. Prête à se livrer au silence, la solitude exécutait un dernier concert : les forêts, les eaux, les brises, les quadrupèdes, les oiseaux, les monstres faisaient les diverses parties de ce chœur unique. La nonpareille chantait dans le copalme ; l'oiseau moqueur gazouillait dans le tulipier ; on entendait à la fois et les flots expirants sur leurs grèves et les crocodiles qui rugissaient sourdement. Nichées dans les feuillages des tamarins, des grenouilles d'un vert de porphyre imitaient par un cri singulier le tintement d'une petite cloche ; et de beaux serpents, qui vivent sur les arbres, sifflaient suspendus aux dômes des bois, en se balançant dans les airs comme des festons de liane. Enfin de longues bandes de caribous, d'orignaux, de buffles sauvages venaient en bramant, en mugissant, se baigner dans les eaux du lac. Toutes ces bêtes défilaient sous l'œil de l'universel Pasteur, qui conduit la chevrette de la montagne avec la même houlette dont il gouverne dans les plaines du ciel l'innombrable troupeau des astres.

(*Atala*, p. 62, l. 296-300.)

Chez les Sauvages floridiens, lorsqu'un jeune homme veut déclarer son amour à une jeune fille, il se lève au milieu de la nuit, allume une torche de pin, se rend à la cabane de sa maîtresse, comme un chasseur qui veut prendre une colombe au flambeau. Si la vierge réveillée couvre sa tête d'un voile et dit : « Guerrier, je ne te vois pas », c'est le signe du refus ; si elle éteint le flambeau, elle accepte la main du jeune homme. Alors, il dépose sur la couche de sa future épouse une rose de magnolia, où le fruit mûr, semblable à un grain de corail, pend au bout d'une longue soie ; c'est le symbole d'une mère qui porte à son sein l'espérance de la patrie.

(*Atala*, p. 64-65, l. 328-348.)

L'Indien et le voyageur se levèrent pour retourner à la cabane, ils passèrent près d'un tombeau qui formait la limite de deux nations dans la solitude ; c'était celui d'un enfant ! On l'avait placé au bord du sentier public, afin que les jeunes femmes, en allant à la fontaine, puissent recevoir dans leur sein l'âme de l'innocente créature, et la rendre à la patrie. Il s'y trouvait alors une mère, toute semblable à Niobé, qui, à la clarté des étoiles, arrosait de son lait le gazon sacré et y déposait une gerbe de maïs et des fleurs de lis blanc. On y voyait aussi des épouses nouvelles qui, désirant les douceurs de la maternité, venaient puiser les semences de la vie à un tombeau, et cherchaient, en entrouvrant leurs lèvres, à recueillir l'âme du petit enfant, qu'elles croyaient voir errer sur les fleurs.

J'admirai avec des pleurs dans les yeux ces mœurs très merveilleuses et ces dogmes attendrissants d'une religion qui semblait avoir été inventée par des mères.

(*Atala*, p. 73, l. 493-503.)

L'ancien des hommes [...] commença son chant religieux [...]. D'abord, il raconta les guerres du *Grand Esprit* contre le cruel *Kitchimanitou*, dieu du mal. Ensuite, il célébra le jour fameux qui commence les temps, jour où le *Grand Lièvre*, au milieu des quadrupèdes de sa cour, se plut à former d'un grain de sable, qu'il tira du fond de l'abîme, et à transformer en homme les corps des animaux noyés. Il dit le premier homme et la belle *Atahensic*, la première de toutes les femmes, précipités pour avoir perdu l'innocence ; la terre rougie du sang fraternel ; *Joudkeka* l'impie immolant le juste *Tabouit-savon* ; le déluge descendant à la voix du *Grand Esprit* pour punir la race de *Joudkeka* ; *Massou* sauvé seul, dans son canot d'écorce, du naufrage du genre humain ; le corbeau envoyé à la découverte de la terre, et ce même corbeau revenant à son maître sans avoir trouvé où se reposer. Plus heureux que le volatile, le rat musqué rapporta à *Massou* un peu de terre pétrie dont *Massou* forma le nouvel univers. Ses flèches, lancées contre le tronc des arbres dépouillés, se changèrent en branches verdoyantes. *Massou*, par reconnaissance, épousa la femelle du rat musqué, et de cet étrange hyménée sortit la nouvelle race des hommes, qui tiennent de leur mère terrestre l'instinct et les passions animales, et se rapprochent de la divinité par l'âme et la raison qu'ils tiennent de leur père.

Tel fut le chant du vieux Sauvage, qui remplit d'étonnement l'Européen en retrouvant dans le plus profond des déserts, dans un monde séparé de trois autres parties de la terre, les traditions de notre Sainte religion.

(*Atala*, p. 82, l. 659-678.)

Presque tous les arbres de la Floride et de la Louisiane, en particulier le cyprès, le cèdre et le chêne vert, sont couverts d'une espèce de mousse blanche qui descend de l'extrémité de leurs rameaux jusqu'à terre. Quand, la nuit, au clair de lune, vous apercevez, sur la nudité d'une savane, une yeuse isolée revêtue de cette draperie, vous croiriez voir un fantôme traînant après lui ses longs voiles. La scène n'est pas moins pittoresque au grand jour, car une foule de brillants scarabées, de colibris, de petites perruches vertes, de cardinaux empourprés viennent s'accrocher à ces mousses et présentent avec elles l'effet d'une tapisserie en laine blanche où l'ouvrier aurait brodé des insectes et des oiseaux éclatants.

Les Espagnols se font des lits de cette barbe des vieux chênes, et les Indiens y trouvent des maisons de campagne durant l'été. Quelquefois vous rencontrez, sous ces berceaux mouvants, à l'ombre d'un cèdre, une famille de Sioux logée tout entière aux frais de la Providence.

Les mousses, en s'abaissant de toutes parts, forment les divers appartements du palais ; les jeunes garçons montent sur les rameaux de l'arbre et se couchent dans les espèces de hamac que le chevelu végétal forme en s'entrelaçant ; au-dessous, au pied du tronc, habitent le père et la mère : les filles sont dans une arcade retirée. Quand Dieu envoie des vents pour balancer ce grand cèdre ; que le château aérien, bâti sur ses branches, va flottant avec les oiseaux et les Sauvages qui dorment dans ces abris ; que mille soupirs sortent de tous les corridors et de toutes les voûtes du mobile édifice, les sept merveilles du monde n'ont rien de comparable à ce monument du désert.

(*Atala*, p. 84, l. 691-695.)

Enfin, l'étonnante *sarracenia* qui, dans les marais corrompus, renferme en son cornet vieilli une source de la plus pure rosée ; cette plante, trop jeune encore, n'eût point montré comment Dieu a caché l'espérance au fond de nos cœurs ulcérés par la douleur, comment il a fait jaillir la vertu du sein des misères de la vie.

(*Atala*, p. 110, l. 155-162.)

Humbles monuments de l'art des Indiens ! vous n'invitez point une science fastueuse à vos tombes inconnues. Vous n'avez d'autres portiques que ceux des forêts, d'autres pilastres que le granit des rochers, d'autres ciselures que les guirlandes des vignes et des scolopendres. L'Ohio, silencieux et rapide, coule nuit et jour à votre base ; un bois de sapins conduit à vos sépulcres, et les colonnes, marbrées de vert et de feu, forment le péristyle de ce temple de la mort. Dans ce bois règne sans cesse un bruit solennel, comme le sourd mugissement de l'orgue ; mais lorsqu'on pénètre au fond du sanctuaire on n'entend plus que le chant des oiseaux qui célèbrent à la mémoire des morts une fête éternelle.

(*Atala*, p. 130, l. 309-313.)

Souvent ceux qui ont habité les palais en sont sortis les mains liées derrière le dos ; les reines ont été vues pleurant comme de simples femmes, et l'on s'est étonné de la quantité de larmes que contiennent les yeux des rois.

(*Atala*, p. 146, l. 71-76.)

Et la lune qui, comme une blanche et timide vestale, se lève au milieu de la nuit pour chanter les louanges du Seigneur, aurait-elle osé confier à de jeunes arbrisseaux et de naissantes fontaines ce grand secret de mélancolie qu'elle ne raconte qu'aux vieux sapins et au rivage des mers ?

(*Atala*, p. 150, note 1.)

J'ai bien changé depuis ces jours : les jarrets du *vieux cerf* se sont roidis, il a pris sa parure d'hiver, son poil est devenu blanc, et il va bientôt se retirer dans l'étroite caverne.

(*Atala*, p. 157, note 3.)

Il salua le jeune Européen selon la coutume du désert en l'agitant légèrement par l'épaule ; il lui souhaita *un ciel bleu, beaucoup de chevreuils, un manteau de castor et l'espérance.* Il poussa la fumée du calumet de paix vers le soleil couchant et vers la terre : cela étant fait, il s'assit sous le papaya.

(*Atala*, p. 164, note 2.)

Telle fut cette nuit passée au milieu d'une famille de Sauvages. Mes hôtes me quittèrent au lever du jour. Nous nous séparâmes, non sans des marques d'émotion et de regrets, touchant notre front et notre poitrine à la façon du désert. Immobile et sentant des larmes prêtes à couler, je suivis longtemps des yeux la troupe demi-nue qui s'éloignait à pas lents : les petits enfants suspendus aux épaules de leurs mères se détournaient en souriant pour me regarder, et je leur faisais des signes de la main en manière de derniers adieux. Cette marche touchante et maternelle s'enfonça peu à peu dans la forêt, où on la voyait paraître et disparaître tour à tour entre les arbres : elle se perdit enfin totalement dans leur épaisseur. Puissent ces Sauvages conserver de moi quelque souvenir ! Je trouve je ne sais quelle douceur à penser que, tandis que j'existe persécuté des hommes de mon pays, mon nom, au fond d'une solitude ignorée, est encore prononcé avec attendrissement par de pauvres Indiens [1].

---

1. Ce fragment, qui figure déjà dans l'*Essai sur les révolutions* (voir p. 164, n. 2), fut repris une première fois dans un article du *Mercure de France* (22 novembre 1800).

Fragments
des
MÉMOIRES D'OUTRE-TOMBE [1]

Sur les circonstances de la publication d'« Atala » [2]

Je m'occupais à revoir les épreuves d'*Atala* (épisode renfermé, ainsi que *René*, dans *le Génie du christianisme*) lorsque je m'aperçus que des feuilles me manquaient. La peur me prit : je crus qu'on avait dérobé mon roman, ce qui assurément était une crainte bien peu fondée, car personne ne pensait que je valusse la peine d'être volé. Quoi qu'il en soit, je me déterminai à publier *Atala* à part, et j'annonçai ma résolution dans une lettre adressée au *Journal des débats* et au *Publiciste* [3]. Avant de risquer l'ouvrage au grand jour, je le montrai à M. de Fontanes : il en avait déjà lu des fragments en manuscrit à Londres. Quand il fut arrivé au discours du père Aubry, au bord du lit de mort d'Atala, il me dit brusquement d'une voix rude : « Ce n'est pas cela, c'est mauvais ; refaites cela ! » Je m'en retirai désolé ; je ne me sentais pas capable de mieux faire. Je voulais jeter le tout au feu ; je passai depuis huit heures jusqu'à onze heures du soir dans mon entresol, assis devant ma table, le front appuyé sur le dos de mes mains étendues et ouvertes sur mon papier. J'en voulais à Fontanes ; je m'en voulais ; je n'essayais pas même d'écrire, tant je désespérais de moi. Vers minuit, la voix de mes tourterelles m'arriva, adoucie par l'éloignement et rendue plus plaintive par la prison où je les tenais renfermées ; l'inspiration me revint ; je traçai de suite le discours du missionnaire, sans une seule interligne, sans en rayer un seul mot, tel qu'il est resté et tel qu'il existe aujourd'hui. Le cœur palpitant, je le portai le matin à Fontanes qui s'écria : « C'est cela ! C'est cela ! Je vous l'avais bien dit, que vous feriez mieux ! »

L'accueil du public

C'est de la publication d'*Atala* que date le bruit que j'ai fait dans ce monde : je cessai de vivre de moi-même et ma carrière publique commença. Après tant de succès militaires, un succès littéraire paraissait un prodige ; on en était

---

1. *Mémoires d'outre-tombe*, XIII, 6 (éd. Biré-Moreau, t. I, p. 176 et suiv. ; Bordas S. L. B., p. 98-99). — 2. Voir Introduction, p. 13. — 3. Fontanes, dans *le Mercure* du 16 Germinal an IX (6 avril 1801), annonçait la publication prochaine d'*Atala*. Le *Journal des débats* annonça, le 17 avril, la publication du livre chez Migneret, rue Jacob.

affamé. L'étrangeté de l'ouvrage ajoutait à la surprise de la foule. *Atala* tombant au milieu de la littérature de l'Empire, de cette école classique, vieille rajeunie dont la seule vue inspirait l'ennui, était une sorte de production d'un genre inconnu. On ne savait si l'on devait la classer parmi les monstruosités ou parmi les beautés ; était-elle Gorgone ou Vénus ? Les académiciens assemblés dissertèrent doctement sur son sexe et sur sa nature, de même qu'ils firent des rapports sur *le Génie du christianisme*. Le vieux siècle la repoussa, le nouveau l'accueillit.

Atala devint si populaire qu'elle alla grossir, avec la Brinvilliers, la collection de Curtius [1]. Les auberges de rouliers étaient ornées de gravures rouges, vertes et bleues, représentant Chactas, le père Aubry, et la fille de Simaghan. Dans des boîtes de bois, sur les quais, on montrait mes personnages en cire, comme on montre des images de Vierge et de saints à la foire. Je vis sur un théâtre du boulevard ma sauvageonne coiffée de plumes de coq, qui parlait de *l'âme de la solitude* à un sauvage de son espèce, de manière à me faire suer de confusion. On représentait aux Variétés une pièce dans laquelle une jeune fille et un jeune garçon, sortant de leur pension, s'en allaient par le coche se marier dans leur petite ville ; comme, en débarquant, ils ne parlaient, d'un air égaré, que crocodiles, cigognes et forêts, leurs parents croyaient qu'ils étaient devenus fous. Parodies, caricatures, moqueries m'accablaient [2]. L'abbé Morellet, pour me confondre, fit asseoir sa servante sur ses genoux et ne put tenir les pieds de la jeune vierge dans ses mains, comme Chactas tenait les pieds d'Atala pendant l'orage : si le Chactas de la rue d'Anjou s'était fait peindre ainsi, je lui aurais pardonné sa critique [3].

Tout ce train servait à augmenter le fracas de mon apparition. Je devins à la mode. La tête me tourna : j'ignorais les jouissances de l'amour-propre, et j'en fus enivré. J'aimai la gloire comme une femme, comme un premier amour. Cependant, poltron que j'étais, mon effroi égalait ma passion : conscrit, j'allais mal au feu. Ma sauvagerie naturelle, le doute que j'ai toujours eu de mon talent me rendaient humble au milieu de mes triomphes. Je me dérobais à mon état ; je me promenais à l'écart, cherchant à éteindre l'auréole dont ma tête était couronnée. [...]

1. Voir p. 16, n. 3. — 2. M.-J. Chénier fut le plus acharné. Sa longue satire des *Nouveaux Saints* est en grande partie consacrée à *Atala*. On pouvait y lire des vers comme ceux-ci : « J'entendrai les sermons prolixement diserts — Du bon M. Aubry, Massillon des déserts. — O terrible Atala ! Tous deux avec ivresse. — Courons goûter encor les plaisirs de la messe ! » — 3. Chateaubriand se venge des *Observations* de Morellet (l'abbé *Mords-les*, disait Voltaire).

QUELQUES JUGEMENTS
SUR « ATALA »

1. L'œuvre jugée par les contemporains

Éloges

« Ce livre n'est point comme les autres [...]. Il y a un charme, un talisman, qui tient aux doigts de l'ouvrier [...]. Il réussira parce qu'il est de l'Enchanteur. »

(Joubert, *Lettre* à Mme de Beaumont, 6 mars 1801.)

« *Atala* [...] une fiction vraiment originale, dont les détails, aussi neufs que hardis, me semblent avoir agrandi le domaine de la haute poésie et enrichi notre langue poétique dont on accuse avec justesse la sécheresse et l'indigence. L'auteur a fait l'usage le plus heureux des formes antiques ; le ton, les figures, et les mouvements du chantre d'Achille et d'Ulysse se retrouvent dans l'auteur d'Atala, avec une teinte de mélancolie sombre, une certaine rudesse sauvage, qui semblent leur donner un nouveau degré d'énergie : c'est l'Homère des forêts et des déserts. »

(J. L. Geoffroy, *l'Année littéraire*, I, iii, 1801.)

Dans *Atala* « tout est neuf : le titre, les personnages, et les couleurs ».

(Fontanes, *Mercure de France*, 1801.)

Critiques

« Ce mélange des styles que l'auteur paraît regarder comme un avantage ne sert souvent qu'à refroidir l'illusion, parce qu'il est contraire à la vérité [...]. Le même homme ne peut tour à tour raisonner comme un Européen et sentir comme un sauvage. Celui qui prête une voix aux fleuves et une âme à la solitude ne s'amusera point à définir le premier regard de celle qu'il va aimer [...]. Ceci est d'un sauvage qui contemple la nature en amant, et sa maîtresse en observateur. »

(*Le Publiciste*, 17 avril 1801.)

Plus sévère encore, l'abbé MORELLET critique dans *Atala* : « l'affectation, l'enflure, l'impropriété, l'obscurité des termes et des expressions, l'exagération dans les sentiments, l'invraisemblance dans la conduite de la situation des personnages, les contradictions et l'incohérence entre les diverses parties de l'ouvrage, enfin et en général, tout ce qui blesse le goût et la raison [...], depuis la discussion philosophique jusqu'aux contes de fées inclusivement. »

(*Observations critiques sur le roman intitulé « Atala »*, 1801.)

Quinze ans plus tard, M.-J. CHÉNIER reprend et précise les griefs de Morellet : « Nous avons peine à concevoir ce qu'il peut y avoir de moral dans un amour charnel et sauvage, auquel la religion vient mêler des sacrements très graves, dont le mariage ne fait point partie ; quel intérêt peut résulter d'une fable incohérente, où des événements qui restent vulgaires en dépit des formes les plus bizarres ne sont ni amenés, ni motivés, ni liés entre eux, ni suspendus par aucun obstacle. »

(*Tableau historique... de la littérature française depuis 1789*, 1816.)

2. Le jugement de la postérité

« *Atala* pourrait se définir un drame de caractère exécuté par des personnages en qui la couleur locale est un peu conventionnelle. »

(SAINTE-BEUVE, *Chateaubriand et son groupe littéraire*, éd. M. Allem, 1948.)

« De telles choses n'avaient pas encore été écrites. Vous ne les trouverez pas chez Jean-Jacques, et non pas même chez Bernardin de Saint-Pierre. [...]. De même qu'*Andromaque*, en 1668, exprime tout à coup les passions de l'amour comme on ne l'avait pas fait encore, ainsi, en 1801, *Atala* se trouve exprimer les formes et les couleurs — avec une sensualité mêlée de rêve — comme on ne les avait pas encore exprimées. »

(J. LEMAITRE, *Chateaubriand*, 3e conférence, 1912.)

« *Atala* est l'aboutissement splendide de trois siècles d'une littérature spéciale, [...] la quintessence, extraite par un grand artiste, de tant de volumes insipides, la transformation en une œuvre d'art achevée des relations naïves et verbeuses des bons pères jésuites et des premiers annalistes du Nouveau-Monde. »

(G. Chinard, *Atala*, Introduction, p. 19, 1930.)

Une résidence typique du Sud
à Natchez (Mississipi)

TABLE DES MATIÈRES

Imprimerie Berger-Levrault, Nancy — 774887-01-1989.

Dépôt légal : janvier 1989 — Dépôt légal 1re édition : 2e trimestre 1968

Imprimé en France